LA MANIFESTATION NATURELLE
DE DIEU
D'APRÈS L'ÉCRITURE

DU MÊME AUTEUR

Les Sages d'Israël (Lectio divina 1), Ed. du Cerf, 1946 ; traduit en espagnol.

Le péché originel dans l'Ecriture (Lectio divina 20), Ed. du Cerf, 1958. Nouvelle édition augmentée, 1967 ; traduit en allemand, anglais, espagnol, italien.

María, Nueva Eva según las Escrituras. Los Fundamentos bíblicos del dogma de la Asunción (Traducción y presentación de Alberto Colao), Cartagena, Athenas Ediciones, 1959.

Judith. Formes et sens des diverses traditions. T. I : Etudes ; t. II : Textes (Analecta Biblica 24), Rome, Institut Biblique Pontifical, 1966.

Amour et fécondité dans la Bible (Questions posées aux catholiques), Toulouse, Privat, 1967 ; traduit en anglais, espagnol, italien.

LECTIO DIVINA

91

A.-M. DUBARLE, O.P.

LA MANIFESTATION NATURELLE DE DIEU D'APRÈS L'ÉCRITURE

LES ÉDITIONS DU CERF
29, bd Latour-Maubourg Paris VIIe
1976

Imprimatur : Paris, le 10 juin 1976
E. BERRAR, v.e.

© Les Editions du Cerf, 1976
ISBN 2-204-01047-2

ABRÉVIATIONS UTILISÉES

ATD	Das Alte Testament Deutsch, 25 vol., Göttingen.
Bib	Biblica. Rome.
BJRL	Bulletin of the John Ryland's Library, Manchester.
BWANT	Beiträge zur Wissenschaft vom Alten (und Neuen) Testament. Leipzig.
BZ	Biblische Zeitschrift, Fribourg-en-B., 1903-29 ; Paderborn 1931-39 ; 1957ss.
BZAW	Beihefte ZAW. Berlin.
CBQ	Catholic Biblical Quarterly. Washington.
Denz	H. Denzinger, Enchiridion symbolorum..., Fribourg-en-Br. (rééditions).
HAT	Handbuch zum Alten Testament. Tübingen.
HNT	Handbuch zum Neuen Testament. Tübingen.
HUCA	Hebrew Union College Annual. Cincinnati.
ICC	International Critical Commentary. Edimbourg.
JTSt	Journal of Theological Studies. Oxford.
LXX	Traduction grecque des Septante.
NTD	Das Neue Testament Deutsch, éd. P. Althaus, J. Behm. Göttingen.
NTSt	New Testament Studies. Cambridge.
NZSTh	Neue Zeitschrift für Systematische Theologie. Berlin.
PG	Patrologie grecque de Migne. Paris.
PL	Patrologie latine de Migne. Paris.
RB	Revue Biblique. Paris.
RecSR	Recherches de Science Religieuse. Paris.
RHE	Revue d'Histoire Ecclésiastique. Louvain.
RHPR	Revue d'Histoire et de Philosophie Religieuse. Strasbourg.
RSPT	Revue des Sciences Philosophiques et Théologiques. Paris.
SDB	Supplément au Dictionnaire de la Bible. Paris.
TLZ	Theologische Literaturzeitung. Leipzig.
TM	Texte hébreu massorétique.
TOB	Traduction Œcuménique de la Bible. Paris ; N.T. 1973, A.T. 1975.
TWNT	Theologisches Wörterbuch zum Neuen Testament (éd. Kittel). Stuttgart.
TZ	Theologische Zeitschrift. Bâle.
VD	Verbum Domini. Rome.
Vg	Vulgate latine.

AVANT-PROPOS

Le thème qui est abordé dans la présente étude a été souvent traité en considérant seulement des textes majeurs, qui en parlent de manière réflexe. Sag. 13, 1-9 affirme la possibilité et Rom. 1, 18-32 la réalité chez les païens d'une connaissance de Dieu à partir des créatures visibles. Le discours de Paul à l'Aréopage (Act. 17, 22-31) et la courte apostrophe de Lystres (Act. 14, 15-17) sont un exemple d'une prédication chrétienne s'adressant aux païens en s'appuyant sur ce que leur religion ou la philosophie avaient pu leur inculquer.

Il y a avantage à ne pas isoler ces quelques textes, mais à les considérer dans l'ensemble du témoignage de l'Ecriture[1]. Une théologie biblique véritable ne peut pas se limiter à quelques points d'arrivée, mais doit retracer un itinéraire. On s'engage à coup sûr dans une enquête moins facile, où les textes à examiner sont nombreux, mais dispersés un peu partout dans l'Ancien Testament. Il s'agit donc de les discerner, de les rassembler, de les interpréter[2]. Il y a fatalement une part de libre option dans le choix des passages retenus et dans leur organisation sous quelques idées générales. Mais, ceci fait, les textes classiques prennent une richesse de signification qu'on ne leur soupçonnait pas. Ils font la théorie d'une pratique spontanée, présente comme une poussière dans bien des livres. Et cette

---

1. « Quiconque entreprend d'approfondir la doctrine du Nouveau Testament ne peut faire l'économie d'une étude préalable des préparations vétérotestamentaires ». A. FEUILLET, *Le mystère de l'amour divin dans la théologie johannique* (Etudes bibliques), 1972, p. 2.

2. C'est la méthode que j'ai déjà mise en œuvre à propos du péché originel : (A. M. DUBARLE, *Le péché originel dans l'Ecriture* [Lectio divina, 20], 1958 ; deuxième édition revue et augmentée, 1967) ; voir les chapitres Ier sur le péché originel dans l'Ancien Testament, abstraction faite de Gen. 2-3 ; III sur les livres sapientiaux ; IV sur les suggestions de l'Evangile.

poussière, une fois accumulée, pèse lourd et donne aux textes classiques tout leur poids.

Les écrivains du Nouveau Testament dépendent des Ecritures antérieures (et cela vaut également pour l'auteur alexandrin du livre de la Sagesse). Ils les ont souvent méditées profondément, Paul en particulier, formé à Jérusalem aux pieds de Gamaliel (Act. 22, 3). Ils y voient le pédagogue qui mène au Christ, le témoin qui le désigne d'avance. Sans nier que Paul ou le Sage d'Alexandrie soient redevables à la culture grecque de certains éléments de leur pensée, c'est d'abord à l'Ecriture et au judaïsme qui la prolonge, beaucoup plus qu'à l'hellénisme, qu'il faut demander l'explication des textes du Nouveau Testament et de ceux qu'étudie la seconde partie du présent livre [3].

Le terme de « manifestation naturelle de Dieu » exprime tout d'abord qu'il s'agit d'une connaissance indépendante de la révélation historique accordée à Israël. Cette révélation historique a non seulement été reçue à un moment déterminé de l'existence du peuple, mais elle s'est accomplie moyennant des événements historiques (libération d'Egypte, royauté de David, etc.), dans lesquels Dieu s'est fait connaître lui-même ainsi que ses desseins envers un peuple particulier ou, finalement, envers l'humanité entière. Le terme de manifestation naturelle de Dieu fait abstraction de tout cela, en principe du moins.

La manifestation naturelle de Dieu peut se diversifier de plusieurs manières. Elle peut être la connaissance de Dieu à partir de la nature visible, ou la connaissance de Dieu accessible aux païens, en dehors de l'alliance historique conclue avec Israël, enfin la connaissance de Dieu antérieure à la foi juive ou chrétienne. Ces trois spécifications ne correspondent pas à trois objets parfaitement distincts. Elles peuvent se rencontrer simul-

---

3. R. DE LANGHE, « Judaïsme ou hellénisme en rapport avec le Nouveau Testament », dans *L'attente du Messie* (Recherches bibliques), 1954, pp. 154-183, a préconisé cette préférence (non rigoureusement exclusive) du judaïsme, surtout d'ailleurs du point de vue linguistique plus que du point de vue de l'utilisation de l'Ancien Testament.

4. B. W. ANDERSON a noté ce caractère historique de la connaissance de Dieu dans l'Ancien Testament et posé, à partir de là, la question de savoir si ces Ecritures attestent également une révélation générale, destinée à toute l'humanité : art. « God (O.T. view of) », dans *The Interpreter's Dictionary of the Bible*, ed. by G.A. Buttrick, 1962, t. II, pp. 418-419.

tanément dans certains cas. Et, d'autre part, elles peuvent aussi recouper quelque peu la connaissance de Dieu à l'intérieur de la révélation historique.

La contemplation des êtres visibles comme miroir de la gloire de Dieu tient une part notable dans les Psaumes, les livres sapientiaux et, dans une mesure plus restreinte, chez les prophètes. Elle se combine avec la foi religieuse en Yahweh qui a choisi un peuple comme bénéficiaire de son alliance. Cependant de tels textes ne sont pas sans intérêt pour le thème de la manifestation naturelle de Dieu.

Israël a été en contact avec des peuples qui ne partageaient pas ses croyances. Il a jugé leur polythéisme, leurs cultes à images et il les a rejetés. Mais il a aussi pensé que Dieu se manifestait à eux dans une certaine mesure, soit dans le spectacle du monde visible, qui leur fournissait un milieu de vie, soit pour quelques-uns dans la connaissance marginale, si l'on peut dire, de ses interventions divines en faveur des partenaires de son alliance. Enfin, mais ceci ne relève absolument plus de la manifestation naturelle de Dieu, les prophètes ont entrevu une conversion générale à Yahweh dans l'avenir.

Le terme de « connaissance naturelle de Dieu » évoque, selon les uns, une préparation souhaitable ou indispensable à la foi religieuse, une condition nécessaire de son exercice, ou au contraire, selon d'autres tendances théologiques, un obstacle élevé par la présomption de l'homme. Là encore l'examen du témoignage diffus de l'Ancien Testament peut être instructif [5]. Il peut amener à une vue plus nuancée des préparations à la foi. Quand on parle de préambules à la foi, on sous-entend plus ou moins consciemment une théorie rationnelle d'allure philosophique. Les auteurs bibliques n'inclinent pas leur lecteur vers une telle conception : pour eux il s'agit d'une connaissance salutaire, qui va de foi en foi (cf. Rom. 1, 17), et dont les étapes sont plus variées que celles évoquées par la formule simplifiée : raison et foi.

---

5. « Il est malheureux que les discussions relatives à la possibilité et à la portée de la révélation naturelle partent si souvent de postulats *a priori*, au lieu d'un examen empirique du texte scripturaire », H. P. OWEN, « The Scope of Natural Revelation in Rom I and Acts XVII », dans NTST 5 (1958/59), pp. 133-143, voir p. 134.

Le ressourcement scripturaire tenté ici voudrait amener à reconnaître la richesse d'un thème signifié trop sommairement par son titre, la variété des attitudes légitimes de la foi dans son usage de l'intelligence, la possibilité pour l'esprit croyant de tirer profit de l'apport des autres religions, de la culture profane, des sciences humaines, de la philosophie, sans pour autant se départir de sa foi.

La présente étude trouve difficilement un titre exempt d'équivoque. Celui de « manifestation naturelle de Dieu » a été finalement retenu de préférence à celui plus classique de « connaissance naturelle de Dieu ». C'est une combinaison de données bibliques. « Ce qu'on peut connaître de Dieu est pour eux manifeste ; Dieu le leur a manifesté » (Rom. 1, 19). « Des païens font naturellement ce que la loi prescrit » (Rom. 2, 14), parce qu'ils le connaissent naturellement, c'est-à-dire indépendamment de la révélation divine accordée à Israël (cf. 1 Cor. 11, 14). Il était bon de montrer dès l'abord la perspective biblique adoptée ici et de dépayser le lecteur par une expression inusuelle.

Le terme de « connaissance naturelle de Dieu » n'est pas neutre ; il a derrière lui une longue histoire. Et il importe d'éviter les contaminations dont il pourrait être l'occasion. Les philosophes grecs distinguaient une théologie mythique, transmise par des poèmes comme ceux d'Homère ou d'Hésiode et racontant les actions et aventures des dieux, une théologie politique, c'est-à-dire les croyances et surtout le culte sanctionnés par les lois de la cité ou polis, enfin une théologie physique, celle des philosophes, qui scrute la nature du divin, telle qu'elle se manifeste dans la nature des choses [6]. C'était un effort rationnel pour lier une doctrine sur les dieux aux théories qui s'ébauchaient sur la nature du monde visible. Cette théologie physique avait surtout conscience de ce qu'elle rejetait dans la théologie mythique ou politique, beaucoup plus que de ce qu'elle en tenait secrètement, et tout d'abord la conviction de l'existence même du divin (de Dieu, des dieux). Face à cette théologie physique, élaborée par des penseurs, la manifestation naturelle, dont la présente étude cher-

---

6. W. Jaeger. *The Theology of the early Greek Philosophers*, 1947 ; Trad. fr. *A la naissance de la théologie. Essai sur les présocratiques*, 1966. Dans l'introduction l'A. note que saint Augustin a repris le terme de théologie physique dans la traduction latine qu'en avait déjà donnée Varron : théologie naturelle, voir *De civitate Dei*, 1. VI.

che les traces dans la Bible, n'est pas toujours le fruit d'une
réflexion méthodique ; elle est souvent l'expression d'une contemplation poétique du monde visible. Elle peut être aussi le contenu
d'une croyance naïve, plus ou moins mêlée à des mythes ou à des
institutions nationales (cf. Mic. 4, 5).

Il n'entre pas dans le dessein de la recherche entreprise ici
d'exposer les destinées de cette théologie physique et de ses reje-
tons dans la pensée chrétienne. Les Pères de l'Eglise, au courant
des essais de la philosophie grecque, les ont recueillis, élaborés,
transmis à la théologie médiévale. En passant des Grecs aux
Latins, la théologie physique est devenue la théologie naturelle[7].
Ainsi peu à peu s'est constituée une doctrine distinguant la connaissance naturelle et la connaissance surnaturelle de Dieu.

La première est une spéculation de type rationnel et philosophique définie comme indépendante en droit de la foi chrétienne,
et à qui il incombe de démontrer par arguments l'existence de
Dieu et de mettre en lumière quelques-uns de ses attributs : sagesse, puissance, bonté. Elle constitue ainsi une base pour une
connaissance surnaturelle s'alimentant à la révélation, base que
certains estiment légitime et nécessaire et que d'autres dénoncent
comme ruineuse et blasphématoire.

La connaissance surnaturelle est définie comme l'adhésion par
la foi à des révélations dispensées par Dieu, principalement dans
l'Ecriture inspirée. Le rôle de l'intelligence (fides quaerens intel-
lectum) est alors de recueillir, d'élaborer synthétiquement, de pénétrer plus parfaitement ces vérités révélées, reçues par la foi ;
il ne peut être de les mettre en question et de les élaguer ou
rejeter à la manière dont les philosophes grecs procédaient dans
leur théologie physique à l'égard de la théologie mythique ou
politique. Cette connaissance surnaturelle, conditionnée par la foi
religieuse, est, aux yeux du théologien chrétien, supérieure à la

---

7. Mentionnons rapidement au passage une autre alternative termino-
logique : B. GAERTNER, The Areopagus Speech and Natural Revelation,
1955, distingue (p. 73, n. 2) « révélation naturelle », celle dont la Bible
peut offrir soit des échantillons, soit des théories, et « théologie naturelle », terme qu'il préfère éviter, parce qu'il conduit à une vue quelque peu liée avec la théorie stoïcienne de l'affinité avec Dieu, c'est-à-dire
que la raison humaine est apparentée à Dieu. Mais le mot de « révélation » que B. G. accole avec celui de « naturel » est beaucoup plus
lié par l'usage à l'idée d'une révélation historique. Mieux vaut renoncer
à une dénomination hybride.

connaissance naturelle, qui, en droit, est accessible à tout homme doué de raison ; elle fait parvenir à des vérités fatalement cachées à la connaissance naturelle.

L'expression « manifestation naturelle » a été retenue ici pour signifier que la présente enquête entend rester en dehors de cette catégorie double de connaissance naturelle-surnaturelle, qui entraîne avec elle bien des problèmes formulés longtemps après la Bible. Il s'agit d'inventorier le donné scripturaire en faisant abstraction le plus possible de systématisations postérieures et dépendant d'autres sources que de ce donné. Faute d'un mot qui ne soit pas grevé de ce même danger de méprise, le mot « naturel » a été conservé : il est biblique et peut se définir comme ce qui est accessible aux païens, indépendamment de la révélation historique donnée à Israël (Rom. 2, 14 ; 1 Cor. 11, 14). Il évoque également ce qui dans la nature visible manifeste le vrai Dieu.

Plutôt que de « religion naturelle » le titre choisi parle de « manifestation naturelle », car il s'agira avant tout de la connaissance de Dieu plutôt que de l'hommage qu'on lui rend, bien que les deux éléments soient étroitement liés, surtout dans une mentalité biblique. Pour se défendre contre les ambiguïtés du terme de « religion naturelle », J. Daniélou avait proposé celui de « religion cosmique » [8], *qui serait encore moins adapté à la présente étude, et qui risque, contre l'intention de l'auteur, de faire penser à une religion s'adressant au cosmos plutôt qu'à un Dieu personnel et transcendant, se manifestant dans le cosmos.*

Il est clair que le thème de la manifestation naturelle de Dieu est un thème secondaire ou marginal dans l'Ecriture. En gros les livres inspirés traitent de la révélation que Dieu fait de lui-même à un peuple déterminé, Israël, avec qui il entre dans une alliance particulière et dont l'histoire, à la fois politique et spirituelle, met en lumière les attributs divins de providence puissante, d'amour, de fidélité. Le thème de la manifestation naturelle de Dieu est abordé de manière occasionnelle, sans faire l'objet de longs

---

8. J. Daniélou, *Les saints païens de l'Ancien Testament*, 1956, p. 9, note l'ambiguïté de l'expression « religion naturelle », car « on entend généralement par nature ce qui constitue l'essence de l'homme abstraitement considéré en dehors de son appel historique à la Grâce ». Même réflexion dans H. Maurier, *Essai d'une théologie du paganisme*, 1965, p. 47. Il est clair que la présente recherche biblique se tient en dehors de cette problématique et de ce sens de « naturel ».

développements ; il faut l'extraire d'une manière un peu artificielle du thème principal, où il est enrobé.

Cette prise en considération de textes dispersés dans l'Ancien Testament est évidemment limitée. Peut-être en a-t-elle laissé échapper certains qui auraient mérité d'être retenus. Surtout il aurait été possible de s'arrêter plus longuement sur chacun, notamment à propos des emprunts faits par Israël aux religions étrangères et de l'attitude spirituelle du courant sapientiel. Il fallait se limiter, ouvrir une perspective à partir du point de vue central choisi. D'autre part, il n'existe pas, à ma connaissance, d'étude d'ensemble sur le thème abordé ici, mis à part les grands textes classiques.

Les livres inclus par l'Eglise catholique dans la liste des Ecritures canoniques et dénommés souvent deutéro-canoniques, mais que le protestantisme dénomme apocryphes, ont été interrogés à l'égal des livres du canon juif. Cela ne change guère le résultat d'ensemble. Les lecteurs qui le désirent pourront facilement mettre entre parenthèses ce que leur tradition propre ne reconnaît pas comme parole authentique de Dieu.

PREMIERE PARTIE

LES DONNÉES ÉPARSES
DE L'ANCIEN TESTAMENT

CHAPITRE I

LA CONNAISSANCE DE DIEU
PAR LA NATURE VISIBLE

La louange de Dieu dans la création

Les Psaumes comprennent plusieurs hymnes célébrant la puissance, la sagesse, la miséricorde divines telles qu'elles se manifestent dans le monde visible. Certaines pièces paraissent être une adaptation de compositions étrangères ; ainsi le Ps. 29, d'origine cananéenne, plus précisément ugaritique ; le Ps. 104, qui imite un modèle égyptien.

Mais la louange pouvait aussi se développer à partir de la foi la plus spécifiquement israélite dans l'élection d'un peuple particulier, béni et sauvé par Yahweh. Il est possible d'établir une série de formes constituant une transition progressive entre un psaume célébrant les prodiges de la sortie d'Egypte (Ps. 114-115) et un autre faisant écho à la louange de Dieu chantée par les cieux (Ps. 19). L'existence de cette série, même si elle résulte d'un groupement un peu artificiel, met en lumière l'unité de la foi d'Israël au milieu de tous les emprunts.

Le Ps. 114 forme une seule pièce avec le Ps. 115 dans les Septante (Ps. 113, LXX). Il est inutile ici de discuter si cette unité est primitive ou résulte d'une liaison fortuite ou intentionnelle. Ce qui importe pour le propos présent, c'est de constater que le Ps. 135 s'est inspiré de l'ensemble 114-115 et en constitue comme un doublet. Un grand nombre de thèmes reviennent dans les deux compositions, parfois en des termes identiques, parfois avec des mots se rapprochant davantage d'autres textes dans Ps. 135. Mais l'ordre diffère notablement [1].

---

1. Comparer les passages suivants :
Election d'Israël : Ps. 114, 2 ; 135, 4 (plus proche de Deut. 7, 6) ;

Au milieu de ces ressemblances multiples le thème, commun aux deux psaumes, des prodiges de l'Exode, peut attirer l'attention, malgré ou plutôt en raison de la différence considérable du détail. Dans Ps. 114, 3-8 ce sont des prodiges particuliers décrits dans un langage poétique personnifiant la mer, le Jourdain, les montagnes, la terre [2]. Dans le Ps. 135, 9 c'est la simple mention générale des signes et des prodiges qui frappèrent l'Egypte, suivie du rappel de la conquête de Canaan.

Ce qui nous intéresse ici, c'est qu'à la place des personnifications tumultueuses du Ps. 114, 3-8 apparaissent les phénomènes météorologiques ordinaires des nuages, de la pluie et du vent (Ps. 135, 7). Au lieu de faits exceptionnels intéressant le salut du peuple choisi, c'est le cours régulier de la nature qui manifeste la volonté toute-puissante de Yahweh. La délivrance inespérée d'Israël lui avait montré que son Rédempteur disposait à son gré des éléments cosmiques. Dans le Ps. 135, 6-7 le regard s'élargit au monde entier, bien que les faits rappelés, ceux de l'orage, puissent évoquer de loin la théophanie du Sinaï.

Dans le Ps. 136 la pensée fait un nouveau pas vers la considération générale du monde. Dans ce rappel litanique des grandes œuvres de Yahweh, la seconde partie (136, 10-22), consacrée à la délivrance d'Israël, coïncide presque textuellement avec le Ps. 135, 8-12 pour une bonne moitié. Mais la première partie (136, 5-9), consacrée au monde matériel, rappelle la création du ciel et de la terre, celle des astres, le soleil et la lune. Ce sont

---

Prodiges de l'Exode : Ps. 114, 3-8 ; 135, 8-9 ;
Le nom divin et la miséricorde divine : Ps. 115, 1-2 ; 135, 13-14 ;
Yahweh fait tout ce qui lui plaît : Ps. 115, 3 ; 135, 6 ;
Néant des idoles : Ps. 115, 4-8 ; 135, 15-18 ;
Invitation à Israël et à ses catégories : Ps. 115, 9-13 ; 135, 19-20 ;
Don de la terre : Ps. 115, 16 ; 135, 12 ;
Bénédiction finale adressée à Yahweh : Ps. 115, 18 ; 135, 21.

2. On peut rapprocher de Ps. 114, 3-8 des textes tels que Ps. 68, 9 ; 77, 17-20 ; Jug. 5, 4-5. 20 ; Hab. 3, 6-11, où le pouvoir de Dieu sur les forces naturelles lors de l'Exode est décrit de manière dramatique. H. J. KRAUS, *Psalmen,* p. 782, à propos de Ps. 114, rappelle le thème mythologique du combat contre la mer, mené par le Dieu Baal, dans les textes d'Ugarit. Il n'est pas exclu que le psalmiste dépende ici quelque peu de ce mythe, qui a laissé de nombreux vestiges dans l'Ancien Testament. Cela pouvait rendre plus facile à l'auteur du Ps. 135, s'inspirant du Ps. 114-115, de célébrer la manifestation de Dieu dans la nature, indépendamment de l'histoire du salut.

des créatures aux lois infiniment plus régulières que les vents et la pluie avec leurs apparitions imprévisibles. Tout cet ordre de la nature est au service d'une Providence bienfaisante, qui « à toute chair donne la nourriture » (Ps. 136, 25).

Le Ps. 147 est plus irrégulier. Au lieu d'une division nette des parties, l'univers d'un côté, Israël de l'autre, les deux thèmes s'entrelacent continuellement. Dans le monde visible le psalmiste considère les étoiles, les nuages et la pluie qui féconde la terre, l'alternance du froid et de la chaleur, Dieu dispose de tout cela pour donner la nourriture au bétail et aux animaux sauvages (Ps. 147, 9). Mais le soin qu'il prend d'Israël est encore plus admirable et vaut au peuple choisi une situation unique [3].

Enfin le Ps. 19 arrive au degré suprême de généralisation et d'abstraction. On estime fréquemment que ses deux parties, différentes par leur rythme et traitant la première du monde visible, la seconde de la loi, sont d'origine indépendante et qu'elles ont été rapprochées par la suite [4]. Mais le rapprochement, s'il y en eut un, n'a pas été purement fortuit. Il provenait de ce goût qu'a la piété biblique de considérer les manifestations merveilleuses de Dieu à la fois dans la nature et dans l'histoire ; les Psaumes en donnent plusieurs exemples et il se manifeste encore ailleurs [5].

Dans le Ps. 19, 8-15 le détail anecdotique du passé a complètement disparu. Il ne reste que l'éloge de la Loi, don éminent fait à Israël et auquel, avec le temps, on ramène de plus en plus toutes ses prérogatives.

Mais ce qui nous intéresse présentement, c'est la formule générale : « les cieux proclament la gloire de Dieu ». Ce qui était une invitation à toutes les créatures dans le Ps. 148, ce qui le sera encore dans le cantique des trois jeunes gens jetés dans le feu (Dan. 3, 57-90), est ici une constatation objective. Il y a là une première ébauche de réflexion sur ce qui avait été jusqu'alors

---

3. Le Ps. 33 a quelque analogie avec le Ps. 147. Il exalte la puissance divine, qui a créé les cieux et dispose des eaux de la mer, qui gouverne toutes les nations, mais a choisi un peuple pour son héritage particulier (33, 12). Le Ps. 148 invite toutes les créatures à louer le nom de Yahweh et se termine par un verset concernant Israël.

4. Pour ne pas rompre le mouvement de la comparaison entre les psaumes rapprochés ici, les discussions relatives au Ps. 19 sont rapportées plus loin ; voir pp. 26-30.

5. Néh. 9, 5-6 et 7-37 ; Sir. 16, 24 - 17, 10 et 17, 11-24 ; 42, 15 - 43, 33 et 44, 1 - 50, 24 ; Sag. 13, 1-9 et 16, 1 - 19, 22.

perçu spontanément par la piété vivante. Bien que la louange des cieux ne soit pas formulée en langage humain, elle n'en est pas moins réelle. Leurs paroles sont allées jusqu'aux limites du monde, ce qui signifie bien probablement que tous les hommes, quel que soit leur habitat, sont susceptibles de comprendre ce témoignage muet.

Un prophète, un messager de Dieu, pouvait prendre les cieux et la terre à témoin des reproches ou des menaces qu'il adressait au peuple d'Israël (Deut. 4, 26 ; 31, 28 ; 32, 1-2 ; Is. 1, 2). Rien n'empêchait que le ciel et la terre témoignent de la gloire de Dieu, tout comme les animaux pouvaient donner des leçons aux faux amis de Job (Job 12, 7-9).

Ce qui est notable ici, c'est la continuité que l'on peut observer du Ps. 114, chantant les merveilles de l'Exode, au Ps. 19, faisant écho à la louange des cieux. Ce dernier thème n'est pas purement surajouté à l'héritage le plus spécifiquement israélite. Dès le début les événements constitutifs de la foi du peuple élu pendant l'Exode contiennent deux facteurs : un facteur humain par la prophétie, la foi et l'obéissance aux paroles de Dieu, et un facteur cosmique par le rôle que jouent des faits physiques extraordinaires à des moments décisifs, mouvements des eaux à la traversée de la Mer des roseaux, orage et tremblement de terre pendant le don de la Loi. Yahweh utilise pour ses desseins le cœur des hommes et les forces de la nature visible. C'est de la rencontre de ces deux principes que sont nés les événements providentiels révélateurs, à l'origine d'Israël [6].

La foi d'Israël pouvait donc se nourrir et se développer en s'attachant parfois de manière plus attentive, et qui finissait par devenir presque exclusive, à l'élément cosmique des manifestations de Dieu et en le considérant dans ses effets réguliers plus que dans ses coups d'éclat exceptionnels. Ce n'était pas une considération étrangère à la foi yahwiste authentique, mais la culture à l'état indépendant d'une de ses composantes, même si en certains cas une influence étrangère s'est exercée, comme cela s'est produit pour le Ps. 29, d'origine cananéenne et le Ps. 104, d'ins-

---

6. Cf. H. H. ROWLEY, *The Unity of the Bible*, 1953, p. 66 ; *The Faith of Israel*, 1956, pp. 40-43.

piration égyptienne. L'emprunt ou l'imitation aboutit à une véritable assimilation et n'est pas un placage extérieur [7].

Le Ps. 29 célèbre la gloire et la puissance de Yahweh, telles qu'elles se manifestent dans un orage s'élevant de la mer et gagnant les chaînes montagneuses de l'intérieur. Les commentateurs s'accordent à y trouver de multiples ressemblances avec la littérature d'Ugarit (Ras Shamra). A vrai dire, ces textes païens ont fourni de nombreux parallèles, soit dans le détail des expressions, soit dans la structure formelle du parallélisme, soit dans la conception de Baal comme dieu de l'orage ; mais on n'a pas encore découvert un poème présentant un parallèle d'ensemble au Ps. 29 aussi complet que l'hymne égyptien au soleil en fournit au Ps. 104. Il reste donc conjectural, bien que possible, de voir dans le psaume biblique la transposition à Yahweh d'un hymne païen en l'honneur de Baal, moyennant quelques retouches [8]. Ce qui est solidement probable, c'est que la louange de Dieu à partir des manifestations naturelles a reçu l'impulsion de modèles païens.

Le roulement du tonnerre est la voix de Yahweh, qui inspire aux êtres célestes, aux fils de Dieu, le sentiment de la gloire et de la puissance divine. Les grandes eaux peuvent signifier à la fois l'océan d'en haut, sur lequel Yahweh a construit son habi-

---

7. Voir sur ce point E. Beaucamp, *La Bible et le sens religieux de l'Univers* (Lectio divina, 25), 1959, ch. II : Du Dieu de l'histoire au Dieu de l'Univers, surtout pp. 69-70. A. M. Dubarle, « Foi en la création et sentiment de créature dans l'Ancien Testament », dans *Lumière et Vie* 48 (1960), pp. 21-42 surtout p. 24. H. W. Robinson. *Inspiration and Revelation,* 1946, pp. 22-23.

8. Cette conjecture, émise d'abord par H. L. Ginsberg en 1936, est adoptée par bon nombre d'exégètes. On peut voir sur ce point H. J. Kraus, *Psalmen,* 1958, p. 235. Kraus admet que le Ps. 29 est très ancien, probablement un des plus anciens du psautier. D'autres exégètes pensent que le Ps. 29 a été composé pendant la période royale et même assez tôt ; ainsi B. Margulis « The Canaanite origin of Psalm 29 reconsidered », dans *Bib.* 51 (1970), pp. 332-348. Enfin A. Deissler, à la suite de A. Robert, R. Tournay et M. Delcor, a attiré l'attention sur les contacts littéraires de Ps. 29 avec la littérature post-exilique et proposé une date basse. Le poème biblique serait une imitation archaïsante et érudite de la littérature païenne, ce qui n'est pas un fait isolé dans la Bible : « Zur Datierung und Situierung der "kosmischen Hymnen" Ps. 8 ; 19 ; 29 », dans *Lex tua veritas. Festschrift für Hubert Junker,* 1961, pp. 47-58. Qu'il soit permis ici de ne pas prendre parti dans la question de chronologie littéraire.

tation (Ps. 104, 3), la mer Méditerranée et l'abîme d'en bas, sur lequel repose la terre (Ps. 24, 2). Dieu domine tout cela. La foudre brise les cèdres du Liban. Dans l'ébranlement de la nature, le poète voit les montagnes du Liban et du Sirion (Hermon) bondir comme de jeunes animaux. Les bêtes apeurées mettent bas. La steppe de Cadès tremble [9]. Le feuillage des forêts est arraché.

Le fait naturel de l'orage, dont chacun pouvait être témoin, évoque pour le psalmiste les épisodes de l'histoire du salut. A la voix de Yahweh les montagnes au nord du territoire d'Israël bondissent comme l'avait fait le Sinaï (cf. Ps. 114, 4 ; Ex. 19, 18). Le désert de Cadès, où Israël avait séjourné après la sortie d'Egypte, se met à trembler, comme la terre était invitée à le faire devant Yahweh (Ps. 114, 7). La manifestation divine est un prélude à sa victoire sur ses ennemis. Le spectacle impressionnant de la tempête a ravivé chez le psalmiste la conviction de la puissance irrésistible de son Dieu et de son intervention en faveur de son peuple [10]. Il contemple déjà Yahweh siégeant en roi et accordant la bénédiction de la paix. La foi dans l'Alliance a assimilé les

---

9. Le désert de Cadès est nommé dans les textes d'Ugarit, où il désigne vraisemblablement la steppe syrienne. La Bible par contre, ne présente pas en dehors de Ps. 29, 8 l'expression "désert-de-Cadès". L'oasis de Cadès est localisée dans le désert de Paran (Nomb. 13, 26) ou de Çin (Nomb. 20, 1). Mais pour l'Israélite le désert de Cadès ne pouvait évoquer autre chose que le lieu des pérégrinations après l'Exode.

10. Le problème de la signification religieuse du Ps. 29 pour Israël est posé de manière très explicite par H. STRAUSS, « Zur Auslegung von Ps. 29 auf dem Hintergrund seiner kananäischen Bezüge », dans ZAW 82 (1970), pp. 91-102. Acceptant que le Ps. 29 soit l'adaptation yahwiste d'un hymne à Baal, H. S. voit dans la tempête décrite le signe de l'intervention guerrière de Yahweh en faveur de son peuple. Israël a exprimé sa foi avec les moyens trouvés dans son milieu. E. PAX (non mentionné par H. Strauss) voit le trait distinctif du Ps. 29 dans l'exaltation de la sainteté divine (v. 2) ; cela me semble trop faiblement attesté par le texte : « Studien zur Theologie von Psalm 29 », dans BZ 6 (1962), pp. 93-100. A Deissler (cf. n. 8) a relevé les ressemblances de vocabulaire et d'images du Ps. 29 avec la littérature post-exilique. Mais la conclusion tirée (le psaume est eschatologique ; la ville avec son temple est la glorieuse ville royale de la fin des temps) n'est pas légitime : on ne peut en raison de ressemblances dans les expressions reverser dans Ps. 29 les thèmes historiques et eschatologiques présents dans les parallèles invoqués.

éléments d'origine païenne qui ont vraisemblablement inspiré le psalmiste [11].

Le Ps. 8 contemple la gloire de Dieu se manifestant dans l'univers entier. Même les enfants sont capables de la contempler et de la célébrer. Il s'agit donc d'une impression spontanée, qu'il est facile de ressentir. Mais, au-delà de ce sentiment, il y a un raisonnement implicite dans les vv. 4-5. Le spectacle du ciel étoilé provoque immédiatement la conscience de la disproportion quantitative de l'homme avec l'immensité des cieux. Cela reste sous-entendu ; ce qui est exprimé directement, c'est l'étonnement de ce que l'Auteur des astres prenne soin de cette créature minuscule qu'est l'homme. L'immensité des cieux fait percevoir avec plus d'intensité l'infinité de Dieu. Il ne s'agit pas d'un raisonnement dont les étapes seraient détaillées explicitement, mais d'une saisie presque immédiate. La donnée religieuse devient consciente grâce à la constatation sensible qui lui fournit une analogie et un moyen d'expression. Tout ce qui s'observe de grandeur ou de puissance dans les êtres visibles doit se retrouver à un degré plus élevé encore en Dieu. Il y a donc dans ce psaume 8 l'intuition d'une proportion entre les propriétés de la créature et les attributs du Créateur. Un tel processus mental se retrouve fréquemment dans les textes bibliques.

A part la mention du nom divin de Yahweh, propre à Israël, le Ps. 8 ne contient pas d'allusions même obscures à l'histoire du salut, mais seulement à la création de l'homme, telle que la racontait Gen. 1, 26-28 ou une tradition analogue, et peut-être à une lutte du Dieu créateur contre ses adversaires (Ps. 8, 3), ce qui est un thème fréquent dans les cosmogonies babyloniennes et leurs échos bibliques.

---

11. D'après plusieurs commentateurs, dans Ps. 29, 8-9 Yahweh accorde la fécondité au désert et dispense la pluie. Cela correspondrait aux attributs de Baal, dieu de la fécondité autant que de l'orage. Mais ceci n'est pas clairement dit dans le psaume biblique. Il faut corriger plus ou moins le texte ou donner aux mots un sens moins obvie. Pour le propos actuel mieux vaut ne pas faire trop de conjectures. La voix du tonnerre précède l'action de Yahweh pour le bien de son peuple, comme la voix du vent dans la cime des arbres précédait la sortie divine à la tête de la troupe de David (2 Sam. 5, 24).

NOTE SUR LE PSAUME 19

La portée du Ps. 19 dans une série que l'on peut établir a été exposée rapidement plus haut, sans tenir compte des divergences d'interprétation auxquelles il a donné lieu. Il est bon de revenir sur celles-ci, même si l'on ne peut se promettre de supprimer toute incertitude [12].

Comme il a déjà été dit, le Ps. 19 constitue une première ébauche de réflexion sur la manifestation de Dieu par le monde naturel. Malheureusement le sens n'en est pas absolument clair. Plusieurs explications se font concurrence.

Non point récit, non point langage,
point de voix qu'on puisse entendre (v. 4).

La traduction des Septante a suppléé un pronom relatif au début du second stique : au lieu de deux énoncés négatifs parallèles, elle obtient un seul énoncé synthétique, où une double négation équivaut à une affirmation : c'est un récit, un langage dont la voix est entendue. La syntaxe hébraïque permet l'ellipse du relatif en poésie et laisse la possibilité d'une telle interprétation, à laquelle se rallient des exégètes modernes. Ainsi E. König, pour qui le langage des cieux est effectivement compris par les hommes et trouve un écho dans toutes les langues humaines.

---

12. Outre les commentaires on peut trouver une revue d'un certain nombre d'opinions ou d'hypothèses sur l'origine et le sens du Ps. 19 dans J. van der Ploeg, « Psalm XIX and some of its Problems », *Ex Oriente Lux* 17 (1963), pp. 193-201. Il y a déjà divergence sur la question de l'unité originelle du Ps. 19 ou de sa composition en deux temps ou de la réunion plus ou moins accidentelle de deux compositions d'abord indépendantes. E. König, *Die Psalmen.*, 1927, estimait possible la composition par un seul auteur, sans rejeter catégoriquement les autres opinions plus fréquemment soutenues. A. DEISSLER considère comme nullement chimérique la possibilité d'une composition simultanée des deux parties après l'exil. Ce qu'on attribue à un compilateur peut aussi bien procéder d'un seul poète, formé dans le milieu sapientiel ; article cité plus haut, n. 8. H. FISCH attire l'attention sur la correspondance de quelques images ou idées (lumière, joie, cacher) dans les deux parties et considère comme improbable une dualité initiale : « The Analogy of Nature », dans *JTS* 6 (1955), pp. 161-173, voir p. 171.

Avec plus de probabilité d'autres commentateurs estiment qu'il y a deux stiques négatifs parallèles, se renforçant mutuellement. Le langage des cieux ne s'adresse pas directement à l'oreille, mais à l'intelligence par le moyen des yeux. Néanmoins ce témoignage muet est perçu par toute la terre [13].

Plus radicalement des exégètes protestants ont donné un sens négatif total au verset considéré. D'après G. von Rad, un scrupule théologique a peut-être joué après coup : le témoignage qui émane de la création ne peut être entendu. Il faut donc louer Dieu pour la révélation qu'Il a donnée à Israël. Une réflexion plus tardive a fait adjoindre la seconde partie du psaume, les strophes sur la Loi [14].

Notons au passage qu'un tel scrupule paraît bien improbable, tant il serait isolé. En dehors du Ps. 19 dans sa forme actuelle, englobant deux parties, d'autres pièces du psautier (Ps. 135 ; 136 ; 147) trouvent sans difficulté une manifestation de Dieu dans la nature et rien n'indique que les œuvres divines dans l'histoire d'Israël, mentionnées après celles du monde naturel, jouent le rôle d'un correctif. En dehors du psautier on rencontre encore dans Sir. 42-50 et Sag. 13, 1-9 et 16-19 la séquence : nature-histoire.

Le commentaire d'A. Maillot et A. Lelièvre [15] exprime le souci de désolidariser le Ps. 19 d'avec toute justification de

la théologie naturelle, en tant que celle-ci prétendrait arriver à une réelle connaissance de Dieu, par investigation de la nature à l'aide de la raison humaine ». A leurs yeux « ce Psaume est bien la preuve

---

13. E. PODECHARD, *Le Psautier*, t. I, 1949, p. 92.

14. G. VON RAD, *Theologie des Alten Testaments*, t. I, 1957, p. 359 ; trad, franç., 1963, p. 313. L'auteur semble bien avoir dans la suite adouci son exégèse. L'article « Aspekte alttestamentlichen Weltverständnisses », dans *Evang. Theol.* 23 (1963), pp. 57-73, fait encore remonter l'addition des vv. 8-15 à une réflexion se demandant si la proclamation faite par les cieux peut être entendue par les hommes. C'était l'occasion de parler de la révélation faite à Israël. Dans un écrit postérieur ces considérations ne trouvent plus leur place. Il est dit seulement : « Le monde n'est pas muet, il a un message,... devant Dieu il se proclame créature ». Puis il rapproche le texte de Ps. 19, 2 de celui de Ps. 145 et 148, puis de Job 12, 7-9, où les animaux vont instruire l'homme de la puissance divine : *Weisheit in Israel*, 1970, p. 211 ; tr. fr. *Israël et la Sagesse*, 1971, pp. 190-191.

15. A. MAILLOT et A. LELIÈVRE, *Les Psaumes. Commentaire :* Première partie, Ps. 1 à 50, 1962.

que Dieu n'est pas absent de la nature, ni ignoré par elle. Mais il est aussi la preuve qu'une telle théologie n'est qu'une théologie infirme, incapable de jamais retrouver le Dieu vivant en personne. Seul celui qui connaît la Thora, et le vrai nom de Dieu, peut ensuite commencer à comprendre le cantique de la création, ou pour le moins commencer à le discerner, sans pour autant le cerner. Le Dieu de la Thora est, d'après la Thora elle-même, le Dieu de la création, mais le Dieu de la Création ne renvoie pas au Dieu de la Thora » (p. 125). Ce Psaume est « un emprunt à peine retouché, un emprunt qui ne correspond que de loin à la piété israélite habituelle (p. 123).

Ce jugement sévère provient d'une étroitesse de perspective, car il vise la première partie du psaume (vv. 1-7) isolée de la seconde. Or, dans son état actuel, quel que soit le mode de formation (rapprochement fortuit, composition en deux temps, conception d'un seul jet), le Ps. 19 unit les deux moyens de la manifestation divine : l'univers matériel, la Providence envers Israël ; ces deux foyers de lumière se renvoient mutuellement leur clarté, tout comme dans d'autres psaumes (135 ; 136 ; 146 ; 147 ; 148 ; cf. Neh. 9, 6 ss). Et déjà dans la Genèse (8, 22 - 9, 17) l'alliance avec tout le genre humain, fils de Noé, alliance assortie d'une loi, reçoit pour signe un phénomène naturel, la splendeur de l'arc-en-ciel.

Il n'est donc pas légitime de donner une portée rigoureusement négative à ce Ps. 19. Le v. 4 ne doit pas être interprété en ce sens, mais comme une remarque bientôt mise au point par le v. 5. Sans doute ce v. 4 présente une ressemblance frappante avec un texte d'Ugarit, où il est question du message de l'arbre, du chuchotement de la pierre, du gémissement des cieux avec la terre, de l'océan avec les étoiles [16]. Mais il est fort douteux que ce parallèle puisse présentement éclairer le Ps. 19. Les spécialistes qui s'en sont occupés arrivent à des résultats fort disparates. Pour les uns les hommes comprennent ou sont destinés à comprendre ce langage, mais pour d'autres ils ne le comprennent pas. Pour l'ensemble des traducteurs, les cieux et les hommes sont

---

16. J'ai comparé les traductions suivantes : J. Aistleitner, A. Caquot et M. Sznycer, H. Donner, R. Dussaud, H. L. Ginsberg, H. C. Gordon, A. Jirku, A. Virolleaud. Les exégètes des textes d'Ugarit et des psaumes ont raison de chercher à les élucider. Mais il est impossible d'entrer ici dans une discussion trop éloignée du sujet traité.

dans la même situation de connaissance ou d'ignorance mais pour A. Jirku les cieux comprennent ce langage, et les hommes ne le comprennent pas. Il est donc fort légitime d'être réservé quant à la valeur explicative de ce texte pour le Ps. 19 [17].

Malgré les variations des traducteurs, c'est un texte de ce genre qui a pu provoquer la pensée exprimée par Ps. 19, 4-5, mais il peut s'agir aussi probablement d'une correction que d'un accord. De même les versets relatifs au soleil levant s'inspirent vraisemblablement d'un hymne païen célébrant le dieu-soleil et transposé au Créateur et à l'astre qui est son œuvre [18].

On s'est autorisé de la métaphore sportive du soleil, semblable à un vaillant coureur, pour conjecturer une influence grecque et conclure que déjà la pensée essentielle du Ps. 19, 2 est d'origine grecque et non israélite [19]. On pourrait laisser tomber dans l'oubli une telle conjecture. Mais peut-être est-il opportun de l'écarter explicitement. Ce n'est pas seulement le Ps. 19 qui est en jeu. Il y a là un exemple de la trop grande facilité avec laquelle on accepte une influence grecque pour des idées qui s'expliquent très normalement par la culture d'Israël. Il sera bon de s'en souvenir à propos des textes de Sag. 13 ou du Nouveau Testament. Le goût d'une prouesse sportive se manifeste déjà dans bon nombre de textes dont plusieurs sont anciens [20]. La comparaison du Ps. 19 avec d'autres passages bibliques célébrant le Créateur du monde matériel, d'autre part, montre qu'Israël n'a pas eu besoin de la stimulation des Grecs sur ce point.

---

17. H. DONNER met en garde contre l'incertitude de la langue d'Ugarit et la valeur représentative de ses textes pour attester la diffusion étendue de conceptions religieuses : « Ugaritismen in der Psalmenforschung », dans *ZAW* 79 (1967), pp. 322-350.

18. On peut voir des données plus détaillées dans H. J. KRAUS, *Psalmen*, 1958, pp. 156-157, sur la littérature sumérienne, accadienne ou égyptienne.

19. A. STANLEY PEASE, « Coeli enarrant », dans *Harv. Th. Rev.* 34 (1941), pp. 169-200 ; voir p. 190, n. 212[a].

20. Voir 1 Sam. 4, 12 (le Marathon d'Israël) ; 2 Sam. 1, 23 ; 2, 18 ; 18, 19-27 ; 1 R. 19, 46 ; 1 Chr. 12, 9 ; Am. 2, 15 ; Jér. 12, 5 ; Hab. 3, 19 ; Lam. 4, 19 ; Job 9, 25 ; Qoh. 9, 11 ; Cant. 2, 8.17 ; 8, 14 ; Ps. 18, 34. La remarque du guetteur dans 2 Sam. 18, 27 montre même qu'on s'intéressait au style particulier de tel ou tel coureur, comme on le faisait aussi pour le style d'un conducteur de chars : 2 R 9, 20.

Ce qui peut inviter à comprendre Ps. 19, 2-7 en un sens plus positif que négatif, c'est le parallèle offert par Sir. 43, 1-5, où la description du soleil rappelle le psaume et où le contexte n'est pas l'aveu d'une pure ignorance.

LA CONTEMPLATION DE DIEU A TRAVERS LA CRÉATION

Plusieurs textes de l'Ancien Testament offrent un tableau d'ensemble de la création, afin d'y manifester les attributs de Dieu. Ce ne sont pas toujours les mêmes aspects de l'être divin qui sont mis en évidence.

Dans le Ps. 104, malgré quelques ressemblances avec le récit de la création en six jours (Gen. 1) dans quelques expressions et l'ordre d'énumération des œuvres, ce n'est pas la sécheresse et la monotonie d'un résumé didactique, mais une abondance de traits concrets et pittoresques parsemant la description [21]. Ce qui donne à ce chant son intérêt particulier, c'est sa ressemblance avec un hymne égyptien célébrant le dieu-soleil, Aton. Le psalmiste israélite a pu connaître ce texte particulier ou, du moins, s'inspirer des tendances de la sagesse égyptienne [22], de même qu'il se souvient du thème païen de la lutte du dieu ordonnateur contre la mer (cf. Ps. 104, 7-9). Le milieu culturel extérieur a joué un rôle non négligeable pour attirer l'attention des fidèles de Yahweh sur le monde visible. Mais pour le poète biblique le soleil n'est qu'une créature accomplissant consciemment sa tâche (v. 19). A la différence de la composition égyptienne, dans le psaume la première place est tenue par la création ou l'organisation du monde et la

---

21. W.H. SCHMIDT, *Die Schöpfungsgeschichte der Priesterschrift. Zur Ueberlieferungsgeschichte von Genesis 1, 1 — 2, 4ᵃ und 2, 4 — 3, 24* ; 1967, estime (p. 42) qu'il n'y a pas de dépendance directe d'un de ces deux textes (hexaméron et Ps. 104) par rapport à l'autre, mais qu'ils se rattachent à une tradition commune.

22. Récemment deux études comparatives ont conclu qu'il n'y a pas de dépendance directe du Ps. 104 à l'égard de l'hymne égyptien, mais qu'il y a eu une influence générale de la sagesse égyptienne sur le psalmiste. K.H. BERNHARDT, « Amenophis IV und Psalm 104 », dans *Mitteilungen des Inst. für Orient For.* 15 (1969), pp. 193-206. B. CELADA, « El Salmo 104, el Himno de Amenofis IV y otros documentos egipcios », dans *Sefarad* 30 (1970), pp. 305-324 et 31 (1971), pp. 3-26. C'est également la position de A. BARUCQ, *L'expression de la louange divine et de la prière dans la Bible et en Egypte*, 1962, pp. 318-321.

providence quotidienne de Dieu ne vient que d'une manière accessoire. Le poète glorifie explicitement la sagesse divine, capable de gouverner un si grand nombre d'œuvres. Mais la bonté de Dieu se manifeste par le soin qu'il prend de donner à tous les vivants la nourriture qu'ils attendent de lui. Et sa puissance lui permet de considérer Léviathan comme un simple jouet (cf. Job 40, 29). Ce regard poétique jeté sur la création remplit le psalmiste d'admiration et de reconnaissance. Il veut chanter le Créateur dont il a mieux compris le caractère en contemplant son œuvre (vv. 33-34).

Dans ce psaume, qui ne contient aucune allusion explicite à l'histoire d'Israël, on peut discerner toutefois quelques rapprochements possibles. Les eaux primitives s'enfuient à la menace divine (Ps. 104, 7), comme devait le faire la Mer des roseaux lors de l'Exode (Ps. 106, 9 ; 114, 3). Quand Dieu les touche, les montagnes fument, tandis que la terre tremble, comme jadis au Sinaï (Ps. 104, 32 ; Ex. 19, 18). Finalement les pécheurs doivent disparaître de ce monde gouverné par une providence pleine de sagesse (Ps. 104, 35), comme les adversaires de Yahweh et d'Israël, les Egyptiens ont disparu dans la mer (Ex. 14, 13 ; 15, 4.10 ; Ps. 78, 53 ; 106, 11). Il y a là un de ces indices ténus que dans l'Ecriture la connaissance de Dieu par le monde visible n'est pas simplement juxtaposée à la révélation dans l'histoire, mais qu'une profonde unité s'est instaurée entre elles deux [23]. Chaque exemple peut paraître peu démonstratif, mais leur accumulation en fait une quantité non négligeable.

Les discours de Yahweh dans le livre de Job (38-41) provoquent une expérience de Dieu à partir du monde visible [24]. A la ques-

---

23. Cette influence de la foi proprement israélite au Dieu de l'Alliance sur la « connaissance naturelle » de Dieu a été ainsi formulée dans le rapport « Dieu dans la nature et dans l'histoire », p. 23 : « Dieu se révèle par ses paroles et par ses actes dans l'histoire. Partant de cette œuvre de Dieu l'homme peut aussi reconnaître dans ce cadre scénique [la nature matérielle] certaines traces de Dieu, par exemple sa majesté, sa puissance, son impénétrabilité » (§ V, d, voir aussi § II, p. 14) FOI ET CONSTITUTION, Conseil œcuménique des Eglises. *Nouveauté dans l'œcuménisme*, 1968. Ce rapport a été présenté à la conférence de Bristol en 1967. Il est aussi publié dans la revue *Verbum caro*, 22 (1968), n° 86, pp. 9-51.

24. Dans le livre de Job on peut ne pas s'arrêter ici à plusieurs doxologies, en elles-mêmes fort belles, où les interlocuteurs célèbrent

tion posée par le misérable patient aucune réponse n'est offerte directement : la raison qui justifierait ses insupportables souffrances ne lui est pas dévoilée. Mais par un procédé négatif Job fait la rencontre de Dieu : « Mon oreille avait entendu parler de toi, mais maintenant mon œil t'a vu » (42, 5). Il en est apaisé, bien qu'il ait contemplé tout autre chose qu'un univers ressemblant à une entreprise humaine bien agencée, où l'homme dispose en vue d'un but clairement conçu des moyens sur lesquels il a une prise efficace.

Partout dans le monde sont à l'œuvre des forces étrangères à l'homme, une énergie colossale qu'il ne peut domestiquer à son gré : les astres du ciel, la mer, les vents, la pluie ou la neige, le retour des jours ou des saisons, tout cela existe et se meut sans que Job puisse exercer dessus la moindre action, ni même en comprendre le mécanisme. La vie animale est considérée dans ses formes sauvages : les espèces que l'homme n'a pas domestiquées, dont il ne retire aucun profit apparent, mènent une vie aventureuse, soumise à toutes sortes de hasards. Elles semblent préférer cette survivance précaire et toujours menacée à la servitude où une nourriture assurée viendrait récompenser un travail régulier. Et que dire de monstres tels que Béhémoth ou Léviathan, l'hippopotame et le crocodile, décrits avec des traits qui en accentuent le caractère hideux, indomptable, totalement disproportionné aux forces et aux buts de l'homme !

Job lui-même avait déjà effleuré de telles pensées dans ses plaintes. Après avoir affirmé le succès et l'impunité de la violence parmi les hommes (Job 12, 4-6), il invitait ses amis à interroger les bêtes, qui toutes pourraient témoigner que chez elles aussi règne la loi du plus fort, et ceci par une disposition de Dieu [25]. Le malheureux poursuivait en énumérant, dans la destinée humaine ou les conséquences de la pluie, les faits où se manifeste une sorte d'arbitraire divin, qui ne laisse pas deviner ses desseins. Tout cela est repris avec une force accrue dans l'apostrophe adressée à l'audacieux voulant plaider avec Dieu.

---

la puissance et la transcendance de Dieu dans le monde : ce sont des développements de doctrines qui semblent déjà acquises, plutôt qu'un progrès véritable de la pensée : Job 5, 9-10 ; 9, 4-13 ; 10, 8-12 ; 11, 7-9 ; 26, 5-14 ; 35, 5-6 ; 36, 22-33 ; 37, 1-24.

25. Je suis pour ceci : J. LÉVÊQUE, *Job et son Dieu*, 1972, p. 322.

Ce que ces discours de Yahweh mettent en évidence, c'est l'absence de finalité anthropocentrique perceptible dans le monde, la folle prodigalité apparente des œuvres divines. Dieu répand la pluie sur un désert inhabité (38, 26). Il dispense la sagesse au coq ou à l'ibis pour leur permettre de prévoir le retour du jour ou la crue du Nil et la refuse à l'autruche qui expose ses œufs à tous les dangers (38, 6 ; 39, 13-18).

Et cependant Job est apaisé par toutes ces questions, qui, loin de répondre à ses propres interrogations, semblent vouloir l'enfoncer plus profondément dans son désarroi. L'absurdité qu'il a éprouvée dans son propre destin semble se retrouver partout, avec des dimensions accrues, en proportion de cet univers qui dépasse de si loin la petitesse de l'homme. Mais, au lieu de se plaindre de n'avoir pas reçu satisfaction de son désir de comprendre, il s'incline avec respect devant le Dieu qui le frappe.

Le spectacle de l'univers n'a pas pour but de montrer à Job qu'il y a manifestement une providence pleine de sagesse et de bonté qui s'exerce en dehors de lui et qui doit donc ne pas l'excepter de ses soins. Il met en évidence, au contraire, tout ce qu'a de mystérieux, d'apparemment inutile, l'action de Dieu dans le monde. Job doit en conclure que son destin douloureux n'est pas une anomalie étrange dans un ordre aisément intelligible, mais un cas entre bien d'autres d'un gouvernement divin qui le dépasse.

Que ce gouvernement soit plein de sagesse et bienveillance pour l'homme, c'est ce que Job sous-entendait tacitement, quand il exigeait si âprement l'explication de ses maux, ce qu'il ne mettait pas en doute réellement, quand bien même il paraissait approcher du blasphème. Il a maintenant compris que cette sagesse et cette bienveillance dépassent de beaucoup les petits projets des entreprises humaines d'élevage et d'agriculture, qu'elles ne calculent pas le rendement de la même manière [26].

---

26. J. HEMPEL, « Das theologische Problem des Hiob », 1929, reproduit dans *Apoxysmata* (BZAW, 81), 1961, pp. 114-173, exprime ainsi sa pensée : « C'est le fait que Dieu soit tout autre en puissance et en éternelle durée, qui ne permet pas à l'homme de parvenir à un savoir sur Dieu ; c'est ce fait que Dieu est tout autre que le poète avec un art grandiose sait faire percevoir indirectement par une description de quelques-uns de ses miracles dans la création », p. 169. Le rapport « Dieu dans l'histoire et la nature » (voir plus haut, n. 23) dit de son

Ainsi le spectacle du monde visible ne sert pas à découvrir l'existence d'un Dieu d'abord ignoré, mais à préciser et exprimer une connaissance d'abord confuse. Des expériences contraires peuvent servir cette démarche de l'esprit. Dans Gen. 1, 1-31 ; 8, 22, dans Ps. 65 et 67 c'est une structure du monde permettant le travail agricole, qui aide à percevoir la sage providence de Dieu. Puis, dans les discours de Yahweh, tout ce qui au ciel et sur la terre ne rentre pas dans ce schéma anthropocentrique un peu court sert à dévoiler la transcendance de Dieu, sa disproportion radicale avec les pensées de l'homme [27].

Et maintenant ce qui doit provoquer une dernière réflexion, c'est la parenté secrète de ces discours de Yahweh avec les expériences d'Israël dans ses marches au désert (cf. Deut. 8). Yahweh a fait passer son peuple dans un désert grand et effrayant en vue de l'humilier et de l'éprouver. Il lui a fait souffrir le dénuement pour lui faire ensuite du bien. Il l'a fait manquer de pain, œuvre de la prévoyance humaine, pour le nourrir d'une manne que ni lui, ni ses pères n'avaient connue, car la Providence divine est plus riche en moyens que l'industrie de l'homme. De même dans le livre de Job, tout entier consacré à l'épreuve du juste, Yahweh entraîne au désert l'imagination de son interlocuteur, qui a bien des fois murmuré comme les Hébreux dans leurs pérégrinations. Il lui fait sentir que la vie libre, pleine de surprises imprévues dans le désert, vaut bien l'existence régulièrement planifiée de l'agriculteur et de son bétail, ou même du guerrier et de sa monture. L'autruche se moque du cheval et de son cavalier, comme Yahweh lui-même (Ex. 15, 1). Job, sans bien s'en rendre compte, souhaitait le sort de la bête de somme, où se succèdent avec monotonie le service du maître et la pâture. Il a été traité bien autrement. Et néanmoins Dieu veut lui faire du bien après l'avoir livré à la souffrance. Des correspondances cachées suggèrent que toute la matière du livre de Job, quelles que soient ses origines païennes, a été repensée par les croyants bénéficiaires de l'alliance de Dieu avec Israël.

---

côté : « L'abondance, le caractère inépuisable, les absurdités et les démesures de la nature (ou tout au moins de ce que l'homme appelle ainsi, de son point de vue limité) reflètent à leur manière la majesté et l'impénétrabilité du Créateur » (pp. 28-29, § VI, 7).

27. W. Eichrodt, *Theologie des Alten Testaments*, t. II, 1935, § 15, II, 2, b, a attiré l'attention sur ce double aspect de la téléologie du monde naturel dans la Bible.

Le récit de la création du monde en six jours (Gen. 1) est beaucoup plus didactique que les compositions poétiques précédentes. Il n'est pas nécessaire ici de préciser la nuance exacte de l'idée de création dans ce texte [28]. Ce qui nous intéresse présentement, c'est l'étroite coordination entre la description du monde visible et la manifestation des attributs de Dieu. Les œuvres doivent servir à faire connaître leur auteur, même si cette connaissance ne s'exprime pas explicitement. La sagesse du créateur ressort de l'exécution progressive de sa tâche. Parti du chaos total, il divise et subdivise la matière qu'il a devant lui. Il établit ainsi les grands compartiments de l'espace, terre et ciel, continent et mer, où il placera ultérieurement ses armées, les êtres doués de mouvement. Il prépare les diverses plantes, qui serviront à la nourriture des animaux. Il place dans le firmament les astres qui serviront à l'homme pour déterminer les périodes du temps. Finalement, quand l'habitation est prête, il crée l'homme qui sera son représentant sur la terre et dominera sur les autres créatures. L'ordre de l'exécution montre une sagesse sûre de ses buts, qui procède méthodiquement, qui ne tâtonne pas pour obtenir le résultat souhaité.

Cette sagesse, qui produit une œuvre très bonne, est au service d'une bonté ou bienveillance qui pourvoit aux besoins de ses créatures en leur octroyant la nourriture nécessaire, qui bénit bêtes et hommes en leur donnant de se multiplier. Ces œuvres sont réalisées par une puissance qui n'a qu'à parler pour que s'exécute ce qu'elle a ordonné. La parole précède l'exécution par une action. Et probablement elle la remplace, dans l'intention profonde du rédacteur final [29].

La description encyclopédique du monde, avec son souci d'énumérer les parties essentielles et de marquer la hiérarchie des êtres, est très remarquable. On peut assurément y voir une image du monde encore bien incomplète et naïve. Mais il ne faut pas méconnaître qu'elle constitue un débrouillage de grande valeur

---

28. W. EICHRODT, *op. cit.*, t. II, § 15, II, 1, e, a estimé que l'idée (à défaut de la formule) d'une création « ex nihilo » se trouve sous-jacente dans Gen. 1, 1. En général, il n'a pas été suivi (2ᵉ éd., pp. 50-51 ; 6ᵉ éd. 1961, pp. 63-66).

29. W. SCHMIDT, *op. cit.*, pp. 169-172, estime que le récit ne comportait d'abord que la création par l'action, qu'il a été complété ensuite, grâce à la création par la parole, et que celle-ci domine maintenant l'exposé.

pour des esprits encore frustes. Elle met un ordre fort appréciable dans une expérience très confuse. Et dans la formulation littéraire l'énoncé cosmologique est étroitement lié à la suggestion théologique [30]. Ce balbutiement de science naturelle insinue de hautes vérités sur Dieu.

La description du monde visible, aboutissant à la création de l'homme, est inspirée secrètement par des idées venues de la révélation faite à Israël et constituant son bien propre. Les grandes promesses faites aux patriarches et qui se sont réalisées par la conquête de Canaan et la prospérité de l'époque royale (1 R 4, 20), portaient sur le don d'une terre et la multiplication de leur descendance comme les étoiles du ciel (Gen. 12, 7 ; 15, 5-7, etc). Lors de la création, Dieu par sa bénédiction donne à l'homme de se multiplier et de remplir la terre. De même en sanctifiant le septième jour (Gen. 2, 3), Il prélude à l'institution du sabbat [31], contemporaine de l'Exode et destinée à perpétuer la jouissance de la liberté alors conquise (Deut. 5, 12-15 ; Ez. 20, 12). La situation de l'homme, libre travailleur, et sujet d'obligations envers Dieu, est ainsi affirmée dès le commencement, sans qu'une loi rigide de chômage soit dès lors promulguée.

Ben Sirah, grand lecteur des Ecritures, a développé lui aussi le thème de la contemplation de Dieu dans la nature. Certains de ses poèmes (Sir. 16, 24 - 17, 14 ; 24, 1-22 ; 39, 12-35) ne rentrent pas exactement dans cette catégorie : ce sont des enseignements donnés avec autorité sur la providence divine dans le monde, êtres matériels et humanité, y compris la vocation particulière d'Israël. Mais dans une très large composition finale Ben Sirah fait se succéder, comme le font certains psaumes, la manifestation de Dieu dans la nature et dans l'histoire du peuple d'Israël : la première partie est un hymne au Créateur de l'univers (Sir. 42, 15 - 43, 33), la seconde partie fait l'éloge des grands hommes d'Israël (44, 1 - 50, 22).

Sans chercher à tracer un tableau encyclopédique à la manière de l'hexaméron, le poète choisit un certain nombre de faits aptes

---

30. Ceci est souligné par G. VON RAD, *Theologie des Alten Testaments*, 1957, I, p. 152 (trad. franç. : *Théologie de l'Ancien Testament*, t. I, 1963, pp. 133-134).

31. E. BEAUCAMP, *La Bible et le sens religieux de l'univers*, 1959, pp. 102-103, a signalé après d'autres cette présence de notions dérivées de l'histoire du salut, le sabbat notamment, dans le récit de la création.

à faire éclater la grandeur et la puissance incommensurables de Dieu : le soleil, la lune et les étoiles, l'arc-en-ciel, la neige, le vent, le froid et la chaleur, tout cela dépasse l'intelligence et le pouvoir de l'homme. Par leur beauté ces créatures provoquent l'admiration. Cette note esthétique est relativement nouvelle. Dans les textes plus anciens on trouve exaltés la grandeur, la force, le mystère des êtres visibles plus souvent que leur beauté. Peut-être Ben Sirah subit-il ici l'influence du Cantique des Cantiques.

Cette considération du monde naturel aboutit à une louange exaltée du Créateur. L'enthousiasme suscité par la création reflue sur son auteur. Il ne s'agit pas d'un raisonnement explicite par voie de causalité, mais d'un ébranlement provoqué dans l'esprit par la vue de tant de merveilles. Ce qui était jusque-là admis ou soupçonné est affirmé avec une vigueur accrue. Dieu est absolument ineffable et incompréhensible. Nous ne pourrons jamais égaler sa sagesse, sa puissance. Il y a dans la création même beaucoup d'œuvres mystérieuses que nous ne connaissons pas. Ainsi nous ne pourrons nous flatter d'avoir épuisé les grandeurs du Seigneur qui les a appelées à l'existence (Sir. 43, 27-33).

Dans ces différents tableaux de la création l'esprit s'élève au-dessus des constatations de l'expérience et remonte à Dieu [32]. Ce n'est pas un Dieu encore ignoré, dont on découvrirait enfin l'existence. Mais une connaissance encore confuse et imprécise de Dieu s'exalte, se vivifie, s'enrichit, trouve ses moyens d'expression ou de communication grâce à une considération plus attentive des êtres offerts à notre vue [33].

---

32. Dans Qoh. 1, 4-7 il y a comme un tableau synthétique de la destinée humaine et de l'univers matériel, mais qui ne conduit pas directement à la connaissance de Dieu. Sur ce texte voir plus loin, p. 40.

33. La cosmogonie grandiose de Prov. 8, 23-27 est laissée de côté. Le but en est non pas de faire éclater la sagesse de Dieu, mais de revendiquer pour la Sagesse personnifiée la connaissance des secrets de la création depuis son commencement. Témoin de l'œuvre divine, elle est qualifiée pour guider l'homme, à qui fait défaut la connaissance complète du milieu où il doit agir. Ce texte ne fait donc pas progresser directement la connaissance de Dieu par la nature visible, mais il témoigne des liens existant dans la pensée d'Israël entre préoccupations morales et religieuses et investigation du monde naturel. Il faut en dire autant de Job 28, 23-27 (où la Sagesse est moins nettement personnifiée), de Bar. 3, 32-37 et de Sir. 24, 3-6.

La pensée est partie plus d'une fois d'antécédents païens et a reçu un dernier affinement grâce à des notions provenant de l'Alliance et de la foi en Yahweh [34]. L'esprit humain peut commencer à entrevoir Dieu avant la révélation biblique, mais ses premières intuitions reçoivent de celle-ci une pleine vérité.

Ce qui, dans les textes examinés ci-dessus, s'est exprimé par des touches délicates, par quelques détails peu insistants, relevés au passage, a trouvé une formulation plus explicite dans le mot d'« alliance ». A mesure qu'il étendait son regard à la nature entière, Israël en est venu à concevoir l'ordre du monde comme une alliance instaurant de manière stable des rapports bienfaisants entre les partenaires [35].

Il y a, comme on l'a vu, un double mouvement dans l'Ancien Testament, quand il exploite la connaissance du monde visible pour s'élever jusqu'à Dieu. D'une part, le souvenir des hauts-faits de Yahweh dans l'histoire de l'Exode amène, de proche en proche, à considérer non plus les prodiges particuliers grâce auxquels Israël a été sauvé, mais l'ordre habituel du monde. D'autre part, la considération de cet ordre aide à approfondir l'idée que l'on se fait de l'action salvatrice en faveur du peuple élu ou de l'humanité tout entière. Les deux manifestations de Dieu par l'histoire et par la création matérielle s'éclairent mutuellement et s'appellent dans la pensée des écrivains bibliques.

En conséquence, la conception du monde a été modifiée par cette rencontre. Même quand il y a eu stimulation venue de l'extérieur, c'est-à-dire du monde païen environnant, la foi d'Israël

34. W. ZIMMERLI, « Die Weisheit Israels », dans *Th. Zeits* 31 (1971), pp. 680-695, attire l'attention sur le fait que dans le Ps. 19 le témoignage des cieux a trouvé son complément dans la Loi, puis suggère que la Sagesse biblique se nourrit finalement dans la connaissance de Yahweh puisée dans l'histoire providentielle d'Israël.

35. Voir H. FISCH, « The Analogy of Nature. A Note on the structure of the Old Testament imagery », dans *JTST* 6 (1955), pp. 161-173. L'auteur insiste sur l'importance de la notion d'alliance divine avec la nature. Il en résulte que le témoignage rendu par les cieux, la terre et la mer est une part intégrante de la religion d'Israël ; il éclaire la révélation particulière faite à ce peuple et il en reçoit de la lumière (p. 173).

CONTEMPLATION DE DIEU A TRAVERS LA CRÉATION 39

a assimilé les données qui lui étaient ainsi fournies ; elle les a comprises à la lumière de l'Alliance [36].

La Genèse, juxtaposant deux morceaux d'origine différente, montre Yahweh garantissant d'abord la succession régulière des saisons comme du jour et de la nuit et de la sorte les cycles de la culture du sol (Gen. 8, 22 : J). Puis vient la conclusion d'une alliance avec Noé et sa descendance et même tout le monde animal. La pluie ne sera plus jamais un cataclysme universel, mais sa coexistence avec la lumière du soleil aboutira à l'harmonie resplendissante de l'arc dans la nuée, signe et garant du propos divin inébranlable (Gen. 9, 9-17 : P). Une allusion à cette promesse définitive se trouve dans le Second Isaïe : le mot d'alliance y revient, s'appliquant cette fois non plus à la constance de l'ordre naturel, mais au pacte avec Israël (Is 54, 9-10).

Jérémie parle d'une alliance conclue par Dieu avec le jour et la nuit, et servant de garant à l'alliance avec David et les prêtres lévites (Jér. 33, 20). Le mot de loi, qui fait partie du vocabulaire de l'Alliance, s'applique non seulement aux commandements imposés à Israël, mais aussi aux mouvements des astres et de la mer (Jér. 31, 35-36 ; 33, 25).

Dans Osée la réconciliation entre Yahweh et son épouse infidèle entraînera une alliance, instaurée entre l'homme et les bêtes sauvages (Os. 2, 20) ; il en résultera un ordre harmonieux entre toutes les parties du cosmos concourant à donner à l'homme sa nourriture (Os. 2, 23-24). L'humanité et le monde naturel sont englobés dans une même alliance, dépassant tout ce qu'on a vu jusqu'ici. Car il s'agit, bien entendu, chez le prophète, d'une promesse d'avenir et non de la constatation d'un fait déjà présent. Mais cela montre l'unité étroite que les auteurs bibliques ont établie entre la nature visible et l'histoire du salut.

C'est pourquoi les animaux sans raison peuvent être un vivant reproche pour un peuple perverti, qui ne connaît plus son Dieu (Is. 1, 3 ; Jér. 8, 7). Le ciel et la terre peuvent servir de témoins à la conclusion de l'Alliance (Deut. 4, 26 ; 30, 10 ; 31, 28) ou aux reproches que provoque sa violation (Deut. 32, 1 ; Is. 1, 2 ; Mic. 6, 1-2), devenir les exécuteurs de la bénédiction comme de la malédiction (Deut. 28, 12.23, etc.).

---

36. Cf. W. EICHRODT, *Theologie des Alten Testaments*, t. II, 1935, 17, I, 2, d, e ; 2e éd., pp. 81-82. E.C. RUST, *Nature and Man in Biblical Thought*, 1953, pp. 50-55.

Mais la considération du monde visible n'est pas tout entière et chez tous intégrée dans la conception optimiste de l'alliance. Une voix indépendante retentit avec une insistance inoubliable. Chez Qohéleth la régularité du cours du monde n'est pas placée dans la perspective favorable d'une condition rendant possible le travail agricole de l'homme. Elle n'est que monotonie décevante, répétition sans progrès apparent de cycles identiques où se fait et se défait un même résultat. C'est bien là une vanité très grande. L'observation permet de dégager des lois générales valant pour l'homme et pour la création matérielle, pour le recommencement des générations comme pour les circuits des astres, du vent ou des eaux (Qoh. 1, 4-11). La connaissance du monde naturel ne conduit guère dans ce livre à la connaissance de Dieu, sinon pour faire sentir une transcendance que ne tempère pas une alliance bienveillante. « Dieu est au ciel et toi sur la terre » (Qoh. 5, 1). A l'inverse de Job, il n'y a pas ici le pressentiment d'un visage d'amour de Dieu. Et l'expérience décevante du monde n'est pas dépassée par une espérance d'avenir. « L'homme ne peut saisir ce que Dieu fait du début jusqu'à la fin » (Qoh. 3, 11).

Il était utile de prêter l'oreille à la voix discordante de Qohéleth. Grâce à elle, grâce à son entrée dans le dialogue des livres du canon, nous sommes assurés que le spectacle de la nature a bien été considéré dans la variété de ses aspects par les auteurs bibliques et que son témoignage n'a pas été tiré, par une interprétation forcée, dans un sens trop favorable à une idée préconçue.

Dans l'Ancien Testament la manifestation « naturelle » de Dieu à partir des êtres visibles est distincte primitivement de l'acceptation d'une parole divine dans une alliance qui est à la fois grâce et révélation. Mais ce ne sont pas des mouvements parallèles et destinés à rester indépendants, encore moins des forces de sens contraire, mais des données appelées à fusionner dans une synthèse vivante, celle que rend possible la notion d'alliance [37].

---

37. Sans adopter toutes les vues de K. Barth, ni entrer dans l'examen des critiques adressées par lui à la « théologie naturelle », on peut signaler une certaine convergence avec ce qu'il écrit dans sa *Kirchliche Dogmatik*, § 26, 1, p. 123. Après avoir rappelé l'influence de Babylone et de l'Egypte dans la louange divine du psautier, il poursuit : « La sagesse, la puissance, la bonté et la justice qu'il (l'homme objectivement transformé, parce que Dieu parle et agit en Israël) reconnaît dans

C'est ce que montre la manière dont Paul s'est emparé des observations désabusées de Qohéleth pour les faire entrer dans une perspective embrassant à la fois le monde présent et le monde à venir. Actuellement tout est soumis à la vanité et à la corruption : l'homme et la création matérielle tout entière. Mais cet état décevant et douloureux est destiné à disparaître grâce à la rédemption. Nos corps mortels et la nature participeront à la gloire des enfants de Dieu (Rom. 8, 18-24) [38]. Alors l'alliance entrevue par les prophètes recevra sa pleine réalisation dans une harmonie où toutes les parties de l'univers se répondront parfaitement.

LE RAISONNEMENT PARTANT DU MONDE CRÉÉ

La considération de la nature visible sert aux auteurs bibliques à mieux connaître Dieu. Ils n'y cherchent pas le point de départ d'une démonstration de son existence, mais une stimulation, un aliment pour une connaissance de Dieu restée jusqu'ici implicite et informulée. Ce n'est pas un simple ornement extérieur, destiné à reposer l'esprit dans sa tension vers une réalité purement spirituelle. Ce n'est pas un simple moyen pédagogique, à la manière d'une parabole, visant à faciliter l'accès des auditeurs ou lecteurs à un enseignement que le maître possède déjà en sa clarté et qu'il saura formuler sans images, une fois contée son historiette. C'est vraiment un appui pour la pensée de l'écrivain sacré [39].

Il se produit une découverte ou plutôt un approfondissement simultané du monde visible et des attributs divins, jusqu'ici confusément soupçonnés. Tout ce que l'on perçoit de puissance, d'étendue, de variété, de sagesse, de bonté dans les créatures

---

l'univers, ne sont rien d'autre que le reflet exact, au miroir de la création, de la sagesse, de la puissance, de la bonté et de la justice qu'il a reconnues, pour commencer, dans les paroles et dans les actions du Dieu d'Israël » (trad. fr., vol. VI, 1966, p. 110).

38. Sur ce texte de Paul on peut voir A.M. Dubarle, « Le gémissement des créatures dans l'ordre divin du cosmos (Rom. 8, 19-22) », dans *RSPT* 38 (1954), pp. 445-465.

39. J. Haenel, *Das Erkennen Gottes bei den Schriftpropheten*, 1923, p. 229, a remarqué à juste titre que dans l'Ancien Testament la considération de la nature fait plus qu'illustrer la pensée : elle lui sert réellement de fondement.

visibles permet de conclure que Yahweh possède au moins
l'équivalent, et même bien plus, de ce que l'on constate dans
ses œuvres.

Un premier type de raisonnement est relativement simple ;
il conclut du semblable au semblable.

Celui qui a planté l'oreille n'entendrait pas ?
S'il a façonné l'œil, il ne verrait pas ? (Ps. 94, 9).

Comme est la tendresse d'un père pour ses fils,
tendre est Yahweh pour qui le craint (Ps. 103, 13) [40].

La majesté du ciel étoilé révèle celle de Yahweh (Ps. 8, 4-5).

Un autre mode de raisonnement, formulé dans les termes d'une
comparaison, comporte néanmoins un substantiel progrès de la
pensée. Etant supposée une certaine qualité de Yahweh, par exemple sa sagesse, ou sa bonté, ce que l'on observe dans le monde
visible de grandeur, de durée, de puissance ou d'autres propriétés
analogues, multiplie ou qualifie d'autant ce que l'on se représentait de la sagesse ou de la bonté divines.

Ainsi Yahweh est sage et d'une sagesse incommensurable :

Haut est le ciel au-dessus de la terre ;
aussi hautes sont mes voies au-dessus de vos voies
et mes pensées au-dessus de vos pensées (Is. 55, 9).

Le sable de la mer, les gouttes de la pluie,
les jours du passé, qui peut les dénombrer ?
La hauteur du ciel, la largeur de la terre,
l'abîme et la sagesse, qui peut les explorer [41] ?

---

40. On peut encore citer en exemple Is. 49, 15 ; Mal. 3, 17. Dans
Prov. 3, 11-12 et Deut. 8, 5 les corrections qu'un père inflige à ses
enfants permettent d'attribuer à Yahweh une même intention éducative.
Dans Is. 28, 23-29 la diversité des opérations agricoles suggère que
Yahweh peut faire succéder un traitement plus clément aux dures
mesures actuelles.

41. Tel est le texte grec de Sir. 1, 2-3. Les versions et une meilleure
cohérence du sens et du parallélisme suggèrent de lire « la profondeur
de l'abîme » au lieu de « l'abîme et la sagesse ». Mais la suite immédiate
évoque la sagesse impénétrable. Dans le Ps. 139, 18 le sable sert encore
de comparaison pour la multitude infinie des pensées divines. Le nombre
des étoiles met en évidence la grandeur de la sagesse et de la puissance
divines (Ps. 147, 4-5 ; cf. Is. 40, 26).

La présence de bien des phénomènes mystérieux dans ce monde atteint par nos sens est un avertissement que nous ne pouvons prétendre connaître parfaitement Dieu ou ses desseins providentiels.

Comme tu ne connais pas la route du vent, ni les secrets d'une femme enceinte, ainsi tu ne peux connaître l'œuvre de Dieu qui dirige tout (Qoh. 11, 5 ; cf. Ps. 139, 13-18).

Si vous êtes incapables de scruter les profondeurs du cœur de l'homme et de démêler les raisonnements de son esprit, comment donc pourrez-vous pénétrer le Dieu qui a fait toutes ces choses, scruter sa pensée et comprendre ses desseins [42] ?

Dans tous ces textes la sagesse de Dieu est présupposée et il ne s'agit pas de la prouver, mais de faire réaliser combien elle est incompréhensible par une surabondance hors de proportion avec notre esprit, et non par défaut.

De même Yahweh est miséricordieux et il l'est infiniment.

Autant les cieux sont élevés au-dessus de la terre,
autant est grande sa tendresse envers ceux qui le craignent,
autant l'orient est loin de l'occident,
autant il éloigne de nous nos transgressions [43].

La même pensée revient ailleurs soit avec le même point de départ (Jér. 31, 37), soit à partir du nombre des étoiles ou de la poussière de la terre [44].

---

42. Judt. 8, 14. Une pensée analogue est exprimée par Paul dans 1 Cor. 2, 11. Cela ne suffit pas à établir qu'il y a une citation de Judith, malgré la suggestion de J.R. HARRIS, dans *Expos. Times* 27 (1915/16), pp. 13-15. Dans Sag. 9, 16 la pensée se porte moins expressément sur le mystère même de Dieu : « les choses qui sont dans les cieux » semblent désigner, d'après le parallèle du v. 17, non pas Dieu, mais les lois posées par lui et qui dirigeraient la conduite des hommes dans une voie salutaire.

43. Ps. 103, 11-12. Ailleurs la bonté et la fidélité de Dieu s'élèvent jusqu'aux nues (Ps. 36, 6 ; 57, 11-12), sa justice jusqu'au ciel (Ps. 71, 19).

44. C'est la formule traditionnelle des bénédictions patriarcales : la postérité d'Abraham sera aussi nombreuse que les étoiles du ciel, le sable de la mer ou la poussière du sol : Gen. 13, 16 ; 15, 5 ; 22, 17 ; 26, 4 ; 28, 14 ; 32, 13 ; Ex. 32, 13 ; Deut. 1, 10 ; 10, 22 ; Jér. 33, 22 ; 1 Chr. 27, 23 ; Néh. 9, 23 ; Sir. 44, 21.

De même Yahweh est juste, d'une justice qui ne défaille pas plus que l'ordre de la nature.

Au milieu d'elle (Jérusalem) Yahweh est juste ;
Il ne commet rien d'inique ;
matin après matin Il promulgue son droit,
à l'aube Il ne fait pas défaut,
Il ne connaît pas l'iniquité (Sop. 3, 5).

La constance de Yahweh dans ses dispositions bienveillantes à l'égard des hommes est garantie par la permanence de ses œuvres visibles et d'abord du cours des saisons. La pensée commence à se faire jour dans l'alliance conclue avec Noé après le déluge. Désormais « semailles et moissons, froidure et chaleur, été et hiver, jour et nuit ne cesseront plus » (Gen. 8, 22) et l'ensemble des êtres vivants ne sera plus détruit dans une catastrophe universelle (Gen. 9, 9-11). Les prophètes reprennent l'idée en l'appliquant plus précisément à Israël. « Si vous pouvez briser mon alliance avec le jour et avec la nuit, en sorte que le jour et la nuit n'arrivent plus au temps fixé, mon alliance sera aussi brisée avec David, mon serviteur » (Jér. 33, 20-21.25-26 ; 31, 35-36).

Semblablement la stabilité du cadre géographique est une promesse de durée de l'Alliance. La supposition impossible renforce la pensée.

Les montagnes peuvent défaillir
et les collines s'ébranler,
mais mon amour pour toi ne défaillera pas,
et mon alliance de paix avec toi ne sera pas ébranlée [45].

Ces textes concernent le domaine de l'Alliance. A ce point de vue ils débordent la manifestation « naturelle » de Dieu. Mais il serait artificiel de prétendre découvrir dans l'Ecriture deux domaines parfaitement délimités et dont les frontières ne chevaucheraient jamais. Ce qui est à relever pour le présent propos, c'est que la certitude d'une alliance conclue entre Yahweh et Israël ne dérive pas de considérations sur les saisons régulières

---

45. Is. 54, 10. Dans Is. 49, 15 le fait supposé est non pas impossible, mais exceptionnel et paradoxal : si une mère peut oublier son nourrisson, Yahweh, lui, n'oubliera pas son peuple.

ou la permanence des montagnes. L'idée que l'Alliance est stable n'en dérive pas davantage : c'est une propriété essentielle, sans laquelle il n'y aurait pas d'alliance du tout, mais simple bienveillance, sans garantie de durée. Il y a donc, préexistante, la connaissance d'une alliance stable entre Yahweh et son peuple. La réflexion sur la stabilité du monde naturel n'apporte pas un élément totalement nouveau, mais vient étoffer, élargir aux dimensions de l'univers, rendre plus plausibles des données déjà acquises.

Le principe informulé qui sous-tend ces textes, qui en fait beaucoup plus que de brillantes comparaisons, c'est qu'il y a une cohérence ou correspondance profonde entre les diverses œuvres de Yahweh et les différents domaines où s'exerce son action providentielle, comme entre ses différents attributs de sagesse, de puissance, de bonté. On peut donc éclairer l'un par l'autre.

Dans ce paragraphe et dans ceux qui précèdent, l'attention s'est arrêtée de préférence aux textes où se fait sentir un progrès de la pensée. Pour achever de mesurer la place que tient dans la Bible le thème de la connaissance de Dieu par la nature visible, il est bon de signaler rapidement bon nombre de passages dans lesquels il y a plutôt l'affirmation d'une certitude déjà acquise, devenue une doctrine traditionnelle. Pris globalement, l'ensemble des textes témoigne d'un mouvement où la foi d'Israël s'est enrichie et fortifiée au spectacle du monde sensible. Mais ce mouvement peut être plus ou moins net dans tel texte particulier. Il serait donc artificiel de prétendre tracer une délimitation rigoureuse entre les passages où la description de la nature illustre seulement le message et ceux où elle a contribué à son élaboration. Le rappel de la création ou du gouvernement divin de l'univers prélude comme motif de crainte ou de confiance, à l'affirmation de la Providence gouvernant le sort des peuples ou des individus. Et ce rappel peut être formulé parfois en termes grandioses, parfois en quelques mots résumés [46].

---

46. Compte tenu de cette réserve, voici une liste de références. Le spectacle de la nature est un motif de crainte devant un Juge tout-puissant : Jér. 5, 22-24 ; 10, 12-13 ; 51, 15-16 ; Am. 4, 13 ; 5, 8 ; 9, 6 ; Nah. 1, 3-7 ; Hab. 3, 4-15 ; Ps. 95, 4-5 ; Sir. 16, 16-19 ; il est un appel à la confiance dans une situation difficile : 1 Sam. 2, 8 ; Is. 40, 21-28 ; 42, 5 ; 45, 7.12.18 ; 48, 13 ; 51, 13 ; Jér. 14, 22 ; Zac. 10, 1 ; 12, 1 ; Ps. 33, 6-7 ; 96, 5 ; Prov. 3, 19-20 ; Judt. 9, 12 ; Bar. 3, 24.32-35 ; Sir. 16, 24-29 ; Act. 4, 24 ; 14, 15 ; Apoc. 10, 6 ; 14, 7.

Dans l'appui qu'elle prend sur le monde visible pour s'élever aux attributs divins, la Bible sous-entend un principe qui n'est explicité que rarement et jamais sous une forme abstraite. Etant la cause de tout ce qui existe, Dieu doit posséder autant ou plus de perfection que ses œuvres. Il ne peut communiquer une qualité qu'il ne posséderait pas.

La pensée cherche à se formuler dans le Ps. 94, 9, à partir d'un exemple concret. Répondant aux impies, qui prétendent que Dieu ne voit, ni n'entend [47], le psalmiste les invite à faire preuve d'intelligence ; il leur pose une question oratoire, qui ne comporte qu'une réponse affirmative : « Celui qui a planté l'oreille n'entendrait-il pas ? Celui qui a modelé l'œil ne regarderait-il pas ? Celui qui reprend les nations ne punirait-il pas ? Celui qui enseigne l'homme serait-il privé de connaissance [48] ? » Oui, assurément, conclut le croyant, Yahweh connaît les pensées des hommes et leur inconsistance (Ps. 94, 11).

Le point de départ, qui n'est l'objet d'aucune argumentation, qui est traité comme allant de soi, c'est que Yahweh est le Créateur, ou l'auteur, l'artisan, qui a doté l'homme de ses facultés de perception (cf. Ex. 4, 11 ; Prov. 20, 12) et d'intelligence pratique (cf. Is. 28, 26). Celui qui instruit l'homme de ce qui est utile et juste ne peut se montrer partial en faveur de certains, ou ignorer leurs méfaits. L'auteur de l'homme et de toutes ses capacités de connaître et de comprendre ne peut être inférieur à son œuvre sur ce point.

Le même principe, encore moins dégagé explicitement, se retrouve sous-jacent aux interrogations ironiques d'Is. 29, 16 : « Le pot dira-t-il de son potier : il n'y entend rien ? », ou d'Is. 45, 9 : « L'argile dira-t-elle de son potier : que fais-tu ? et ton œuvre dira-t-elle : il n'a pas de mains ? » La créature ne peut se vanter de plus de sagesse que son créateur. Les desseins habilement dissimulés dont se targuent les politiques ne peuvent surpasser la

---

47. La négation d'une juste Providence, la pensée que Dieu ne s'occupe pas des affaires humaines, une sorte d'indifférence religieuse ou d'athéisme pratique sont fréquemment mentionnées dans la Bible (cf. plus loin, ch. III, p. 78). Mais c'est ici seulement qu'il y a un essai de réfutation, au lieu d'une simple condamnation.

48. « Privé de connaissance » en admettant une légère correction du texte, qu'il faudrait traduire « qui enseigne à l'homme la connaissance » sous sa forme transmise.

profondeur du plan providentiel (cf. Is. 29, 13-16). L'étonnement d'une foi trop courte devant l'annonce qu'un roi païen, Cyrus, allait être l'instrument de la restauration d'Israël n'empêchera pas ce propos de se réaliser (cf. Is. 45, 7-13).

Le principe que la cause est supérieure à son effet, que le Créateur possède, et au-delà, toutes les qualités qui existent dans le monde visible et dans l'esprit de l'homme est donc à l'œuvre dans les livres bibliques de manière plus sous-entendue que formulée expressément. Il ne s'agit pas de dire : la réalité visible ne se suffit pas à elle-même. Elle doit avoir une cause invisible. Pour les auteurs de l'Ancien Testament l'existence d'un Dieu, auteur du monde, est une donnée première, qui n'est jamais mise en question et qu'ils n'éprouvent pas le besoin d'établir par une preuve [49]. S'ils utilisent, et de manière non réfléchie systématiquement, un principe de causalité, c'est pour se faire une idée plus riche, plus vivante de Dieu.

Yahweh est l'incomparable, plus grand que toutes ses œuvres (Sir. 43, 28) et pourvu à un degré infini de toutes les perfections qu'on peut observer en elles. C'est pourquoi la considération des créatures accessibles à notre observation peut être un secours et un stimulant pour la connaissance de Dieu.

A l'inverse un regard objectif jeté sur une idole, la constatation que cet objet fabriqué ne possède pas la vie et la conscience amènent à conclure qu'il ne peut dispenser à ses fidèles les biens que le païen lui demande dans la prière (Sag. 13, 16-19). Avant même que ce raisonnement soit formulé explicitement, plusieurs auteurs bibliques en avaient pressenti le contenu, comme le montrent leurs expressions dédaigneuses (Hab. 2, 18 ; Ps. 115, 4-8).

---

49. Je ne suis pas E. KOENIG, *Theologie des Alten Testaments,* 1922, p. 122, qui voit l'indication d'une preuve physico-théologique dans Is. 40, 21 ; Ps. 19, 2 ou Jér. 10, 10-13 et dans Ps. 94, 9 une conséquence ultérieure.

CHAPITRE II

LA CONNAISSANCE DE DIEU
CHEZ LES PAÏENS

LA CONNAISSANCE DE DIEU DANS LA GENÈSE :
LA RELIGION DES PATRIARCHES

Dans la Genèse toute l'humanité est censée connaître le Dieu de Noé. Après le déluge Yahweh avait promis qu'une pareille catastrophe ne viendrait plus troubler l'ordre des saisons et des travaux agricoles (Gen. 8, 22). L'arc-en-ciel, la fragile splendeur qui accompagne la présence simultanée du soleil et de la pluie, était le symbole de l'harmonie des éléments dans la création et le signe d'une alliance conclue par Dieu avec toute la race humaine. Dieu se fait connaître comme l'auteur d'un ordre du monde matériel permettant à l'homme de vivre en exploitant les ressources mises à sa portée, et comme le garant des lois morales, dont la première est le respect de la vie humaine (Gen. 9, 5-6).

La Genèse ne marque aucune discontinuité religieuse entre cette alliance conclue avec Noé et sa descendance et, d'autre part, la vocation d'Abraham. Il semble que le même Dieu n'a cessé d'être connu et que toute l'humanité lui rend un culte, ce qui n'empêche pas totalement le péché. Si, par suite de l'entreprise orgueilleuse de Babel, les hommes sont divisés entre différents peuples, langues et pays (Gen. 10, 5.20.31 ; 11, 1-9), ils n'apparaissent pas comme divisés entre différents cultes ou religions.

La Genèse ne se préoccupe pas de l'idolâtrie et du polythéisme qui lui est ordinairement lié. Il n'en est pas question dans l'histoire primitive, ce tableau de la croissance du péché dans l'humanité jusqu'à l'aurore du salut, marquée par la vocation d'Abraham. Et l'histoire patriarcale est à peine plus riche : elle ne fait

que de furtives allusions à des idoles dans la vie de Jacob
(Gen. 31, 19-35 ; 35, 2-4). Au milieu de tant de récits expliquant
l'origine des faits les plus variés, depuis les grands traits de la
condition humaine, jusqu'à une roche évoquant la silhouette
d'une femme (Gen. 19, 26), on ne trouve rien sur l'origine de
cette déviation idolâtrique, qui apparaîtra aux époques ultérieures
comme le péché capital, source de tous les autres.

Pour le livre de la Genèse il y a continuité entre la religion
d'Abraham et celle de ses ancêtres et de son milieu. La foi
d'Abraham adhère à une parole qui lui promet une situation
exceptionnelle dans la destinée de l'humanité (Gen. 12, 1-3) ; elle
lui vaut d'être justifié (15, 6). Mais elle ne s'adresse pas à un
Dieu différent de celui de ses pères.

Quelle connaissance de Dieu avait le patriarche que Paul devait
proclamer père de tous les croyants, circoncis ou incirconcis
(Rom. 4, 11-12) et dont il vante la foi (Gal. 3, 6-9) ? La réponse
à cette question peut susciter des enquêtes historiques fort délicates. On doit alors évaluer la portée documentaire des textes
de la Genèse en fonction d'une longue tradition orale ou écrite,
où le souci de transmettre une image fidèle du passé n'était pas
le seul facteur qui jouait. Il faut s'efforcer de replacer les données de la Genèse dans le milieu religieux que nous font connaître les textes ougaritiques, babyloniens, égyptiens du deuxième
millénaire, les restes archéologiques, installations cultuelles et
inscriptions votives ou les informations postérieures sur des situations comparables, chez des pasteurs nomades, par exemple. On
peut essayer ainsi d'atteindre avec quelque vraisemblance la réalité
humaine et religieuse qui se reflète dans les récits de la Genèse.

Ici pourtant il ne sera pas nécessaire d'entrer dans le détail
des recherches et des hypothèses suscitées par le problème de la
religion patriarcale. Il suffira de donner en terminant un aperçu
rapide des résultats obtenus. L'auteur biblique a tracé un tableau un peu idéalisé, qui a insisté sur les continuités plus que
sur les ruptures, qu'il s'agisse des faits antécédents ou des périodes ultérieures. Pour lui le Dieu d'Abraham était le Créateur,
qui avait établi son alliance avec Noé et qui devait par la suite
délivrer son peuple captif en Egypte.

Mais d'après Jos. 24, 2 les ancêtres d'Israël, Térah, père
d'Abraham, servaient d'autres dieux au-delà du fleuve. Cette
donnée posait une difficulté : pour l'écarter il fallait admettre
qu'Abraham avait rejeté le culte des dieux étrangers adorés par

ses ancêtres et s'était converti au vrai Dieu. C'est ce qu'a fait le livre non canonique des Jubilés, une sorte de deuxième édition de la Genèse, tantôt la suivant fidèlement, tantôt la développant librement. Cet écrit, composé probablement vers l'an 100 avant notre ère, raconte comment Serug (cf. Gen. 11, 20) et ses contemporains commencèrent à pratiquer la violence et à se faire des idoles (Jub. 11, 2-6). Abram, arrière-petit-fils de Serug, reconnaît les erreurs de l'idolâtrie, essaie d'en détourner son père avec les arguments de la polémique juive contre les images, œuvre des mains humaines. Finalement une nuit il met le feu au temple, dont les dieux ne peuvent être sauvés. Là-dessus il quitte Ur avec Térah pour s'établir à Haran. Après de nouvelles réflexions et une prière il reçoit l'ordre divin de partir pour le pays de Canaan (Jub. 12).

Avec plus de sobriété le livre de Judith, à peu près contemporain des Jubilés, met dans la bouche du bon païen Achior un bref rappel des événements. Les ancêtres d'Israël, originaires de Chaldée, ont abandonné le culte des dieux de ce pays pour adorer le Dieu du ciel qu'ils avaient connu. Ils ont dû pour cette raison fuir leur patrie et venir en Mésopotamie, puis de là en Canaan (Judt. 5, 6-9). L'historien juif Josèphe [1] a reproduit cette présentation des événements en s'efforçant de lui donner une couleur philosophique ; de même aussi Philon [2]. Dans le Coran Abraham est le champion d'une doctrine monothéiste, dont il s'est convaincu, ou du moins dans laquelle il s'est affermi, en observant que les astres qui disparaissent après avoir brillé ne peuvent être des dieux. Il brise les idoles de ses compatriotes, échappe à leur vengeance et croit en Dieu, qui s'est fait connaître à lui de manière particulière. La foi est ici la confession du Dieu unique, non pas la confiance en ses promesses [3].

---

1. FLAVIUS JOSÈPHE, *Antiquités judaïques*, I, 6-16, § 154. Strack-Billerbeck, III, pp. 34-36, et index « Abraham », renvoie à des textes rabbiniques analogues.

2. PHILON D'ALEXANDRIE, *Vie d'Abraham*, XV, 69-71, tout en allégorisant, garde l'idée qu'Abraham abandonne la science des Chaldéens.

3. *Le Coran*, Sourate 6, 74-79 ; 19, 42-48 ; 21, 53-70 ; 37, 81-113. Voir aussi L. SIDERSKY, *Les origines des légendes musulmanes dans le Coran et dans les vies des Prophètes*, 1933 ; Y. MOUBARAC, *Abraham dans le Coran. L'histoire d'Abraham dans le Coran et la naissance de l'Islam*, 1958, pp. 41-50 ; 108-114.

Ces récits, divergeant de la Genèse, sont rappelés non pas pour la valeur des traditions qu'ils contiendraient ou pour l'harmonisation heureuse qu'ils opèreraient entre des données disparates de l'Ecriture, mais pour leur contraste avec le silence de la Genèse. Ce livre ne sait rien d'une conversion d'Abraham et n'emploie pas à son propos l'expression « enlever les dieux étrangers », qui revient à plusieurs reprises pour exprimer l'adhésion initiale à Yahweh ou l'abandon de pratiques idolâtriques concurrençant coupablement la foi authentique (Gen. 35, 2 ; Jos. 24, 14.23 ; Jug. 10, 16 ; 1 Sam. 7, 3 ; cf. 1 R. 15, 12).

Les patriarches apparaissent en accord avec leur milieu et non pas comme pratiquant un culte différent. Le cas le plus saillant est la rencontre d'Abraham et de Melchisédech, roi de Salem, prêtre d'El 'Elyon, le Dieu très haut. Le patriarche reconnaît sa qualité sacerdotale en donnant une dîme de son butin et reçoit une bénédiction. Les deux interlocuteurs se réclament pareillement d'El 'Elyon, créateur du ciel et de la terre. Mais Abraham l'identifie à Yahweh (Gen. 14, 18-20). Ce qui importe présentement dans ce récit particulièrement problématique [4], c'est l'image d'une confession commune d'un même Dieu par Abraham et un Cananéen. Plus loin, Abimélech, roi de Gérar, reçoit en songe une révélation de Dieu (Elohim), lui ordonnant de restituer à Abraham sa femme, Sara, qu'il avait enlevée, et le menaçant en cas de résistance. L'étranger témoigne en cette circonstance d'une délicatesse de conscience qui l'emporte sur celle d'Abraham (Gen. 20, 1-18).

Rébecca pendant une grossesse difficile va consulter Yahweh et reçoit une réponse annonçant le sort futur des deux jumeaux qu'elle porte. Le texte ne dit pas qui était le médiateur de cet oracle, mais donne l'impression que c'est un étranger à la famille d'Isaac (Gen. 25, 23). Plus tard les lois mosaïques prohiberont sévèrement les formes de divination en usage chez les Cananéens (Ex. 22, 17 ; Lév. 19, 26.31 ; 20, 8 ; Deut. 18, 10-11).

---

4. On peut voir à ce sujet R. DE VAUX, *Histoire ancienne d'Israël,* t. I, 1971, pp. 208-212. Gen. 14 serait un texte très tardif et mêlant librement quelques renseignements anciens valables et des inventions récentes. Il est inutile ici de discuter longuement le caractère historique ou non de ce texte. Il suffit de noter que le mot « Yahweh » au v. 22 est absent dans deux manuscrits hébreux et les LXX et qu'il est vraisemblablement une addition tardive.

Dans l'histoire de Joseph on note les différences de coutume entre Israélites et Egyptiens (Gen. 43, 32 ; 46, 34), mais non pas des différences de croyance religieuse. Joseph et Pharaon semblent avoir le même Dieu (Gen. 41, 16.25.28.32.38). Devenu grand vizir et ne voulant pas encore se faire reconnaître de ses frères, Joseph leur parle cependant comme s'ils avaient le même Dieu (42, 18 ; 43, 29).

Dans la Genèse les patriarches reconnaissent un Dieu qui est déjà identifié avec Yahweh dans la source yahwiste. Mais ce Dieu (Elohim) est aussi appelé El, ce qui était le nom du grand dieu des Cananéens, le créateur et le chef du panthéon. Ce Dieu El reçoit dans la Genèse différentes dénominations qui précisent certains attributs. On trouve ainsi El Roï (Dieu qui me voit) à Laḥaï-Roï (Gen. 16, 13), El 'Elyon (Dieu très haut) à Salem (Jérusalem probablement) (Gen. 14, 19), El 'Olam (Dieu éternel) à Bersabée (Gen. 21, 33), El Sahddaï (Dieu de la montagne, comme on comprend ordinairement, ou peut-être Dieu de la steppe [5]) ; ce nom est le plus fréquent (17, 1 ; 28, 3 ; 35, 11 ; 43, 14 ; 48, 3 ; Ex. 6, 3), il est lié parfois à Luz, c'est-à-dire Béthel (35, 11 ; 48, 3). Ce qui est remarquable, à côté de cette multiplicité de désignations où El entre en composition avec un déterminatif, c'est l'absence des noms d'El qannah (ou qannoh), fréquent en dehors de la Genèse (Ex. 20, 5 ; 34, 14 ; Deut. 4, 24 ; 5, 9 ; 6, 15 ; Jos. 24, 19 ; Nah. 1, 2), d'El neqamot (Dieu des vengeances : Ps. 94, 1) et d'El gemoulot (Dieu des représailles : Jér. 51, 56). La Genèse ne partage pas l'exclusivisme caractéristique de la loi de Moïse, le souci de séparer la foi en Yahweh de toute autre croyance [6].

Pour la Genèse la connaissance de Dieu est un bien commun de l'humanité issue de Noé ; les patriarches d'Israël ont eu part à cet héritage dont personne n'est exclu. Ils ont été en communion religieuse avec leur milieu, lui ont emprunté éventuellement cer-

_____

5. Cf. R. DE VAUX, *op. cit.*, pp. 263-264.
6. W. EICHRODT, *Religionsgeschichte Israels* (Dalp-Taschenbücher, 349 D), 1969, p. 7, a noté la différence très nette entre le Dieu des patriarches, paisible et que l'on aborde avec confiance, et le Dieu du Sinaï, qui se manifeste dans le feu. Ce Dieu des patriarches est proche du dieu El, vénéré par les Cananéens, dieu « sage et bienveillant, qui manifeste la douleur et la joie, jamais la colère » ; cf. R. DE VAUX, *op. cit.*, p. 268.

tains noms divins ou certains sanctuaires. Ce qu'ils ont eu en propre, c'est une bénédiction plus personnelle leur concédant, avec une mesure plus abondante, ce qui était la bénédiction destinée à tous les hommes : la fécondité, la possession de la terre. De la sorte ils deviendraient le symbole ou les médiateurs de la bénédiction universelle (Gen. 12, 2.7 ; 15, 5.18 ; 26, 4). A cette promesse Abraham a répondu par une foi exemplaire (Gen. 15, 6).

On peut donc dire que pour la Genèse il n'y a pas de coupure radicale entre une connaissance naturelle de Dieu, offerte à tous les hommes et fondée sur sa manifestation dans l'univers visible, et une foi s'adressant à une promesse personnelle. Le signe de l'alliance avec Abraham est la circoncision, ce qui correspond à l'observation d'un ordre divin (Gen. 17, 11) [7]. La religion d'Abraham est une réussite plus complète de ce qui est la religion commune de son milieu. Elle ne vient pas après une corruption fatale et entière de la connaissance de Dieu chez les hommes, victimes du péché du premier homme. Et il n'est pas nécessaire qu'une révélation nouvelle vienne susciter le rejet d'une erreur inévitable.

Tel est le témoignage de la Genèse lu avec une certaine naïveté et mis en relief par la comparaison avec les vues du judaïsme tardif. Si d'autres données bibliques, si les recherches de l'histoire critique des religions invitent à le nuancer quelque peu, il n'est pas possible de le supprimer tout simplement, en lisant entre les lignes une conversion d'Abraham dont le texte ne parle pas. Ce qui est en question ici, ce n'est pas le problème historique de la religion effective du patriarche avec ses traits individuels précis, mais le problème théologique des possibilités religieuses de l'humanité et de l'accès à une religion révélée. Le livre de la Genèse exprime sans le chercher une conception implicite, que des simplifications n'atteignant pas la substance des choses n'autorisent pas à rejeter comme invalide.

La connaissance de Dieu chez les patriarches plonge ses racines dans le passé. Elle n'est pas le fruit d'une révélation et d'une conversion récentes. Elle est ouverte à l'influence des religions rencontrées dans le milieu environnant. Elle est l'épanouissement de la religion de Noé. Désormais à chaque étape nouvelle, la foi

---

7. Par contre le signe de la révélation faite à Moïse et de la mission qui lui est confiée est la réussite de l'entreprise ordonnée par Yahweh (Ex. 3, 12). C'est une manifestation de Dieu dans et par l'histoire.

d'Israël prendra appui sur une foi antérieure. Yahweh, qui se révèle à Moïse, est le Dieu d'Abraham, d'Isaac et de Jacob (Ex. 3, 6). Il en va de même pour Elie (1 R 18, 31-36). David, qui a déjà fondé la royauté et se prépare à construire un temple, deux nouveautés inquiétantes pour les esprits traditionnels, rappelle dans sa prière la merveille de la libération d'Egypte (2 Sam. 7, 23-24 ; 1 Ch. 17, 21-22). Les prophètes se réfèrent à Moïse et à David (Am. 2, 10 ; 9, 7-11 ; Os. 2, 17 ; 3, 5 ; 11, 1 ; Is. 9, 6 ; 11, 16 ; Jér. 33, 21 ; etc.). De même les psalmistes (Ps. 78 ; 89 ; 105 ; 106 ; 132 ; etc.). Jésus vient accomplir la loi et les prophètes (Mat. 5, 17 ; Luc 16, 16-17.29) et les Psaumes (Luc 24, 44-45). Ce lien avec le passé est déjà un caractère de la religion d'Abraham.

Avant de terminer, quelques indications rapides sont utiles sur l'image que les historiens se font aujourd'hui de la religion patriarcale. A vrai dire l'unanimité ne règne pas parmi les différents chercheurs. N. Lohfink [8], retraçant les théories qui se sont succédé sur le sujet, admet avec A. Alt [9] que les patriarches ont rendu un culte à un dieu protecteur spécial de leur famille, appelé « dieu de mon (ton/son) père ». Mais, poursuit N. Lohfink, cette appellation ne signifie pas que ce dieu était inconnu en dehors du cercle familial. Il n'était autre que le dieu principal du panthéon phénicien, El. Les différentes formations El 'Elyon, El Shaddaï, etc. se rapportent à des cultes locaux, où le même dieu était adoré avec un nom particulier, mettant en relief tel attribut déterminé. Les patriarches ont participé à ces cultes locaux, sont entrés en contact avec leurs fidèles, tout en ayant la conviction que ce dieu El s'était révélé spécialement à l'ancêtre de leur famille, en lui promettant une descendance et la possession du pays. Ce dieu El avait pu être facilement identifié avec un dieu portant peut-être un autre nom, vénéré par la famille d'Abra-

---

8. N. LOHFINK, « Welchem Gott brachte Abraham seine Opfer dar ? Der Anfang der Offenbarungsreligion im Lichte neuer religionsgeschichtlicher Forschung » dans *Theol. Akademie* 1 (1965), 9-26, rééd. dans *Bibelauslegung im Wandel*, 1967 ; trad. franç. *Sciences bibliques en marche*, 1969, pp. 87-103.

9. A. ALT, « Der Gott der Väter, Ein Beitrag zur Urgeschichte der israelitischen Religion » (1929), rééd. dans *Kleine Schriften*, I, 1953, pp. 1-78. Cette étude est au point de départ de beaucoup de recherches actuelles, mais elle a suscité des critiques et des mises au point.

ham en Mésopotamie, et qui avait déjà les attributs de créateur et de roi des autres dieux [10]. Cette religion patriarcale ne mettait pas en doute l'existence d'autres dieux, mais elle rendait à El un culte exclusif. Il y avait donc une continuité réelle entre elle et la religion du monde ambiant.

Pour R. de Vaux [11], le culte du dieu du père était l'élément initial de la religion patriarcale. Le culte d'El est venu s'y ajouter lors de l'entrée dans le pays de Canaan. Le premier est propre à des nomades ; le second à des sédentaires. Les ancêtres des Israélites ont fréquenté les sanctuaires de Canaan et ils ont assimilé le Dieu du père qu'ils vénéraient jusque-là avec El, le dieu des Cananéens. Mais ils n'ont pas adopté les traits mythologiques de ce dieu. Ils ont dû surtout faire leur la conception d'une puissance cosmique et ainsi élargir l'idée qu'ils se faisaient du protecteur de leur famille.

D'après O. Eissfeldt [12], les ancêtres d'Israël ont adoré des « dieux étrangers », c'est-à-dire les mêmes que leur souche araméenne de Mésopotamie. En Canaan ils les ont rejetés plus ou moins pour rendre un culte à El, dieu créateur et bienveillant, particularisé sous différentes épithètes dans les sanctuaires locaux. Le culte de Yahweh ne s'est introduit qu'avec les clans sortis d'Egypte. Quant au livre biblique de la Genèse, il ne manifeste pas d'hostilité aux cultes de Canaan [13].

---

10. Cette reconstruction, qui admet l'identité entre le dieu du père et le grand dieu El, s'harmonise bien avec le fait que le terme « dieu de mon père » n'apparaît pas dans la geste d'Abraham, mais seulement dans celles d'Isaac et de Jacob. C'est par son action dans le destin familial d'un ancêtre qu'El est devenu « dieu de mon père ».

11. R. DE VAUX, op. cit., pp. 255-273.

12. O. EISSFELDT, « El und Jahweh » (1956) ; « Jahwe, der Gott der Väter » (1963) ; « Der Kananäische El als Geber der den israelitischen Erzvätern geltenden Nachkommenschaft und Landsbesitz-verheissungen » (1968), dans Kleine Schriften, III, pp. 386-397 ; IV, pp. 79-91 ; V, pp. 50-62.

13. D'autres auteurs hésitent davantage à proposer quelques vues positives sur la religion patriarcale. Ainsi H. RINGGREN, Israelitische Religion (Die Religionen der Menschheit, 26), 1963 ; il estime (p. 24) que tout reste hypothétique. H. WEIDMANN, Die Patriarchen und ihre Religion im Licht der Forschung seit Julius Wellhausen (FRLANT, 94), 1968 ; son travail, terminé pratiquement en 1961, est surtout une histoire de la recherche. La conclusion est que la période patriarcale reste dans l'obscurité et qu'on ne peut guère en dire plus que n'a fait A. Alt.

Quelle que soit la reconstitution historique adoptée, il faut reconnaître que les derniers rédacteurs de la Genèse ont évité d'insister sur les traits par lesquels la religion patriarcale s'écartait du culte exclusif de Yahweh, qui prévalut avec Moïse. En idéalisant quelque peu le passé, ils ont toutefois laissé subsister l'image d'une croyance et d'une pratique religieuses en continuité vivante avec l'entourage culturel.

LA CONNAISSANCE DE DIEU EN DEHORS D'ISRAEL

L'Ancien Testament manifeste partout la conviction que les hommes connaissent Dieu. Un athéisme total est en dehors de ses perspectives. Des traces de cette connaissance apparaissent dans les différentes périodes de l'histoire religieuse rapportée par la Bible [13 bis].

Malgré le péché du premier couple et son expulsion hors du jardin d'Eden, l'humanité ne sombre pas dans l'ignorance ou la négation totales. Eve attribue à Dieu ses maternités (Gen. 4, 1.25). Caïn a déjà été admonesté par Dieu lors de ses premiers sentiments de jalousie (Gen. 4, 6-7). Après son crime le meurtrier est à la fois châtié par Dieu et prémuni contre le désespoir (Gen. 4, 9-15). Enosh commence à invoquer le nom de Yahweh (Gen. 4, 26). Hénoch marche avec Dieu, puis il disparaît, enlevé par Celui-ci [14].

Cette connaissance de Dieu, qui est le lot de l'humanité depuis le début, n'empêche pas la violence de se répandre et de provoquer le déluge (Gen. 6, 5-13). Après la catastrophe purificatrice, Dieu se manifeste par une alliance avec l'humanité. Il garantit un ordre stable de la nature, où la succession régulière des sai-

---

13 bis. Le tableau de la croyance religieuse tracé par la Genèse et les livres suivants n'est pas dans toutes ses parties une histoire au sens moderne du mot, c'est-à-dire fondée sur des documents méritant créance et relatifs à des faits particuliers. Les différents textes rappelés ici n'ont pas tous le même coefficient d'historicité au sens moderne. Pour la question traitée, la possibilité de connaître Dieu en dehors de la révélation particulière faite à Israël, cela n'a pas d'importance.

14. Gen. 5, 22-24. Les LXX ont traduit « marcher avec Dieu » par « plaire à Dieu », comme ils le font plus d'une fois ; cf. Héb. 11, 5 ; Ps. 116(114), 9.

sons rendra possibles les travaux agricoles. Cet ordre, qui ne sera pas aboli par le retour du déluge, est symbolisé par l'arc-en-ciel ; la fragile beauté qui naît de la présence simultanée de la pluie et du soleil, rend sensible l'harmonie des contraires dans la création (Gen. 8, 22—9, 17). Dieu est aussi le maître qui impose des lois à l'homme, ici la condition fondamentale de toute vie en société, le respect de la vie humaine, avec son élargissement dans un certain respect de la vie animale, interdisant l'usage du sang comme nourriture. Dieu annonce qu'il châtiera les transgressions, ce qui établit une justice élémentaire dans les rapports des hommes (Gen. 9, 1-6).

Cette alliance conclue avec Noé et ses fils vaut pour toute l'humanité, représentée comme issue tout entière du seul juste épargné par le fléau qui a détruit la vie sur terre. Implicitement cette présentation suppose que la connaissance de Dieu est possible et même effective. Et, chose notable, il n'est pas question plus loin de l'idolâtrie comme de l'un des grands faits universels, qui déterminent la condition humaine. Ce silence est significatif quand on le compare à l'épisode de la tour de Babel, où ce qui est mis en péril n'est pas la connaissance de Dieu, mais l'exécution de son ordre de remplir la terre (Gen. 11, 1-9).

Aussi, plus loin, au cours de la geste patriarcale, des étrangers à la famille d'Abraham apparaissent comme connaissant Dieu, indépendamment d'une bénédiction particulière qui leur aurait été faite. Melchisédech, roi de Salem et prêtre du Dieu Très-Haut (El 'Elyon), bénit Abraham par El 'Elyon, créateur du ciel et de la terre. Abraham reçoit la bénédiction et jure par la même divinité, dont il se regarde comme le serviteur à l'égal de son interlocuteur [15].

Quand Abimélech, roi de Gérar, enlève Sara, Dieu lui apparaît en songe et l'avertit du danger qu'il courrait, s'il retenait celle qui est la femme et non la sœur d'Abraham (Gen. 20, 2-8). Rien dans cet épisode n'insinue qu'Abimélech reçoit la révélation d'un Dieu jusque-là inconnu de lui. La connaissance de Dieu est liée à l'observation de lois morales. La suite du récit montre Abimélech rendant témoignage à la bénédiction divine qui comble

---

15. Gen. 14, 18-22. Le nom de Yahweh dans la bouche d'Abraham est probablement une addition tardive des rédacteurs. Il manque dans deux manuscrits hébreux et son équivalent grec manque dans les LXX.

Abraham, mais non pas distinguant son ou ses dieux de celui du patriarche (Gen. 21, 22-24). Parallèlement à cette tradition élohiste un texte yahwiste met en scène Isaac et Abimélech, qui reconnaît pareillement l'assistance dont Yahweh a gratifié le patriarche (Gen. 26, 26-30).

Pareillement, en Egypte, Potiphar constate que Yahweh est avec Joseph, son esclave (Gen. 39, 3). Pharaon, après avoir entendu l'explication de ses songes, proclame qu'en Joseph réside l'Esprit de Dieu [16]. Le récit ne signale pas que les Egyptiens rendent un culte à d'autres dieux que Yahweh, alors qu'il a noté les coutumes alimentaires qui distinguent les Egyptiens et les Hébreux (Gen. 43, 32) et l'horreur des Egyptiens pour les éleveurs de petit bétail (Gen. 46, 34).

Les traditions relatives à Jacob présentent quelques vestiges mal effacés du fait que tous les peuples ne servent pas le Dieu d'Abraham : ainsi l'histoire des téraphim de Laban, volés par Rachel (Gen. 31, 30-36), l'invocation faite par Laban à la fois du dieu de Nachor et du dieu d'Abraham [17], le rejet des dieux étrangers par le clan de Jacob (35, 3). Ces restes de traditions anciennes font ressortir par contraste l'esprit des derniers rédacteurs, qui n'ont pas voulu représenter comme une erreur la situation religieuse générale au temps des patriarches, mais plutôt comme une connaissance élémentaire. Parallèlement, l'iniquité des Amorrhéens n'est pas encore, à leurs yeux, arrivée à son comble (Gen. 15, 16).

La suite des livres bibliques contient un thème qui revient fréquemment : l'action de Yahweh en faveur d'Israël constitue simultanément une manifestation dont les païens étrangers sont aussi témoins et par laquelle ils peuvent connaître son existence et sa puissance [18]. L'histoire de Balaam en est un cas particuliè-

---

16. La manière dont Joseph et Pharaon parlent alors de Dieu (Gen. 41, 25-32.38-39) diffère de celle de Daniel et de Nabuchodonosor dans une circonstance analogue (Dan. 2, 28.47).

17. Gen. 31, 53. Une addition tardive, ici encore, a voulu identifier les deux divinités comme « le dieu de leurs pères » (Jacob et Laban, ou Nachor et Abraham). Elle manque dans deux manuscrits hébreux et dans les LXX.

18. Ex. 7, 5 ; 8, 6.15.18 ; 9, 16 ; 10, 16 ; 11, 7 ; 14, 4.25 ; 15, 14 ; 18, 11 ; Lév. 26, 45 ; Nomb. 14, 13-14 ; Jos. 2, 9-11 ; 1 Sam. 4, 8 ; Ps. 66, 1-9. Le texte d'Ex. 9, 16 a été cité par Sir. 16, 15 (Héb.) et Rom. 9, 17.

rement frappant (Nomb. 22-24). Le devin étranger ne peut mau-
dire Israël, mais doit proclamer la protection divine dont jouit
ce peuple et son avenir prospère.

Après l'installation en Canaan le même fait continue à se
produire. La présence de l'arche d'alliance chez les Philistins qui
l'ont capturée provoque toutes sortes de maux et ils reconnaissent, grâce au procédé employé pour la restitution, qu'ils ont été
frappés par le Dieu d'Israël (1 Sam. 5,1—6,12). L'étranger qui
viendra prier au temple de Jérusalem et y sera exaucé, saura par
là que le nom divin y réside (1 R. 8, 41-43 ; 2 Ch. 6, 32-33). De
même les païens pourront reconnaître Yahweh par la défaite d'une
coalition dirigée contre Josaphat (2 Ch. 20, 29), par la délivrance
de Jérusalem assiégée par Sennachérib (2 R 19, 19 ; Is. 37, 20 ;
cf. 2 Ch. 32, 23). La ruine du pays et la déportation d'Israël
(Deut. 29, 21-27 ; 1 R. 9, 8-9), le retour de l'exil (Ps. 126, 2 ;
Ez. 36, 23 ; Is. 40, 5 ; 49, 26 ; 61, 9), la reconstruction des murail-
les par Néhémie (Né. 6, 18), le châtiment d'Héliodore venu piller
le temple de Jérusalem (2 Mac. 3, 24-36), la victoire de Judas
Maccabée sur Lysias (2 Mac. 11, 13), ou sur Gorgias à Emmaüs
(1 Mac. 4, 11), les défaites de ses armées annoncées à Antiochus
Epiphane (1 Mac. 6, 5-13), la mort de Nicanor au combat
(1 Mac. 7, 42), l'échec d'Holopherne devant Béthulie (Judt. 9,
14), divers événements moins nettement spécifiés (Ps. 46, 9-11 ;
76, 9-10 ; Sir. 36, 1-17) font reconnaître Yahweh par les nations
étrangères.

A l'inverse, de nombreux textes expriment l'idée que les païens
ont dans les malheurs d'Israël un motif de scandale et de blasphème, car ils les attribuent à l'impuissance de son Dieu, Yahweh. Aussi les fidèles implorent-ils miséricorde pour la gloire
du nom divin [19].

Quelques étrangers sont amenés à s'agréger pleinement à Israël : Rahab et son clan (Jos. 6, 25), Ruth la Moabite (Rt. 1, 16),
Achior l'Ammonite (Judt. 14, 10). Mais ce qui est plus notable
pour le sujet ici traité, des étrangers reçoivent de Yahweh une révélation ou une faveur sans avoir à faire partie du peuple élu :
ainsi la reine de Saba (1 R. 10, 10), la veuve de Sarepta de Sidon

---

19. Ex. 32, 12 ; Nomb. 14, 16 ; Deut. 9, 28 ; 32, 27 ; Is. 37, 17-20 ;
52, 5 ; Ez. 20, 9.14.22.44 ; 22, 16 ; 36, 20-23 ; Joël 2, 17 ; Mic. 7, 10 ;
Ps. 74, 18 ; 79, 10 ; 115, 2 ; Judt. 4, 12.

(1 R. 17, 8-24), Naaman le Syrien (2 R. 5), les Ninivites [20], Nabuchodonosor, Balthasar et Darius (Dan. 2-6). Plusieurs de ces faits
ont été relevés par l'Evangile (Mat. 12, 41-42 ; Luc 4, 26-27 ; 11,
31-32).

Comme il ressort de ces textes, les écrivains bibliques n'ont pas
établi une séparation tranchée entre Israël et les nations étrangères. Celles-ci, avant la grande manifestation de l'Exode, ont pu
connaître Dieu tout comme les patriarches et se trouvent sous
le règne de l'alliance conclue avec Noé. Par la suite l'action
divine en faveur du peuple élu pouvait, dans une mesure plus
restreinte, être aussi une lumière pour les témoins du dehors [21].
Bien plus, Dieu accordait parfois des bienfaits spéciaux à d'autres qu'aux membres de son peuple, mais par la médiation de
celui-ci.

Il y a lieu de noter cette restriction. Les écrivains bibliques
ont porté leur attention sur les cas où Dieu se révèle aux étrangers par le destin d'Israël. Mais ils ne disent pas qu'Il se fait
connaître à eux par les événements de leur propre histoire [22],
bien qu'Il dirige les migrations des peuples païens aussi bien que
celles d'Israël (Deut. 2, 5.9.19.21 ; Am. 9, 7) et qu'Il donne la
terre à qui Il veut (Jér. 27, 5). Il n'y a que des allusions isolées
à la croyance des nations étrangères d'avoir dans leurs conquêtes

---

20. Il n'y a pas lieu de s'arrêter ici au livre de Jonas. La thèse en
est que Dieu étend son amour et sa providence même aux païens et
aux ennemis de son peuple et qu'Israël ne doit pas s'en scandaliser, ni
s'en attrister. Mais l'annonce du jugement divin parvient aux Ninivites
par la prédication du prophète hébreu qu'est Jonas. On est donc loin
de la connaissance naturelle de Dieu.

21. C'est ce qu'a noté H. Graf REVENTLOW, « Die Völker als Jahwes
Zeugen bei Ezechiel », dans *ZAW* 71 (1959), pp. 33-43. L'énumération
précédente a négligé les textes plus proprement prophétiques, où la
manifestation de Dieu aux païens à travers le destin d'Israël et les
bienfaits qui leur sont accordés sont promis pour l'avenir, qu'il s'agisse
(comme d'ordinaire) ou non (exceptionnellement) de la conversion finale
de toutes les nations étrangères à Yahweh. Voir par exemple Is. 62, 2 ;
Ez. 28, 24-26, etc.

22. Ceci a été remarqué par B.W. ANDERSON, art. « God (OT view
of) », dans *The Interpreter's Dictionary of the Bible*, 1962, t. II,
p. 420a. Le texte d'Is. 45, 3 : « Je te livrerai les trésors secrets... pour
que tu saches que je suis Yahweh », n'est pas une exception. Il ressort
du contexte que les victoires de Cyrus sont liées au destin d'Israël et
que la révélation divine est destinée à la terre entière (45, 6).

un témoignage de la protection, non de Yahweh, mais de leurs propres dieux. Ainsi dans le langage diplomatique tenu par Jephté au roi d'Ammon : « Ne possèdes-tu pas ce dont Kamosh, ton dieu, t'a mis en possession ? » (Jug. 11, 24 ; cf. Mic. 4, 5). Une telle croyance était cependant très répandue, comme le montre, parmi bien d'autres preuves, la stèle de Mésha, roi de Moab, un proche voisin d'Israël.

L'affirmation très générale : « lorsque tes jugements paraissent sur la terre, les habitants de l'univers apprennent la justice » (Is. 26, 9), qui pourrait, prise en soi, concerner l'histoire des peuples païens, fait partie d'un contexte traitant d'Israël. Et bientôt vient une restriction : « Yahweh, ta main est levée, ils ne la voient pas » (26, 11). Il y a seulement quelques textes peu nombreux où l'échec spectaculaire d'un souverain est pour lui une leçon le prémunissant contre l'orgueil, en lui montrant la puissance de Dieu (Dan. 4, 29 ; 2 Mac. 9, 11-12 ; cf. Job 33, 17 ; 36, 9).

Cette manifestation de Dieu à travers l'histoire d'Israël n'a pas supprimé celle qui résultait de l'alliance avec Noé [23]. On peut remarquer dans les psaumes quelques allusions non pas au texte même de la Genèse, mais à son idée essentielle. Le Ps. 67 invite tous les peuples de la terre à rendre grâce à Dieu pour son juste gouvernement. Le seul effet précis qui soit mentionné est la bénédiction accordée aux moissons. Il y a là pour la mentalité religieuse antique un signe de la bienveillance divine (cf. Act. 14, 17).

---

23. E.L. DIETRICH, « Die "Religion Noahs", ihre Herkunft und ihre Bedeutung », dans *ZRGG* 1 (1948), pp. 301-315, a étudié la systématisation, faite par les rabbins, des données bibliques sur l'alliance avec Noé. Entre ces deux extrêmes quelques idées analogues se sont exprimées. B.W. ANDERSON, *art. cit.* (cf. n. 10), p. 419a, se demande dans quelle mesure l'Ancien Testament parle d'une révélation générale à toute l'humanité, qui serait distincte de celle faite à Israël spécialement. Il estime que la question n'est pas traitée aussi directement que dans le Nouveau Testament (Rom. 1, 18-25 ; Jn 1, 1-18). Mais il néglige de remarquer ces textes de Gen. 9, 1-6 et Ps. 65 et 67. - Sur l'alliance avec Noé et sa portée, voir encore J. DANIÉLOU, *Les saints païens de l'Ancien Testament*, 1956, pp. 100-101 ; E. CORNÉLIS, *Valeurs chrétiennes des religions non chrétiennes, Histoire du salut et histoire des religions, Christianisme et Bouddhisme*, 1965, pp. 48 et 63.

Le Ps. 65 peut être rapproché. Une note plus spécifiquement israélite se fait entendre au début avec la mention de Sion et du temple sacré (Ps. 65, 2.5). Mais le reste du poème célèbre la bénédiction agricole que Dieu accorde à tous les peuples grâce à la pluie, ou encore la puissance divine qui se manifeste dans les montagnes et dans la mer, deux œuvres qui peuvent faire sentir à l'homme sa faiblesse.

On peut enfin trouver une allusion à une religion intimement liée à une civilisation agricole dans le passage d'Isaïe qui rapporte à un enseignement divin les travaux successifs du laboureur (Is. 28, 26). Dieu est connu comme l'auteur d'un ordre humain et naturel rendant possible l'exploitation de la terre par l'homme.

Ces quelques textes bibliques allant de Gen. 8-9 aux psaumes et à Is. 28, 26 sont à l'intérieur du peuple élu une expression discrète de ce que l'on a pu appeler « la révélation cosmique »[24]. Il est normal qu'elle ne tienne pas une place très étendue dans le livre de la révélation historique. Mais il ne faut pas pour autant ignorer sa présence[25].

L'ÉVALUATION DU PAGANISME DANS L'ANCIEN TESTAMENT

Le problème que ce titre essaie de délimiter pourrait comporter une part d'anachronisme si, inconsciemment, on sous-entendait que les auteurs bibliques, en possession permanente d'un monothéisme ferme et cohérent, ont porté de ce point de vue un jugement sur les autres formes de croyance religieuse qui se manifestaient dans leur horizon.

---

24. C'est la dénomination proposée par J. DANIÉLOU pour désigner ce qui est appelé ici « manifestation naturelle » de Dieu. Voir plus haut (p. 14) ce qui est dit des avantages et des ambiguïtés de ces différents termes.

25. E. CORNÉLIS écrit ceci qui correspond assez bien à la religion de Noé : « Nous verrions donc l'essentiel de la révélation cosmique dans la prise de conscience d'une exigence d'unité de tout l'univers dans l'harmonie, mais qui concerne en tout premier lieu l'univers des hommes et son exigence de justice. Cela nous semble résulter de l'analyse des significations de concepts religieux aussi importants que *rita* et *dharma* en Inde, *Asha* en Iran, *Tao* en Chine », *Valeurs chrétiennes des religions non chrétiennes*, p. 66.

Or le monothéisme doctrinal explicite n'a pas été professé dès le début du mouvement de foi que la Bible retrace dans son développement. Sans doute, tout livre biblique a été finalement rédigé dans une perspective monothéiste. Mais beaucoup incorporent naïvement des fragments exprimant une vue bien moins nette. Aussi est-il parfois difficile de décider si le langage employé est le reste d'une habitude dépassée par la pensée, s'il est l'adaptation consciente à la mentalité d'un interlocuteur païen ou s'il est l'expression d'une conviction personnelle.

Ainsi, quand Jephté, s'adressant aux Ammonites, leur parle de Yahweh et de Kamosh comme étant chacun le dieu respectif d'Israël ou d'Ammon, leur ayant octroyé leur territoire propre (Jug. 11, 24), admet-il l'existence réelle de Kamosh ou ne fait-il qu'employer un argument *ad hominem* ? On penche généralement pour la première hypothèse. Mais quand Salomon, écrivant à Hiram, roi de Tyr, lui déclare que Yahweh est plus grand que tous les dieux, le Chroniste, qui se taira sur l'idolâtrie du roi dans sa vieillesse (à la différence de 1 R. 11, 5-8), lui attribue-t-il la croyance en ces dieux inférieurs ou lui fait-il simplement tenir un langage apte à frapper le païen Hiram ? (2 Ch. 2, 4, qui n'a pas son équivalent dans 1 R. 5, 17-20). Dans ce cas la seconde hypothèse est plus vraisemblable.

La question « qui est comme toi parmi les dieux ? » (Ex. 15, 11 ; Deut. 3, 24 ; Mic. 7, 18 ; Ps. 18, 32 ; 35, 10 ; 71, 19 ; 89,7.9) ou son équivalent à l'indicatif (Deut. 33, 26 ; 2 Sam. 7, 22 ; 1 R 8, 23 ; 2 Ch. 6, 14 ; Ps. 77, 14 ; 86, 8) et au comparatif : « plus redoutable, plus élevé que tous les dieux » (Ex. 18, 11 ; Ps. 40, 6 ; 95, 3 ; 96, 4 ; 97, 9 ; 135, 5) sont parfois accompagnés d'une formule monothéiste explicite (1 Sam. 2, 2 ; 2 Sam. 7, 22 ; Ps. 86, 10 ; 96, 5 ; 135, 15). Ces textes pouvaient donc signifier soit qu'il y a des dieux, mais inférieurs en dignité à Yahweh, soit que celui-ci, étant seul Dieu, est par là même incomparable. A mesure que le temps passait, les lecteurs ou auditeurs étaient de plus en plus portés à comprendre ces textes comme l'expression conventionnelle d'un monothéisme strict.

Les « fils de Dieu » dans la Bible passent insensiblement du rang de dieux secondaires, inférieurs en puissance, à celui de serviteurs et de messagers du Dieu unique. Parfois les Septante sont les témoins de cette réinterprétation théologique, en traduisant par « ange de Dieu » (Deut. 32, 8.43 ; Job 1, 6 ; 2, 1 ; 38, 7 ;

Dan. 3, 25 = LXX 3, 92). Dans Ps. 8, 6 de même ils ont traduit par « anges » le mot hébreu *élohim* (ici dieu ou dieux).

Le rude champion du culte exclusif de Yahweh, Elie, combat-il afin que Yahweh soit reconnu pour Dieu en Israël (1 R. 18, 36 ; 2 R. 1, 3.6) ou pour Dieu sans aucune limitation (1 R. 18, 21. 24.37.39) ? Les témoins de la compétition du Carmel se posaient la question moins nettement que nous. Mais tout le comportement d'Elie, son langage dédaigneux à l'égard de Baal supposent qu'à ses yeux le dieu de Tyr n'est pas simplement un usurpateur en Israël, mais qu'il n'a aucune puissance, ni réalité. C'est un monothéisme pratique, encore dépourvu d'une formulation théorique [26]. Ces différents exemples montrent l'ambiguïté de bien des textes.

L'Ancien Testament est né dans un peuple constamment affronté avec l'existence d'autres religions que la sienne. Il n'envisage guère la possibilité d'un athéisme véritable et porte témoignage que le fait religieux n'est jamais absent dans aucune nation. Au contraire, chacune a ses dieux (ou son dieu) et leur reste fidèle (Jér. 2, 11 ; 18, 13 ; Mic. 4, 5). Les appréciations de ce fait varient beaucoup. Elles sont occasionnelles et on ne peut les réduire à une formule unique. Il n'y a pas de théorie systématique du paganisme, mais quelques notations dispersées, dont certaines trouveront un écho dans le Nouveau Testament.

Le texte de Deut. 4, 19 pourrait être une appréciation favorable du culte des astres chez les païens. Israël naturellement ne doit pas vénérer le soleil, la lune, toute l'armée des cieux, « que Yahweh a donnés en partage à tous les peuples qui sont sous le ciel ». Ce culte, qui est à distinguer de l'idolâtrie, hommage à des représentations fabriquées par l'homme, serait considéré ici, malgré l'erreur qu'il comporte, comme un premier don, de valeur encore faible, mais non pas nulle, accordé aux peuples

---

26. La portée exacte de la revendication d'Elie en faveur de Yahweh est très discutée. Pour R. DE VAUX, « la foi monothéiste est l'enjeu formidable de cette compétition » ; *Les livres des Rois,* 1949 (Fascicule de la Bible de Jérusalem) ; sur 1 R. 18, 24. Pour H.H. ROWLEY, ce n'est pas encore du monothéisme, mais une étape importante sur cette voie : *The Re-Discovery of the Old Testament,* 1945, p. 91. Mais le même auteur est moins net dans « Elijah on Mount Carmel », dans *BJRL* 43 (1960/61), pp. 190-219, ou dans *Men of God,* 1963, pp. 37-65 ; voir pp. 44-45 et la note 5, où sont indiqués les exégètes pensant qu'il s'agit seulement de déterminer qui est le dieu du territoire d'Israël.

étrangers [27]. L'auteur identifierait les astres, l'armée des cieux, avec une cour du Dieu suprême (cf. 1 R. 22, 19), avec les « fils de Dieu », dieux inférieurs dans la perspective païenne ou anges dans la perspective monothéiste. Chacun de ces êtres surhumains est devenu le protecteur et la divinité d'un peuple déterminé, d'après Deut. 32, 8 : « Quand le Très-Haut... répartit les fils d'homme, il fixa leurs limites suivant le nombre des fils de Dieu » [28]. Mais Israël a le privilège d'avoir Yahweh lui-même pour patron direct. Le sens de Deut. 32, 8 semble clair et on en trouve le reflet dans Dan. 11, 13.20.21, où il est question de « princes » de la Perse, de la Grèce et d'Israël, manifestement des anges protecteurs.

Mais ce rapprochement ne suffit pas à lui seul pour estimer que Deut. 4, 19 regarde le culte des astres comme une forme de religion salutaire pour les païens. Le style biblique ne distingue pas entre causalité effective et permission. Il attribue à Yahweh l'ordre du péché (2 Sam. 24, 1), la tentation provoquée par un faux prophète (Deut. 13, 4), l'égarement du faux prophète lui-même (Ez. 14, 9 ; 1 R. 22, 23), la création du mal (Am. 3, 6 ; Is. 45, 7). Aussi le texte de Deut. 4, 19 n'est-il pas un témoignage assuré de l'idée que le culte des astres est comme un premier pas dans l'éducation religieuse de l'humanité. Peut-être l'auteur voulait-il simplement dire que le paganisme restait sous le contrôle de Yahweh [29]. Il n'y aurait là qu'une pensée imprécise, analogue

27. Chez les Pères de l'Eglise, habitués à une philosophie qui comprenait la connaissance du Dieu suprême comme une remontée à travers l'échelle des êtres, l'idée d'un culte des astres, qui serait une première étape positive, a trouvé plusieurs partisans. CLÉMENT D'AL., *Stromates* VI, 14 ; PG 9, 333. ORIGÈNE, *Commentaire de S. Jean*, t. II, 3 ; PG 14, 112. EUSÈBE DE CÉSARÉE, *Démonstration évangélique*, IV, 8 ; PG 22, 269. De nos jours on trouve une interprétation favorable de Deut. 4, 19 dans un sens analogue chez S.R. DRIVER, *Deuteronomy*, 1902, N. LOHFINK, *Höre Israel. Auslegung von Texten aus dem Buch Deuteronomium*, 1965, pp. 107-108.

28. Il faut corriger le texte massorétique d'après les manuscrits de Qumrân et les LXX et lire « fils de Dieu » et non pas « fils d'Israël ». Il est probable que Sir. 17, 17 « à chaque peuple Il a préposé un prince, mais Israël est la portion du Seigneur » est un écho de Deut. 32, 8. Mais l'application au régime politique des païens et à la théocratie d'Israël est possible (cf. Sir. 10, 4).

29. Ainsi P. VAN IMSCHOOT, *Théologie de l'Ancien Testament*, t. I : *Dieu*, 1954, pp. 38-39. Selon E. JACOB, *Théologie de l'Ancien Testament*,

à celle de Paul : « Dans les générations passées il a laissé les nations suivre leurs voies » (Act. 14, 16). Ce n'est pas encore l'équivalent du discours à l'Aréopage : « chercher la divinité, pour l'atteindre, si possible, comme à tâtons et la trouver » (Act. 17, 27).

Un autre texte plus tardif de l'Ancien Testament pourrait aussi être compris en un sens favorable au paganisme ; l'oracle de Mal. 1, 11. Mais la portée n'en est pas indubitable. Le prophète, dans le cours du Ve siècle avant notre ère, condamne la désinvolture des prêtres qui offrent en sacrifice des bêtes tarées. Ce n'est pas là rendre à Yahweh l'honneur qu'un père peut attendre de ses fils (Mal. 1, 6-10). « Mais, de l'orient jusqu'au couchant, mon Nom est grand chez les nations et en tout lieu un sacrifice d'encens est présenté à mon Nom ainsi qu'une offrande pure » (1, 11).

Plusieurs exégètes voient dans ce verset la conviction que la religion païenne dans ce qu'elle avait de meilleur était un hommage rendu au vrai Dieu sous d'autres noms [30]. La religion perse en particulier, celle de l'empire sous la suzeraineté duquel vivait alors Israël, n'avait pas de victimes sanglantes. Un tel culte spiritualisé, qui invoquait le Dieu du ciel, valait mieux que les rites lévitiques exécutés avec dégoût et en trichant sur la qualité des bêtes immolées. Une telle pensée serait à coup sûr fort belle et

---

1955, p. 168, il y a même un sens péjoratif dans Deut. 4, 19 : les peuples étrangers sont « livrés aux faux dieux par Yahweh ». Cette interprétation fixe dans un sens exclusif ce qui est indéterminé dans le texte. La situation d'Israël est évidemment autre. Dans Act. 7, 41 le châtiment de la fête en l'honneur du veau d'or consiste à être livré au culte de l'armée du ciel ; ce qui comporte encore des idoles (cf. 7, 43). Le péché, d'abord commis librement, devient une servitude dont on ne peut se dégager. - D'autre part, on ne peut réduire Deut. 4, 19 à viser les avantages matériels accordés par Yahweh à tous les peuples, Israël et étrangers, par la lumière des astres. Le parallèle de Deut. 29, 25 montre bien qu'en Deut. 4, 19 il s'agit d'un culte rendu par les païens et qu'Israël doit se garder d'imiter (cf. Deut. 6, 14 ; 7, 4-6.25 ; 12, 30 pour d'autres usages religieux).

30. Cette interprétation est très courante : par exemple, H.H. ROWLEY. *Israel's Mission to the World*, 1939, p. 31 et *The Unity of the Bible*, 1953, p. 149, n. 2 (bibliographie). E. JACOB, *Théologie de l'Ancien Testament*, 1955, p. 53. R. MARTIN-ACHARD, *Israël et les nations*, 1959, pp. 40-41. W. NEIL, « Malachi », dans *The Interpreter's Dict. of the Bible*, 1962, t. III, pp. 230b et 232a.

digne du mouvement prophétique dans ses plus hautes manifestations [31]. Mais peut-on l'attribuer à ce verset ? Plusieurs diffi-
cultés s'y opposent.

Tout d'abord une si grande largeur de vues contraste avec le
nationalisme de Malachie très peu favorable aux païens (cf. 1,
3-4 ; 2, 11) et avec son amour pour les anciennes traditions rituel-
les (cf. 3, 4). Aussi les tenants de cette exégèse universaliste en
viennent-ils parfois à considérer la péricope de Mal. 1, 11-14
comme une interpolation [32]. D'autre part, le verset comporterait
une certaine maladresse de rédaction, peu vraisemblable sans être
totalement impossible. Le passage insiste trois fois sur le « nom »
de Yahweh au v. 11 et une fois au v. 14. Et on voudrait qu'il
parle d'un culte s'adressant effectivement au vrai Dieu, mais
invoqué sous d'autres noms que celui de Yahweh (Ahura-
Mazda, etc.) [33]. Assurément le « nom » de Yahweh représentait
pour Israël beaucoup plus que le vocable permettant de l'invoquer. Il était devenu une sorte de manifestation de l'être divin.
Il habitait dans le temple. Le judaïsme tardif, palestinien ou
grec, a pu remplacer les syllabes sacrées par le simple « Seigneur » (Adonaï ou Kurios) et garder en même temps toutes
les formules traditionnelles invitant par exemple à louer le nom
de Yahweh. Mais autre chose est conserver un héritage vénérable [34], autre chose, alors que le nom de Yahweh était encore
prononcé, créer une expression nouvelle, où s'harmonisent mal
l'insistance sur le « nom » divin et le renvoi à un culte qui
userait d'une autre appellation que Yahweh. Dans les Ps. 65 et
67, où il est question d'une vénération de Dieu présentement par
les païens, on ne trouve pas ce désaccord entre les mots et la
réalité.

Enfin, quand les prophètes font ressortir la supériorité des
païens sur Israël, il s'agit de supériorité morale : fidélité à leurs

---

31. Si cette exégèse était juste, on pourrait rapprocher Mal. 1, 11 du
discours à l'Aréopage : « Vous êtes excessivement religieux... ce que
vous adorez sans le connaître... » (Act. 17, 23).

32. C'est le cas de F. HORST, *Die Zwölf kleinen Propheten* (HAT),
² 1954.

33. L'argument est brièvement énoncé par E. KÖNIG, *Geschichte der
alttestamentlichen Religion*, 1912, ³ 1924, pp. 453-454.

34. De même on a continué à dire : « à tes tentes, Israël », alors
que depuis longtemps le peuple, devenu sédentaire, habitait des maisons
de pierre (2 Sam. 20, 1 ; 1 R. 12, 16 ; cf. Jdt. 14, 7, inspiré de Jug. 5, 24).

propres dieux (Jér. 2, 11 ; 18, 13-15), abstention des crimes mons-
trueux d'Israël ou du moins corruption moins criante (Ez. 5, 7 ;
16, 27.48), disposition à écouter un message qui ne leur est pas
adressé en fait (Ez. 3, 6). Quand il est question d'une connaissance de Yahweh par les païens, il s'agit d'une manifestation
partielle grâce à la destinée d'Israël [35] ou d'une promesse d'avenir.
Ce verset de Mal. 1, 11 serait tout à fait isolé dans l'Ancien
Testament, s'il se rapportait au présent. Il est bien plutôt une
promesse d'avenir, comme on en lit un bon nombre chez les prophètes. La connaissance du culte non sanglant de Zoroastre a fait
éviter l'évocation précise des immolations de victimes [36].

Cette conclusion négative d'une longue discussion peut faire
regretter de ne pas trouver dans ce verset une belle pensée.
Mais il ne faut pas oublier que l'équivalent s'en trouve à peu
près dans la conception d'une alliance conclue avec Noé et toute
sa descendance, lui permettant de connaître Dieu et ses exigences
morales indépendamment de la révélation réservée à Israël [37].
L'absence de toute polémique contre la religion païenne dans la
Genèse (sauf 35, 2) est la conséquence pratique de cette alliance.

Malgré cette possibilité d'apprécier favorablement la condition
religieuse des non-israélites, l'Ancien Testament dans son ensemble juge sévèrement le paganisme, c'est-à-dire le système religieux collectif, s'exprimant dans des croyances polythéistes et des
représentations plastiques. Les auteurs bibliques visent une réalité
sociale concrète, dont le peuple élu doit se distinguer et se séparer. Ils ne spéculent pas sur ce qui se passe dans les cons-
ciences individuelles, prises dans ce milieu social. A l'occasion
ils laissent soupçonner une certaine disjonction entre le comportement extérieur et le secret du cœur : ainsi Naaman, le chef de
l'armée araméenne, devenu fidèle de Yahweh, pourra participer
au culte officiel de Rimmon, quand il accompagnera le roi
(2 R. 5, 18).

Il ne s'agit pas présentement de parcourir la polémique de
l'Ecriture contre les divinités païennes et de résumer le jugement

---

35. Voir plus haut, p. 60.
36. L'exégèse adoptée ici, et recourant à une promesse d'avenir est
celle de T. CHARY, *Les prophètes et le culte à partir de l'exil*, 1955,
pp. 179-183, ou de M. REHM « Das Opfer der Völker nach Mal 1, 11 »,
dans *Lex tua Veritas, Festschrift für Hubert Junker*, 1961, pp. 193-208.
37. Voir plus haut, p. 58.

porté finalement sur leur néant, mais de présenter l'effet produit par le culte des faux dieux sur leurs adorateurs. En un mot c'est la contre-partie de l'injonction adressée à Israël : « Soyez saints, parce que je suis saint » (Lév. 19, 2 ; 20, 7.26 ; etc.). Les psalmistes souhaitent que les fabricants des idoles deviennent semblables à leurs images qui ne voient, ni n'entendent (Ps. 115, 8 ; 135, 18). De fait les idolâtres ne voient rien, ni ne comprennent rien (Is. 44, 9.18). Les dieux païens et leurs témoins sont incapables de discerner le cours des événements et de prédire l'avenir : aussi, malgré leurs devins et astrologues, les nations idolâtres sont-elles destinées à périr dans des catastrophes (Is. 47). Le récit du festin de Balthasar dans Dan. 5 en donne une illustration dramatique (en particulier 5, 23 : les dieux qui ne voient, ni n'entendent). Bien que ramené continuellement dans la voie droite par Yahweh, Israël lui aussi sert les idoles et tombe alors dans l'aveuglement (Is. 42, 18-20). Il s'est consacré à Baal et il est devenu abominable comme l'objet de son amour (Os. 9, 10). Il a suivi les « vanités », c'est-à-dire les dieux inconsistants du paganisme, et il est devenu lui-même vanité (2 R. 17, 15 ; Jér. 2, 5).

Une autre série de textes parle des païens qui ne connaissent pas Dieu et appelle sur eux la colère divine (Ps. 79, 6 ; Jér. 10, 25). Il s'agit d'ennemis qui ont ravagé Israël. Les païens oublient Dieu (Ps. 9, 18) ; aussi n'ont-ils pas de scrupules à opprimer les faibles ; mais le jugement de Dieu tombera sur eux. Les Assyriens n'ont pas reconnu que le Dieu d'Israël est le Seigneur qui brise les guerres ; mais ils succomberont bientôt à sa colère vengeresse (Judt. 9, 7). Dans le texte latin de la Vulgate, le jeune Tobie exhorte Sara, sa récente épouse : « Prions... car nous sommes les enfants des saints et nous ne pouvons nous unir comme les païens qui ignorent Dieu » (Tob. 8, 5 Vg). L'oubli de Dieu entraîne un abandon incontrôlé à la passion sensuelle (Tob. 6, 17 Vg). Paul reprendra des idées analogues, quand il recommandera aux Thessaloniciens de « s'abstenir de l'impudicité, de savoir user de leur corps avec sainteté et respect, et non pas dans l'emportement de la passion, comme font les païens qui ne connaissent pas Dieu » (1 Thes. 4, 3-5 ; cf. 2 Thes. 1, 8 ; Gal. 4, 8).

Deux psaumes (58 et 82) montrent le paganisme jugé en la personne de ses dieux. Ils reprennent la conception, exprimée dans

Deut. 4, 19 et 32, 8, d'un patronage des dieux inférieurs sur l'humanité païenne et du culte qui leur était rendu [38]. Mais, au lieu de considérer ce fait avec une objectivité tolérante ou même d'y voir une disposition providentielle favorable, ils blâment rudement le mépris de la justice manifesté par ces dieux païens et le Ps. 82, 7 proclame leur déchéance. L'exécution du verdict semble imminente et non pas relever d'une lointaine prédiction eschatologique, comme dans Is. 24, 21 ; 34, 4.

On a hésité, il est vrai, à voir dans ces juges iniques pris à partie des êtres surnaturels, des dieux subalternes et non pas des magistrats humains. La majorité des critiques tend aujourd'hui à adopter la première interprétation, qui s'appuie sur une combinaison cohérente de nombreuses données fournies par les religions du Proche-Orient ancien et les textes bibliques [39].

C'est donc le paganisme polythéiste qui est dénoncé pour son insouciance de la justice sociale. Les dieux dépossédés de leur puissance vont être remplacés par Yahweh, qui jugera toutes les nations.

La signification première du Ps. 82 est difficile à préciser. Elle dépend en bonne partie de la date attribuée à cette scène de jugement. Si elle est ancienne, elle peut exprimer fidèlement la conviction que les dieux païens, dont l'existence est admise comme allant de soi, sont en passe d'être évincés par Yahweh [40]. Si elle

---

38. Dans Ps. 58, 2 il faut lire *élîm* (dieux) au lieu de *élèm* du texte massorétique. Dans Ps. 82, 1 et 8 il faut lire Yahweh au lieu de Elohim, qui a remplacé le nom divin dans cette partie élohiste du psautier. On se reportera aux commentaires pour ces corrections.

39. On pourra voir une histoire abrégée de l'exégèse du Ps. 82 dans H.W. JUENGLING, *Der Tod der Götter. Eine Untersuchung zu Psalm 82* (Stuttgarter Bibel-St., 38), 1969. L'A., qui voit des dieux païens dans les juges condamnés, signale (p. 11) que les exégètes catholiques ont été plus réticents à faire leur cette interprétation. Rappelons toutefois que dès 1949 l'exégète catholique E. PODECHARD l'adoptait : *Le Psautier. Traduction littérale et explication historique.* I : *Ps. 1-75*, 1949. - II : *Ps. 76-100*, 1954.

40. O. EISSFELDT conjecture que le Ps. 82 est un échantillon de la propagande religieuse en faveur de Yahweh auprès des populations non israélites assimilées par le royaume de David. « Israels Religion und die Religionen seiner Umwelt » dans *NZSTH* 9 (1967), pp. 8-27 ; repris dans *Kleine Schriften*, V, pp. 1-20 ; voir p. 11. A ses yeux, dans le Ps. 82, Yahweh plaide devant le grand dieu El, auquel il n'est pas encore assimilé. Voir aussi *Einleitung in das Alte Testament*, 3ᵉ éd., 1964, p. 149.

est récente, cette mise en scène peut être un archaïsme voulu et conscient, une imitation purement littéraire de la confrontation entre Yahweh et les idoles païennes, telle qu'on la trouve dans le Deutéro-Isaïe [41]. De l'impuissance des idoles à prédire l'avenir, comme elles y ont été invitées, le prophète conclut à leur néant : elles ne sont pas des dieux, mais un simple morceau de bois ou de pierre [42]. Dans le Ps. 82 le poète mettrait simplement en relief de manière dramatique l'indifférence de la religion païenne à promouvoir la justice dans la société des hommes. Ou encore le mot de « dieux » répondrait dans sa pensée à l'idée d'êtres surhumains, soumis à la volonté de Yahweh et n'ayant pas rempli correctement la tâche qui leur était confiée : quelque chose ressemblant plus ou moins aux « fils de Dieu » qui apparaissent dans le prologue de Job (1, 6 ; 2, 1). Il est difficile de se prononcer avec assurance dans une question où manquent les repères certains. Cela n'a d'ailleurs qu'une importance secondaire pour le but poursuivi présentement : déterminer l'évaluation du paganisme dans l'Ancien Testament.

Le reproche est sévère. Les dieux païens ne se sont pas attachés à faire régner la justice. Ceci vise en premier lieu les dieux cananéens. Les textes d'Ugarit ne nous font pas connaître une fonction de justiciers qui aurait été attribuée aux dieux, à Baal, à Mot, à

---

41. C'est ce que suggère H.W. JUENGLING, *op. cit.*, pp. 78-80. Mais d'autres exégètes estiment Ps. 82 antérieur au Deutéro-Isaïe et postérieur à des récits comme Jug. 6, 25-31 ou 1 R. 18, 19-40, racontant la contestation entre Yahweh et Baal. Ils placent Ps. 82 peu avant la réforme de Josias : ainsi H.D. PREUSS, *Verspottung fremder Religionen im Alten Testament* (BWANT, 92), 1971, p. 114, n. 304 ; ou encore C.J. LABUSCHAGNE, *The Incomparability of Yahweh in the Old Testament*, 1966, pp. 84-85. Pour ce dernier le psalmiste veut lutter contre la croyance en une multitude de dieux, formant une assemblée divine. Il confesse au v. 6 qu'il a partagé autrefois cette croyance, mais il annonce maintenant que Yahweh jugera et fera disparaître ces faux dieux. D'autres estiment que Ps. 82 est à peu près contemporain du Deutéro-Isaïe et que son monothéisme est très proche de celui du prophète ; A. GONZALEZ, « Le Psaume LXXXII », *VT* 13 (1963), pp. 293-309.

42. Le défi lancé aux dieux païens pour annoncer les événements futurs est le plus net dans Is. 41, 21-29 : voir aussi 43, 9-12 ; 44, 7-8 ; 45, 20-21 ; 46, 9-10 ; 48, 3-8.14-16. L'idée d'un jugement de Yahweh contre les dieux païens est aussi dans Ex. 12, 12 ; Nomb. 33, 4 (document P), où il s'agit non pas d'un réquisitoire, mais de l'exécution d'un châtiment. Voir encore Is. 19, 1 ; Jér. 51, 44-47.

Yam, à Anath [43]. Quant au dieu El, le chef du panthéon, c'était
un dieu assez inactif, qui, par ailleurs, avait été assimilé plus ou
moins consciemment à Yahweh. Le reproche des psalmistes
tombe à juste titre sur les dieux secondaires d'Ugarit [44]. Mais en
Egypte et en Mésopotamie les dieux étaient les garants de la
justice. La stèle d'Hammurabi est bien connue. On y voit le dieu
Samaš donnant au roi debout devant lui le code de lois dont il
devra faire respecter les prescriptions. Le psalmiste était probablement moins familier avec ce document que ne le sont les biblistes modernes. Il a généralisé ce qu'il connaissait plus directement.
Peut-être aussi, pensant que les fidèles d'un dieu lui ressemblent
(Ps. 115, 8), rattache-t-il aux religions respectives ce qu'il savait
de la façon cruelle et inhumaine de conduire la guerre en honneur
chez les peuples étrangers (Amos 1, 3—2, 3 ; Nah. 3, 19 ; Hab. 1,
5-17 ; etc.) et de la réputation de clémence dont jouissaient les
rois israélites (1 R. 20, 31). Il peut se rappeler le passage du Deutéronome qui exaltait la sagesse et la justice de la loi divine et les
mettait au-dessus de tout ce que l'on pouvait trouver ailleurs dans
les peuples étrangers (Deut. 4, 6-8).

Les psalmistes ont eu le souci de juger l'arbre à ses fruits.
Israël assurément n'a pas toujours été un modèle de justice et
d'humanité. Mais sa Loi et ses prophètes lui reprochaient ses
fautes. A leurs yeux un juste gouvernement à l'égard de tous est

---

43. Voir sur ce point W. SCHMIDT, *Königtum Gottes in Ugarit und
Israel. Zur Herkunft der Königsprädikation Jahwes* (*BZAW*, 80), 1961,
pp. 29, 32 (n. 99), 73-74 ; 2ᵉ éd., 1966, pp. 42, 92-93. Peut-être cependant y a-t-il quelques indices d'une activité des dieux comme garants de
la justice ; voir H.W. JUENGLING, *op. cit.*, p. 64, qui renvoie à un texte
d'Ugarit lacuneux et discuté ; ou J. GRAY, *The Canaanites*, 1964, pp. 137-
138. Mais ce que nous connaissons jusqu'ici est fort peu en comparaison
de ce qui est dit de Yahweh dans l'Ancien Testament.

44. C'est un fait qui plaide en faveur d'une date antérieure à l'exil :
au temps de David, comme le propose O. Eissfeldt (plus haut, n. 40), ou
sous la royauté. Ce sont, en effet, les dieux cananéens qui ont été remis
en honneur dans le culte par les rois Achaz et Manassé, et non pas les
dieux assyriens, d'après J. McKAY, *Religion in Judah under the Assy-
rians, 732-609 B.C.*, 1973. Il y a donc eu une assez longue période où
le reproche du psalmiste pouvait frapper sans arbitraire les dieux païens
qu'il connaissait. Au contraire, pendant l'exil le Second Isaïe argumente
contre les dieux païens en les mettant au défi de prévoir l'avenir. Ce
sera le point que mettra en évidence le livre de Daniel (2, 21-28 ;
4, 4-5 ; 5, 8-12).

la prérogative du vrai Dieu. Une religion qui n'en a pas le souci ne peut être vraie ; elle est condamnée à disparaître [45].

Il faut toutefois éviter de donner dès l'Ancien Testament un sens trop plein à des expressions qui seront chargées par Paul d'un contenu nouveau. Les dieux des païens sont des néants, *élilim* (Ps. 96, 5). Le mot revient plus d'une fois et comporte une nuance de mépris (Lév. 19, 4 ; 26, 1 ; Is. 2, 8.18.20 ; 10, 10-11 ; 19, 1.3 ; 31, 7 ; Hab. 2, 18 ; Ps. 97, 7). Dans Ps. 96, 5 les LXX ont traduit par *daimonia* (95, 5). Ce mot grec se retrouve dans des passages reprochant aux Israélites de sacrifier à d'autres que Yahweh, aux démons et non à Dieu, ou à des démons qui ne sont pas Dieu (Deut. 32, 17 ; cf. Ps. 106/105, 37 ; Bar. 4, 7). Le mot hébreu *šédim* désigne des génies malfaisants, d'une nature assez floue. Dans Is. 65, 11, qui reproche à des Israélites dévoyés de dresser une table pour Gad (le dieu de la fortune), les LXX ont traduit par *daïmôn*. S'inspirant de ces divers textes dans leur teneur grecque, plus particulièrement de Deut. 32, 17, Paul juge ainsi les sacrifices païens. Par elle-même l'idole n'est rien. Mais ce qu'on sacrifie, c'est à des démons qu'on le sacrifie et non à Dieu (1 Cor. 10, 20). Aux yeux de l'Apôtre, derrière l'idole, image d'une divinité inexistante (1 Cor. 8, 4), se cache l'activité perverse de démons, c'est-à-dire d'esprits mauvais en révolte contre Dieu. Sans regarder le moins du monde comme tolérables les sacrifices païens, l'Ancien Testament n'y avait pas perçu avec la même netteté que Paul une malice venant de plus loin que l'homme. L'idée du tentateur diabolique s'est précisée tardivement (1 Ch.

---

45. Comme le remarque H.J KRAUS, *Psalmen*, 1960, p. 574, le thème du Ps. 82 se retrouve christianisé dans Paul. Ces entités ambiguës que sont les Principautés et les Puissances ont été dépouillées de leur autorité par la croix du Christ (Col. 1, 16 ; 2, 15). - On a commencé, il y a deux siècles environ, à parler de la mort de Dieu et la formule a de nos jours un regain de faveur. Je ne sais si l'on s'est parfois réclamé de la parole du Ps. 82. Peut-être cependant nous donne-t-elle une lumière sur la théologie contemporaine de la mort de Dieu. Un Dieu qui ne se préoccupe pas de faire régner la justice parmi les hommes est condamné à mort. La « mort de Dieu » est un symptôme du fait que les représentants de la foi traditionnelle en Dieu se sont trop peu préoccupés d'une juste organisation de la société humaine. Le mouvement de sécularisation est l'effort pour corriger cette déviation par une réaction en sens contraire : se préoccuper de ce monde sans le rattacher à une foi transcendante.

21, 1) et c'est dans l'Evangile seulement qu'elle a pris une extension quasi universelle.

Finalement l'évaluation du paganisme dans l'Ancien Testament ne peut être ramenée à une formule simple. Les étrangers ne sont pas dépourvus de toute lumière, ni plongés dans une perversion totale ; ils peuvent connaître quelque peu Dieu et sa loi grâce à l'alliance avec Noé. Mais le culte païen ne peut être considéré comme s'adressant sous un autre nom au vrai Dieu, non identifié consciemment avec Yahweh, le Dieu d'Israël.

CHAPITRE III

ÉBAUCHES APOLOGÉTIQUES

LA JUSTIFICATION DE L'EXISTENCE DE DIEU

Les auteurs bibliques n'ont jamais entrepris de fournir une démonstration de l'existence de Dieu [1]. Il y a là pour eux une vérité première qui s'impose spontanément sans appareil de preuves. Le milieu dans lequel ils vivent, qu'il s'agisse de la communauté d'Israël ou des peuples païens qui l'entourent, admet sans discussion l'existence d'un ou de plusieurs dieux. L'enseignement religieux n'a pas pour but de démontrer une existence, mais de montrer que ce dieu ou ces dieux agissent, prennent soin de leurs fidèles, connaissent et jugent leurs actes, sont puissants, bienveillants ou irrités. On utilise pour cette manifestation les faits de l'histoire ou les phénomènes de la nature. Depuis Pascal [2], un

---

1. Sur ce point on peut voir J. SANDYS-WUNSCH, « The Old Testament 'Proof' of God's Existence », dans *ZAW* 86 (1974), pp. 211-216. Dans ces réflexions générales, l'auteur reconnaît qu'il n'y a pas dans l'Ancien Testament de preuve de l'existence de Dieu analogue à celles développées par les philosophes occidentaux. Mais cette absence peut être également constatée chez certains penseurs hindous, qu'on ne peut taxer de faiblesse philosophique. Les démonstrations occidentales n'aboutissent qu'à des conclusions très pauvres par rapport au contenu réel de la foi théiste. Fondamentalement le discours religieux est un mythe, un langage symbolique se rapportant aux questions ultimes sur le sens de la vie, qui ne peut être ni démontré, ni réfuté, mais qui peut être éprouvé au contact de l'expérience, pour être abandonné ou conservé. Israël s'est appliqué continuellement à cette confrontation de ses croyances religieuses avec celles du milieu extérieur, ou même à la comparaison des différentes conceptions présentes en son sein. L'auteur n'examine pas de texte particulier. - J.M. GONZALEZ-RUIZ, « L'ateismo nella Bibbia », *L'ateismo contemporaneo*, t. IV : *Il cristianesimo di fronte all'ateismo*, 1970, pp. 5-20, ne fait qu'une allusion passagère (p. 12) à Ps. 14, 1 et parle plutôt des signes de Dieu dans le monde visible.

2. B. PASCAL, *Pensées*, éd. Brunschvicg, nos 242-244, 428.

grand nombre d'exégètes ont reconnu cette absence d'une preuve de l'existence de Dieu dans la Bible.

Cependant les psalmistes, les prophètes, les sages ont été affrontés à une négation de Dieu ou plutôt de sa providence. La plupart du temps ce qui est nié ce n'est pas l'existence de Dieu, mais son pouvoir de connaître les actions des hommes et de les juger justement [3]. Dans Ps. 10, 4 les mots : « il n'est pas » sont bientôt suivis d'autres formules qui précisent l'intention de l'impie : « il ne cherchera pas ; il oublie » (Ps. 10, 4.11.13). Il s'agit d'un athéisme pratique, doutant du pouvoir et de l'autorité de Dieu, non d'un athéisme spéculatif.

Une seule fois la négation « pas de Dieu » reste isolée, dépourvue de formule parallèle qui la relativise (Ps. 14, 2 = 53, 2). Les commentateurs estiment ordinairement que la pensée des négateurs n'est pas différente de celle exprimée dans les textes précédemment cités. Parfois cependant un exégète n'accepte pas une telle réduction du sens [4]. Quoi qu'il en soit de ce point, la réaction des auteurs bibliques vis-à-vis des esprits forts reste la même.

a) Perversion morale et sociale liée à la négation de Dieu

Ils n'opposent pas à la négation une preuve positive, mais ils en dévoilent les conséquences désastreuses ou le lien avec une pratique de la vie qui fait horreur. Ceux qui rejettent l'existence de Dieu ou sa qualité de justicier puissant sont aussi des hommes corrompus, adonnés au mensonge et à la violence, exploitant le peuple. Ce qui est dit au Ps. 14, 1-4 a son équivalent dans les autres passages cités plus haut, où la providence et la justice divines sont mises en doute.

---

3. Ps. 10, 4.11.13 ; 64, 6 ; 73, 11 ; 94, 7 ; Is. 29, 15 ; 32, 6 ; 47, 10 ; Jér. 12, 4 ; Ez. 8, 12 ; 9, 9 ; Soph. 1, 12 ; Prov. 30, 9 ; Job 22, 13 ; Sir. 16, 17 ; 23, 18. E. SUTCLIFFE, « A Note on *l' hw'*, Jér. 5, 12 », dans *Bib.* 41 (1960), pp. 287-290, estime que le pronom désigne ici non pas Dieu, mais les menaces formulées dans le contexte ; le passage mettrait en doute la réalisation de ces menaces et non l'existence de Dieu. L'ensemble des textes énumérés ci-dessus exprime un athéisme pratique et non pas théorique d'après la foule des commentateurs ; voir, par exemple, H.H. ROWLEY, *The Faith of Israel*, 1956, pp. 48-50.

4. Ainsi E. KOENIG, *Theologie des Alten Testaments*, 1922, p. 122, n. 1.

Ce qui s'observe dans le cas d'une négation plus ou moins totale peut être étendu à la perversion de l'idée de Dieu. Les faux prophètes sont bien souvent des hommes corrompus, dont les crimes ont été dénoncés par les authentiques porte-parole de Dieu [5]. Plus généralement encore le livre de la Sagesse (14-15) et l'épître aux Romains (1, 18-32) ont montré comment l'idolâtrie païenne aboutit à toutes sortes de crimes : désordres sexuels pervertissant la communauté de l'homme et de la femme, injustices et cruautés variées rendant la vie sociale impossible ou insupportable.

Ainsi la connaissance de Dieu ou plutôt sa reconnaissance pratique comme Seigneur, dont il faut accomplir la volonté, et la reconnaissance d'autrui comme partenaire social à respecter sont liées ensemble [6]. Quand la première fait défaut ou qu'elle est gravement défigurée, la seconde l'est également. Peu importe l'élément par lequel commence cette dégradation. On ressent spontanément ce qu'a d'horrible et de détestable une situation où ne règne plus aucune confiance, aucune sincérité, aucun respect de la propriété ou de la vie d'autrui, ce que, à la limite, elle aurait d'invivable, car l'homme ne peut se passer de la société de son semblable.

La croyance en Dieu et en un Dieu sauveur est le motif déterminant qui fonde l'obligation des commandements du décalogue et de toute la loi réglant la vie sociale. Mais il y a quelque chose de plus dans les textes qui viennent d'être cités. La négation de Dieu ou de sa providence est liée à une perversion inacceptable de la vie sociale. Et un tel constat est une justification pratique de la croyance. C'est autre chose que le calcul politique d'un souverain ou d'une classe dirigeante estimant que la religion est bonne pour le peuple, parce qu'elle le maintient dans la soumission.

---

5. Jér. 6, 13-14 ; 23, 11-15 ; 29, 21-23 ; Ez. 13, 17-19 ; 22, 25-28 ; Mic. 3, 5-7. Dans d'autres passages les prophètes reprochent à leurs adversaires d'être des prophètes de mensonge ; il n'est pas clair s'il s'agit de tromperie volontaire ou d'illusion, dont l'illuminé serait la première victime : Jér. 23, 16-40 ; 28, 15-16 ; 29, 8-9.30-32 ; Ez. 13, 1-16 ; Zac. 10, 2.

6. Il y a, bien entendu, beaucoup de passages où méconnaissance de Dieu et immoralité apparaissent liées, mais à l'intérieur du peuple élu : ainsi 1 Sam. 2, 1 ; Os. 4, 2. Il sortirait du sujet de la connaissance naturelle de Dieu de s'y attarder.

b) *Cette justification de la croyance est-elle probante ?*

Mais ce constat, dont on tire un argument, est-il valide ? Sa
force n'est-elle pas affaiblie ou même réduite à rien par des faits
contraires ? D'une part, le fidèle n'est pas toujours indemne des
fautes qui sont reprochées à l'esprit fort. D'autre part, l'impie
n'est pas toujours démuni de sentiments moraux. Jérémie reproche
à ses compatriotes de mettre toute leur confiance dans le temple
de Yahweh et de s'y réfugier comme dans un repaire où ils
seraient à l'abri, malgré tous leurs crimes (Jér. 7, 4-11). Ezéchiel
juge que Jérusalem a été plus coupable que les peuples païens
d'alentour (Ez. 16, 51-52) et qu'elle les a indignés par ses abominations (16, 27). La conduite des sectateurs d'un foi religieuse
ou de ses adversaires n'est donc pas un critère facile qui per-
mette de juger rapidement de la valeur de cette foi. Assurément
la vertu des croyants est une force qui attire ceux du dehors :
« Que votre lumière brille devant les hommes, afin qu'ils voient
vos bonnes œuvres et qu'ils glorifient votre Père qui est dans les
cieux » (Mat. 5, 16). A l'inverse la perversion des croyants éloigne
les étrangers : « Le nom de Dieu est blasphémé à cause de vous
parmi les païens » (Rom. 2, 24 ; cf. Is. 52, 5 ; Ez. 36, 20 ; 1 Tim.
6, 1 ; 2 Pi. 2, 2).

L'argument ébauché dans Ps. 14, qui est d'une signification
ambiguë, si on le prend au plan d'une vérification rapide de faits
aisément constatables, peut retrouver une valeur à un plan de
réflexion supérieure. On dépasse alors le contenu immédiat des
textes bibliques. On regroupe des idées qui n'ont pas été exprimées en vue de fournir un argument apologétique. Mais on ne
dévie pas dans une direction autre que celle du témoignage biblique pris dans son ensemble, pour lequel il doit toujours y avoir
un lien entre la croyance en Dieu et l'attitude affective et volontaire à l'égard d'autrui.

c) *La foi en Dieu garantie suprême d'une ouverture à autrui*

Non seulement la croyance en Dieu sanctionne au sein du
groupe social des règles élémentaires comme celles du décalogue :
« Tu ne tueras pas, tu ne voleras pas, etc. », mais encore, au fur
et à mesure que se développe la foi en un Dieu créateur et souverain maître de l'univers entier, grandit le sentiment d'un devoir
de bienveillance et d'entraide envers tous les hommes. Le Second

Isaïe, qui proclame plus fermement que cela n'avait jamais été fait Yahweh comme Dieu unique et créateur, aboutit à reconnaître à Israël un rôle missionnaire auprès des nations étrangères (Is. 42, 1-6 ; 43, 10-12 ; 49, 1-6). Les Sages font la réflexion de bon sens que Dieu, supposé sage et puissant, ne fait pas ce qu'il hait (Sir. 15, 11 ; Sag. 11, 24). Cette vue ne surmonte pas immédiatement tout particularisme national (Sir. 36, 1-9 ; 50, 25-26 ; Sag. 12, 11). Ben Sirah conclut seulement que Dieu n'est pas l'auteur du péché (15, 11). Mais déjà le Sage enseigne que Dieu aime tous les êtres ; qu'il a pitié de tous les hommes, qu'il est un maître ami de la vie (Sag. 11, 23-26), que la Sagesse est un esprit ami des hommes (Sag. 1, 6). Aussi le peuple élu ne doit-il pas se replier sur lui-même, appelé qu'il est à transmettre au monde la lumière de la Loi (Sag. 18, 4).

Dans l'Evangile et le Nouveau Testament tout entier l'attitude à l'égard du Père céleste et celle à l'égard du prochain sont indissolublement liées. Le disciple de Jésus doit avoir pour tous les hommes la même amplitude d'amour que Dieu qui manifeste sa bonté même aux pécheurs et aux ingrats (Mat. 5, 45 ; Luc 6, 35). Le chrétien doit aimer ses ennemis eux-mêmes. La foi en Dieu, inséparable de l'amour, devient une lumière qui fait comprendre la valeur de chaque individu humain, jusqu'aux plus petits (Mat. 18, 10.14), qui fait pressentir en chacun un mystère que Dieu seul pénètre et qui interdit à l'homme de juger (Mat. 7, 1). Celui qui n'aime pas demeure dans les ténèbres (1 Jn 2, 9-11), car il s'est fermé à la lumière qui lui révélerait le prix de chaque créature à l'image de Dieu.

A ce niveau il n'est plus question de voir dans la croyance religieuse l'auxiliaire du gendarme, l'opium atténuant chez le croyant la douleur ou le ressentiment et l'empêchant de se révolter. La foi en Dieu est la garantie suprême d'une ouverture à autrui qui n'est possible que sous le regard d'un Père commun qui domine toute rencontre entre les individus. La reconnaissance d'autrui passe par la reconnaissance de Dieu. Quoi qu'il en soit des faiblesses des croyants, restant inférieurs à leur idéal, la croyance en Dieu, et elle seule, est la condition d'un amour d'autrui dont on sent la valeur et qui s'élève bien au-dessus de la tolérance et du respect élémentaires, indispensables à la vie sociale.

L'apologétique simpliste qui s'exprimait dans le Ps. 14 peut, à travers les démentis ou les sérieuses restrictions que lui fait subir l'expérience, se purifier et s'exalter. Elle devient alors la perception raisonnée que le chemin de l'homme vers l'homme, vers tout l'homme, passe par Dieu. Sans Lui l'homme risque d'être un loup pour l'homme.

L'ARGUMENT DE LA PROPHÉTIE

L'argument de la prophétie ne doit pas nous retenir longtemps ici, car il se rapporte plutôt à l'alliance particulière conclue avec le peuple d'Israël qu'à la manifestation « naturelle » de Dieu. Il est toutefois utile de relever le fait qu'une révélation se rattache à des données concrètes et vérifiables.

a) Les prédictions à court terme

Il y a dans la Bible de nombreuses prédictions à court terme, qui doivent départager plusieurs individus en désaccord sur des problèmes religieux. Il s'agit parfois de prophètes prétendant chacun avoir pour eux l'inspiration de Yahweh. Michée ben Yimla est-il le confident digne de foi du conseil divin et les prophètes qui s'opposent à lui ne sont-ils que des fauteurs d'illusions ? Le succès ou l'échec de l'expédition contre Ramoth en Galaad et la mort d'Achab en décideront (1 R. 22, 28).

Le raisonnement est parfois à peine esquissé. Quand Jérémie demande : « Parmi les Vanités des païens en est-il qui fassent pleuvoir ? Est-ce le ciel qui donne la pluie ? » (Jér. 14, 22), il formule aussitôt une réponse négative et ne donne aucun argument explicite. Mais le contexte du ch. 14 montre que la question est posée à l'occasion d'une sécheresse prolongée, qui faisait craindre une famine prochaine. Des prophètes promettaient au nom de Yahweh que le peuple ne souffrirait ni de la famine, ni de la guerre (Jér. 14, 13) et Jérémie annonce fermement des fléaux. L'accomplissement de sa prédiction permettra de reconnaître que c'est vraiment Yahweh qui a dirigé le cours de ces catastrophes, que ce n'est pas par impuissance qu'il n'a pas envoyé la pluie, que si le peuple souffre, ce n'est pas parce qu'il a négligé de s'adresser à la divinité compétente, un dieu païen, toléré ou non combattu par les autres prophètes. La marche de la pensée est analogue aux déclarations explicites faites par Jérémie dans sa controverse avec les rescapés du dernier siège de

Jérusalem, réfugiés en Egypte et expliquant leurs malheurs par l'abandon du culte rendu à la Reine du Ciel (Jér. 44).

b) La tradition prophétique

Mais c'est dans le Second Isaïe que l'argument tiré des prophéties va prendre une ampleur toute nouvelle pour départager entre Yahweh et les dieux païens. Cela suppose que les prophètes ont conscience d'être les héritiers d'une tradition. Deux siècles avant l'exil de Babylone, Amos déclarait déjà que Yahweh ne fait rien sans révéler son dessein à ses serviteurs les prophètes (Am. 3, 7). Jérémie rappelle à son rival Hananya l'inspiration menaçante qui était ordinaire dans les prédictions du passé (Jér. 28, 8). Ezéchiel, lors de sa vocation, doit avaler un rouleau où sont écrits des oracles de malheur (Ez. 2, 8-10) et il sait que ses prophéties sur Gog prennent le relais d'autres plus anciennes (Ez. 38, 17).

Le Second Isaïe sait lui aussi qu'il y a eu des prédictions dévoilant à l'avance les plans de Yahweh et il soutient qu'il n'y a rien eu d'analogue chez les peuples païens. Seul Yahweh, à ses yeux, est capable d'annoncer l'avenir. Il met au défi les dieux païens et leurs devins d'en faire autant [7]. L'idée sous-jacente est que, pour prévoir le futur avec certitude, il faut pouvoir le produire sans obstacle. Cela n'est possible qu'à un Dieu disposant de la toute-puissance, parce qu'il est le Créateur du monde et le seul Dieu, à qui nul ne peut s'opposer. Celui qui déjà a proclamé à l'avance des événements qui se sont réalisés (par exemple, l'exil) est donc seul Dieu véritable, auteur du ciel et de la terre, disposant l'armée des astres et rendant la terre habitable (Is. 45, 12.18), capable de promettre maintenant le salut d'Israël grâce à Cyrus et la conversion des adorateurs d'idoles (Is. 45, 13.23).

---

7. Le défi de prédire l'avenir lancé aux dieux se trouve déjà dans Is. 19, 12. Il est surtout développé dans le Second Isaïe, d'abord dans Is. 41, 21-29, puis plus ou moins longuement dans 43, 9-12 ; 44, 6-8 ; 45, 21 ; 47, 10-15 ; 48, 3-8. Le pouvoir de dévoiler le futur possédé par Yahweh et l'impuissance des dieux païens sont encore affirmés dans Is. 42, 9 ; 44, 25-26 ; 46, 9-11. Sur ces textes voir S.H. BLANK, « Studies in Deutero-Isaiah », dans *HUCA* 15 (1940), pp. 1-46.

Il y avait, assurément, des prédictions dans le monde païen [8]. On y recourait à divers moyens de divination (Ez. 21, 26). Israël ne l'ignorait pas et la Loi mettait en garde contre leur emploi (Ex. 22, 17 ; Lév. 19, 26.31 ; 20, 6.27 ; Deut. 18, 9-14). Le Second Isaïe a dû connaître ces pratiques exercées à Babylone sous ses yeux. Il ne peut nier leur existence. Bien plus, à l'occasion, il témoigne du recours à des présages astrologiques (Is. 47, 13). Nous connaissons peut-être mieux que lui aujourd'hui la technique divinatoire des Babyloniens [9]. Les présages étaient enregistrés ainsi que les événements qui leur avaient fait suite. On disposait donc d'une série de précédents qui pouvait être interrogée, quand un présage déterminé se produisait. Il y avait, d'une certaine manière, une intention scientifique dans la prévision obtenue.

c) Les constantes de l'action divine et sa nouveauté

Mais il n'y a pas eu à Babylone ou ailleurs, en dehors d'Israël, une prédiction à long terme, enveloppant plus que quelques jours ou quelques mois, annonçant autre chose que la proximité d'une calamité naturelle ou l'issue d'une campagne militaire, par exemple. Il n'y avait pas une suite de prophètes élaborant peu à peu une conception du plan divin sur le peuple d'Israël et sur l'humanité entière [10]. Il ne manque pas dans les livres prophétiques d'annonces lointaines, comme celles de Jérémie fixant un terme de soixante-dix ans pour le retour de l'exil [11]. On voit bien, d'après les sarcasmes des auditeurs, que ces longs délais excitaient le

---

8. On peut voir un exposé d'ensemble sur ce point dans A. NEHER, *L'essence du prophétisme*, 1955, pp. 17-42 ; J. LINDBLOM, *Prophecy in Ancient Israel*, 1967, pp. 26-32.

9. Voir spécialement H.D. PREUSS, *Verspottung fremder Religionen im Alten Testament*, (BWANT, 92), 1971, pp. 198-200 avec les renvois bibliographiques aux sources babyloniennes. L'auteur conclut qu'il y a dans le Second Isaïe une intention polémique à l'encontre des prétentions des devins babyloniens.

10. Sur la conception prophétique de l'histoire, voir C.H. DODD, *The Bible to-day*, 1951, p. 51 ; trad. fr. *La Bible aujourd'hui*, 1957, p. 58 ; J. LINDBLOM, *op. cit.*, pp. 322-326 ; H.D. PREUSS, *op. cit.*, pp. 25-26 ; 200 ; 204-206.

11. Jér. 25, 11 ; 29, 10. Le chiffre a frappé l'esprit de plusieurs écrivains ultérieurs : 2 Ch. 36, 21 ; Zac. 1, 12 ; 7, 5 ; Dan. 9, 2. On trouve aussi dans Is. 16, 13 (Moab) ; 23, 15 (Tyr) des prédictions à longue échéance.

scepticisme (Is. 5, 19 ; Jer. 17, 15 ; Ez. 12, 22). Cela n'a pas empêché les voyants de porter leurs regards sur un avenir lointain et parfois même d'esquisser une réflexion sur cet éloignement [12].

En même temps qu'ils faisaient des prédictions pour les générations futures, les prophètes ont exprimé une conception du déroulement historique. Les événements sont un jugement de Dieu qui dénonce et châtie les fautes et qui promet une nouvelle effusion de grâce. L'avenir se rattache au passé. Le Second Isaïe compare la libération du joug de Babylone grâce à Cyrus avec l'exode d'Egypte (Is. 43, 18), comme l'avait déjà fait Jérémie (16, 14-15 ; 23, 7-8). Un retour sur l'histoire écoulée permet une anticipation sur le futur. Mais les inspirés en Israël font plus qu'attendre la répétition d'une même séquence : présage, événement qui suit. Ils discernent des constantes de l'action divine au cours des siècles. Mais ils annoncent aussi du nouveau : un nouvel exode (Is. 43, 19), une nouvelle alliance (Jér. 31, 31), un cœur nouveau (Ez. 36, 26). Cette nouveauté inattendue, créée par un Dieu incomparable (Is. 64, 2-3), comporte une certaine ressemblance avec le déjà vu, autrement on ne pourrait en parler ; mais elle en est différente aussi, en sorte qu'elle le fera oublier (Is. 65, 17 ; Jér. 3, 16-17 ; 16, 14-15 ; 31, 29).

Une telle interprétation grandiose du déroulement historique passé et futur n'existait pas en dehors d'Israël, même s'il y avait à Babylone et ailleurs des oracles rendus au nom des dieux. Le Second Isaïe ne s'arrête pas à prendre en considération ces essais dérisoires de prévision. Le livre de Daniel réaffirmera, sous la forme d'un récit proche du conte, cette conviction d'une supériorité essentielle d'Israël, quand il montrera le prophète juif surpassant les devins chaldéens et capable non seulement de déchiffrer l'écriture tracée sur la muraille du palais et d'annoncer en clair l'événement imminent qu'elle présageait, mais de reconstituer le songe de Nabuchodonosor et de détailler la suite des empires symbolisée par la statue colossale [13].

---

12. Nomb. 24, 17 ; Is. 30, 8 ; Jér. 23, 20 ; 27, 16-22 ; 29, 10 ; 30, 24 ; Hab. 2, 1-3 ; Dan. 2, 28 ; 8, 26 ; 9, 24 ; 11, 40 ; 12, 4.9. Le Nouveau Testament fait allusion à de tels textes : Mat. 13, 17 ; Luc 10, 24 ; 1 Pi. 1, 12.

13. Dan. 5 et 2. Une brève affirmation dans Jér. 10, 5.8 ; Hab. 2, 18 ; cf. 1 Cor. 12, 2.

Cet argument tiré de la prophétie par le Second Isaïe a quelque analogie avec celui formulé par Deut. 4, 32-38. Les prodiges particuliers de l'exode d'Egypte s'estompent derrière le fait de l'existence d'Israël, un peuple dont la destinée est conditionnée par une foi religieuse et qui conserve le souvenir de ces événements où son Dieu s'est révélé.

La polémique contre les idoles

L'Ancien Testament a développé contre les images faites de main d'homme une polémique de plus en plus exubérante[14]. D'anciens récits se bornent à mettre dans une situation ridicule les téraphim de Rachel (Gen. 31, 19-35) ou de Mikal (1 Sam. 19, 13-16), l'éphod, les téraphim et l'image taillée de Mika (Jug. 18, 14-31), mais sans faire de critique explicite.

a) La fabrication ridicule

Osée s'en prend beaucoup plus directement au veau de Samarie : « C'est un artisan qui l'a fabriqué ; il n'est pas Dieu, lui » (Os. 8, 5 ; cf. 10, 5 ; 13, 2 ; 14, 4). Les Psaumes déclarent que les images des nations païennes sont (seulement) de l'or et de l'argent, une œuvre de la main des hommes (Ps. 115, 4 ; 135, 15). Le grief ainsi formulé revient fréquemment avec de légères variantes[15].

Peu à peu la satire se donne libre cours et décrit en détail la peine que se donnent les fabricants de statues et le culte insensé rendu à ces images, qui sont incapables de se protéger elles-mêmes[16]. La lettre de Jérémie, annexée au livre de Baruch, et le livre de la Sagesse (13, 9—15, 19) donnent l'extension maximum à ce genre d'argument.

---

14. Sur l'ensemble de la polémique contre les idoles, voir H.D. Preuss, *Verspottung fremder Religionen im Alten Testament* (BWANT, 92), 1971. Pour le passage d'une certaine tolérance à un mouvement polémique contre les autres dieux et les images divines, voir O. Eissfeldt, « Gott und Götzen im Alten Testament » (1931), dans *Kleine Schriften*, I (1962), pp. 266-273.

15. Deut. 4, 29 ; 28, 36 ; 29, 16 ; 1 R. 14, 9 ; 2 R. 19, 18 ; Is. 2, 8.20 ; 37, 19 ; Mic. 5, 12 ; Hab. 2, 18. Il est question dans Jér. 25, 6 ; 44, 8 et 2 Ch. 34, 25 des Israélites qui ont irrité Yahweh par les œuvres de leurs mains. Cela peut signifier de mauvaises actions, mais comme le contexte parle de culte rendu aux dieux païens, il peut s'agir plus précisément d'idoles.

16. Is. 40, 19-20 ; 41, 6-7 ; 44, 9-20 ; 46, 1-7 ; Jér. 10, 3-5.9 ; Dan. 14, 7.

Nous avons de la peine aujourd'hui à comprendre cette polémique, habitués que nous sommes par les œuvres d'art chrétiennes à voir représentés les objets de notre foi et à distinguer entre l'image qui soutient l'élan de notre esprit et la personne divine à laquelle s'adresse notre culte. Certaines images débordent même le champ des épisodes évangéliques ou des visions de l'Apocalypse et nous offrent, par exemple, la Trinité dans l'œuvre de la création sous l'apparence de trois formes humaines en vêtements royaux. Déjà dans l'antiquité païenne certains textes rejettent l'identité de la divinité et de sa représentation [17]. Aussi plusieurs biblistes ont-ils critiqué le niveau un peu trop bas de la polémique scripturaire contre les idoles [18].

On a essayé de justifier dans une certaine mesure cette identification entre l'idole et le dieu païen, que l'on rencontre chez plus d'un auteur biblique. D'après H.H. Rowley, le Second Isaïe ne connaît pas d'autre Dieu que Yahweh ; toute autre divinité est inexistante à ses yeux. Il ne prétend pas que le païen adore *ex professo* l'idole elle-même. Mais comme le dieu qu'imagine celui-ci n'existe pas en réalité, le culte païen n'atteint que l'image fabriquée par les artisans [19]. Il est difficile de rendre compte de la sorte de versets comme Is. 44, 18-20, qui se gaussent de la sottise des idolâtres. En fait, les Israélites étaient parfaitement capables d'entrer dans la pensée des étrangers et de parler des dieux païens comme de dieux existants et agissants, au moins dans les échanges diplomatiques (Jug. 11, 24 ; 2 Ch. 2, 4). Expliquer les railleries des auteurs bibliques par le fait qu'ils n'avaient pas de termes abstraits pour dire que les divinités païennes n'étaient que les produits de l'imagination [20], c'est négliger les passages parlant des visions du cœur, des tromperies du cœur des faux prophètes (Jér. 23, 16 ; 14, 14), des inventions du cœur d'un agent provocateur (Néh. 6, 8), des visions de mensonge (Lam. 2, 14 ; Ez. 13, 6-9 ; 22, 28). Même de fervents yahwistes

17. Voir des exemples dans H.D. PREUSS, *op. cit.*, pp. 47-49.

18. Ainsi J. HEMPEL, *Das Ethos des Alten Testaments* (BZAW, 67), 1938, 1964 [2], p. 107 ; G. VON RAD, *Theologie des Alten Testaments*, I, 1957, p. 216.

19. H.H. ROWLEY, *The Re-Discovery of the Old Testament*, 1945, pp. 92-93.

20. Comme le fait J.L. McKENZIE, « The Hebrew Attitude towards Mythological Polytheism », dans *CBQ* 14 (1952), pp. 323-335 ; voir pp. 332-333.

pouvaient parler des dieux étrangers sans mettre en question immédiatement leur existence (1 Sam. 26, 19 ; 2 R. 1, 6).

S'attaquant au culte des idoles avec des arguments simplistes, peu adaptés au niveau des esprits les plus éclairés du paganisme, la satire biblique n'était cependant pas dépourvue de toute vérité ni de toute utilité. Dans le peuple la distinction n'était pas toujours claire entre la divinité vénérée et son image plastique [21]. En Grèce et à Rome des auteurs tardifs mettent encore en garde contre une assimilation naïve et des pratiques superstitieuses, faisant de l'idole un moyen pour disposer du dieu et de sa puissance.

Cicéron estime que les représentations des dieux sous une forme humaine ont pour but de rendre leur culte plus facile au peuple ou même de lui faire croire qu'il s'approchait des dieux eux-mêmes [22]. Sénèque écrit à Lucilius : « Il ne faut pas élever les yeux vers le ciel, ni prier le gardien du temple de te permettre de t'approcher de l'oreille de la statue, comme si cela pouvait avoir pour résultat que le dieu t'entende mieux. Dieu est près de toi, il est avec toi, en toi [23]. » Si un correspondant éclairé avait besoin de tels avis, on peut deviner ce que pensait et faisait la foule, quand elle n'avait pas de philosophes pour l'inciter à la raison.

En contact, à Babylone en particulier, avec un paganisme populaire, Israël pouvait tirer un certain profit d'une satire un peu grosse. Des enfants peuvent rire des vains efforts d'un insecte venant inlassablement buter contre une vitre transparente en croyant rejoindre l'espace libre ; ils prennent intuitivement conscience de leur supériorité mentale. Une population occupée par des troupes étrangères, des prisonniers de guerre peuvent s'aider à conserver leur moral grâce à de grosses blagues colportées sur

21. C'est ce que reconnaissent bien des auteurs : A. GELIN, « Idoles », dans SDB, t. II (1949), col. 184 ; W. EICHRODT, Theologie des Alten Testaments, I, 1939, p. 53 ; H.D. PREUSS, op. cit., p. 213 ; K.H. BERNHARDT, Gott und Bild. Ein Beitrag zur Begründung und Deutung des Bildverbotes im Alten Testament, 1956, pp. 29-38.

22. CICÉRON, De natura deorum, I, 27, cité par A. CONDAMIN, Le livre d'Isaïe, 1905, p. 284.

23. SÉNÈQUE, Epître 41, 1.

l'ennemi [24]. On peut trouver un réconfort dans de telles histoires sans y croire absolument.

La description burlesque de la fabrication des idoles, des prières privées et du culte public qui leur étaient adressés, était un moyen de rendre familières, profanes, dépouillées de tout prestige les images et les cérémonies liturgiques des peuples païens, au milieu desquels vivaient les Israélites déportés [25]. Il s'agissait de contre-balancer l'effet psychologique produit par une religion étrangère pompeuse sur des esprits un peu simples, déjà décontenancés par la défaite militaire d'Israël, que son Dieu n'avait pu sauver.

Assimiler les dieux païens à leurs représentations, dire qu'ils ont des yeux et ne voient pas, etc., était un moyen d'exprimer et de renforcer la foi essentielle : Yahweh seul existe et agit : les autres dieux ne sont rien qu'un produit de l'imagination, dépourvu de toute activité efficace. L'idole avec tous ses organes inertes était un bon symbole de la divinité qu'elle prétendait figurer [26].

Une tradition littéraire s'est ainsi constituée, s'est amplifiée d'Osée à Jérémie, au Second Isaïe et à ses imitateurs, la Lettre de Jérémie, le livre de la Sagesse. Elle se comprend, si on la considère comme destinée avant tout à affermir des membres du peuple élu dans leur foi et non pas à convaincre rationnellement des païens réfléchis. Replacée dans son contexte, elle a eu son heure d'utilité. Mais elle a été dans la prédication prophétique un élément secondaire, qui ne doit pas accaparer toute l'attention. Pour Isaïe déjà (19, 1-15) et encore plus pour le Second Isaïe la vraie preuve de l'impuissance des dieux païens était leur incapacité de prédire l'avenir. La divinité de Yahweh et son existence exclusive

---

24. Réflexion suggérée par l'avant-propos de R. VOELTZEL, *Le rire du Seigneur*, 1955 ; *Das Lachen des Herrn*, 1961. Que la situation de la captivité babylonienne soit le cadre où a pris naissance la satire des idoles fabriquées de main d'homme est confirmé par un autre fait. Le passage de Jérémie, où est ridiculisée la fabrication des statues (10, 3-5.9), a peu de chances de provenir du prophète lui-même, car dans sa lettre aux exilés il ne se préoccupe pas de ce sujet (Jér. 29). Ces versets font partie d'une addition datant de l'exil ou même plus tardive. Voir B.N. WAMBACQ, « Jérémie X, 1-16 », dans *RB* 81 (1974), pp. 57-62.

25. W. EICHRODT, *op. cit.*, p. 113.

26. P.E. BONNARD, *Le Second Isaïe, son disciple et leurs éditeurs. Is. 40-66* (EB), 1972, p. 161 : « De ce qu'est l'idole, inerte et périssable, il conclut que le dieu qu'elle prétend représenter n'a aucune consistance. »

se manifestaient par son pouvoir dans l'histoire des peuples. Les prophéties qui avaient précédé et accompagné les événements montraient que ce n'était pas une vaine prétention [27].

De même dans le livre de Baruch, dont la Lettre de Jérémie constitue un appendice, on trouve le rappel des prophéties passées (Bar. 1, 20 ; 2, 2.20-26), l'aveu des fautes commises (1, 13-22 ; 3, 12 ; 4, 6-8), la promesse d'un avenir meilleur (5, 1-9). Dans le Livre de la Sagesse, la satire des idoles n'est qu'une partie des réflexions sur la religion païenne (Sag. 13-15), elles-mêmes insérées dans une méditation des voies de Dieu envers Israël et ses ennemis (10,15 — 19, 22).

La polémique contre les idoles, œuvre ridicule de la folie des hommes, manquerait donc son but, si elle s'adressait aux esprits les plus élevés du paganisme, pour qui l'image divine favorisait la contemplation religieuse. Elle a joué un rôle utile auprès d'une masse ébranlée dans sa foi par l'entourage païen. Mais ce n'est pas elle qui a émis les pensées les plus profondes sur le sujet. On les trouve ailleurs. Le Psaume 106, 19-20, rappelant l'épisode du veau d'or, fait sentir combien on avait ravalé et dégradé la gloire de Yahweh. Le Second Isaïe proclame que le vrai Dieu est incomparable, infiniment transcendant à tout ce que peut atteindre l'esprit de l'homme et que toute représentation sera donc disproportionnée à cette majesté infinie (Is. 40, 18-20 ; 46, 5-7).

b) La divinisation des passions humaines

Peut-être cependant un verset d'Habacuc (1, 11) invite-t-il à comprendre d'une manière plus profonde ce qui nous semble à première vue une simplification caricaturale du culte des images divines. Parlant d'un conquérant insatiable, qui accumule les victoires, le prophète dit que « sa force c'est son dieu » [28]. Ce chef de guerre, qui ne reconnaît d'autre droit que sa propre grandeur (1, 7), qui dispose d'armées bien entraînées, ne rend

---

27. Voir plus haut le paragraphe sur l'argument des prophéties, p. 82.
28. Ce verset est difficile à comprendre exactement. Et il a été l'objet de corrections critiques variées, qui ont parfois supprimé les mots mêmes en question ici. Mais ce n'est pas une solution acceptée unanimement. Des commentaires récents conservent ces mots : ainsi F. HORST, *Die zwölf kleinen Propheten* (HAT, 14), 1954 ; M. DELCOR, *Les petits prophètes* (Bible de Pirot, VIII, 1), 1964.

pas hommage réellement à des dieux qu'il tiendrait pour supérieurs à lui. La valeur suprême n'est autre pour lui que sa propre puissance militaire et les conquêtes qu'elle lui permet de réaliser.

Aussi le vainqueur, qui s'empare de tous les peuples, comme un pêcheur prenant les poissons au filet, rend-il hommage à l'instrument de ses succès. « Il sacrifie à son filet, fait fumer des offrandes devant son épervier » (1, 6). S'agit-il d'un rite réel ? Il y a quelques indices, mais non absolument décisifs, d'honneurs rendus aux armes de guerre chez les Sumériens ou les Assyriens. Le texte fait-il allusion à de tels usages ? ou s'agit-il d'une simple métaphore pour peindre le grand roi mettant toute sa confiance dans sa force militaire ? Dans l'un et l'autre cas on retombe sur la pensée du verset 1, 11 : « sa force est son dieu ». Le prophète ne pense plus à un objet fabriqué, représentant une divinité, mais à des entreprises guerrières dont tout le ressort est la volonté de puissance, qui ne sont dirigées par aucun droit transcendant, et dans lesquelles le souverain païen met toutes ses espérances. On peut dire en ce sens que son dieu n'est autre que l'ouvrage de ses mains. D'une manière analogue Paul dira plus tard que certains hommes ont leur ventre pour dieu (Phil. 3, 19 ; cf. Rom. 16, 18) et que l'avarice est une idôlatrie (Col. 3, 5).

Plus ou moins clairement suivant les cas, les auteurs bibliques ont pressenti que parfois [29] sous le nom des dieux païens, dont on confectionnait des images visibles, ce n'était en réalité que l'homme lui-même, ses ambitions, ses passions qui étaient élevés à la dignité de valeur suprême. Cela expliquerait le succès de formules, auxquelles Habacuc lui-même a recouru (2, 18-19) et qui nous paraissent manquer d'objectivité et de profondeur.

c) *La mainmise sur le divin*

Mais la polémique antiidolâtrique a besoin pour être bien comprise d'être replacée dans le cadre de la religion biblique avec son caractère tout à fait propre, l'interdiction des images de Dieu [30]. Ce commandement, le second dans le décalogue (Ex. 20,

---

29. Naturellement il ne faut pas généraliser et dire que tel était le cas toujours ou le plus souvent.

30. On trouvera une information d'ensemble sur les problèmes de critique littéraire et historique relatifs à l'interdiction des images de Dieu dans W. ZIMMERLI, « Das zweite Gebot », dans *Festschrift für*

4 ; Deut. 5, 8), a d'abord été formulé, selon toute vraisemblance, de manière catégorique et sans aucune explication (cf. Lév. 19, 4 ; 26, 1 ; Deut. 27, 15). La formule primitive des trois premiers commandements devait être à peu près : « tu n'auras pas d'autres dieux que moi ; tu ne feras aucune image sculptée ; tu ne prononceras pas le nom de Yahweh, ton Dieu, à faux. » Plus tard des explications introduites dans le décalogue ont essayé de rattacher le second commandement au premier. On ne doit pas faire d'images, comme en font les païens, car Israël ne peut adorer que Yahweh, le dieu jaloux.

Il y a une sorte d'antinomie entre l'interdiction catégorique du décalogue et la polémique soulignant le caractère déraisonnable du culte des images. Une pratique manifestement absurde n'aurait pas besoin d'être prohibée par un commandement aussi rigoureux [31], et surtout on s'expliquerait mal l'importance extrême attachée à cette défense tout au long de l'histoire biblique. Ce précepte doit donc avoir une raison très forte, bien que perçue intuitivement et non explicitée dans la suite par les auteurs bibliques.

Des exégètes modernes ont cherché une explication à un plan trop théorique. Ce qui inspirerait l'interdiction des images, ce serait la conception, non élaborée intellectuellement, mais très profonde, que Yahweh est un Dieu sinon immatériel et invisible, du moins transcendant à tout être tombant sous les sens. Toute représentation serait sans proportion avec lui et ne pourrait évoquer qu'un autre que Lui. Ce serait finalement la pensée exprimée, longtemps après la promulgation du décalogue, par Is. 40, 18 ; 46, 5 [32]. Ou bien, le monde n'est pas une émanation de Dieu, dans laquelle Il pourrait se manifester stablement [33].

A. Bertholet, 1950, pp. 550-563 ; J.J. Stamm, Der Dekalog im Lichte der neueren Forschung, 1958 ; tr. fr. Le Décalogue à la lumière des recherches contemporaines, 1959 ; « Dreissig Jahre Dekalogsforschung », dans Theol. Runds. 27 (1961), pp. 189-239 ; 281-303 ; voir spécialement pp. 200-204 et 281-288.

31. Comme l'a fait remarquer G. von Rad, Weisheit in Israel, 1970 ; tr. fr. Israël et la Sagesse, 1971, p. 214.

32. W. Eichrodt, Theologie des Alten Testaments, 1933, I, pp. 106-107 ; J. Hempel, Das Ethos des Alten Testaments, 1938, pp. 196-197 (plus particulièrement, rejet des images à forme animale) ; R. de Vaux, Les institutions de l'Ancien Testament, II, 1960, p. 91 ; Histoire ancienne d'Israël, 1971, p. 434 (transcendance plutôt que spiritualité de Yahweh).

33. G. von Rad, Israël et la sagesse, pp. 215-216 ; « Aspekte der

Une telle explication ne cadre pas avec plusieurs faits. Les anciens récits de la Genèse ont été conservés, bien que Yahweh s'y manifeste sous une forme humaine, dans l'apparition des trois hommes à Abraham, par exemple (Gen. 18, 2). Si la révélation faite à Moïse ne comporte que le feu du buisson ardent (Ex. 3, 2), deux manifestations sont accordées soit au peuple entier, soit à un groupe d'anciens. Dans la première (Ex. 19, 16-19) une nuée épaisse, des éclairs, le tonnerre, le feu précèdent la promulgation de la Loi. Dans l'autre (Ex. 24, 10) les anciens voient le Dieu d'Israël et sous ses pieds comme un pavement de saphir [34].

Il est instructif d'observer les exploitations diverses de ces données. Une exhortation du Deutéronome s'efforce de justifier apologétiquement l'interdiction de toute image de Yahweh par le souvenir de la théophanie de l'Horeb. Puisqu'on ne doit rien ajouter, ni rien retrancher aux lois de Yahweh (Deut. 4, 2), on ne doit pas s'enhardir à représenter un Dieu qui s'est manifesté dans la nuée retentissante et le feu, sans laisser voir aucune forme (Deut. 4, 9-17).

Mais à peu près à la même époque, pendant l'exil, Ezéchiel, le prophète de l'esprit nouveau (Ez. 36, 26), contemple le trône de Yahweh dans une vision qui synthétise les éléments des deux visions rapportées par Ex. 19 et 24. Comme devant le peuple assemblé apparaît une grande nuée, d'où jaillissent des éclairs et des tonnerres (Ez. 1, 4.24). Après avoir minutieusement décrit les chérubins, le voyant aurait pu se borner à parler d'une masse

---

alttestamentlichen Weltverständnisses », dans *Evang. Theol.* 24 (1964), pp. 57-73, spécialement pp. 59-62 et déjà *Theologie des Alten Testaments,* 1957, I, pp. 216-217 ; tr. fr. *Théologie de l'Ancien Testament,* t. I, pp. 188-193. On peut voir aussi la méditation profonde de D. BARTHÉLEMY, *Dieu et son image. Ebauche d'une théologie biblique,* 1963, pp. 109-120. Par l'idole l'homme cherche à masquer le visage du Dieu qu'il a offensé et qu'il ne peut imaginer qu'irrité. Même en donnant à cette image de Dieu les traits les plus sublimes, l'homme inverse le rapport entre le Créateur qui l'a modelé et lui-même qui devient modeleur.

34. E.W. NICHOLSON a attiré l'attention sur les traits distinctifs de cette théophanie ; les anciens voient le Dieu d'Israël et restent cependant en vie ; Dieu n'est pas voilé par la fumée, l'obscurité, le feu. « The Interpretation of Exodus XXIV 9-11 » ; « The Antiquity of the Tradition in Exodus XXIV 9-11 », dans VT 24 (1974), pp. 77-97 ; 25 (1975), pp. 69-79.

indistincte de feu ; il parle bien de feu, mais cela ne lui suffit pas. Tout en multipliant les formules de comparaison, indiquant que les mots ne sont qu'une approximation d'une vision indicible, il mentionne comme l'apparence d'une pierre de saphir (cf. Ex. 24, 10), une ressemblance de trône, et sur la ressemblance de trône la ressemblance comme d'une apparence d'homme, qui a des apparences de reins (Ez. 1, 26-27 ; 8, 2). Seulement alors il entend, comme le peuple au Sinaï, la voix qui lui parle. Bien plus tard, Daniel contemple l'ancien des jours assis sur son trône, portant des vêtements blancs et ayant des cheveux blancs comme la laine. Son trône est de feu et un fleuve de feu s'en échappe (Dan. 7, 9-10).

Ni dans les visions qui se rapprochent le plus des théophanies de l'Exode, ni dans les anthropomorphismes violents du langage biblique ne se manifeste le souci de préserver la transcendance divine en écartant de Dieu toute image sensible. Il faut donc chercher une autre raison pour l'interdiction des idoles.

Cette prescription a pu recevoir parfois un motif d'appoint dans le désir de bien distinguer le culte de Yahweh et celui des autres dieux, que les étrangers adoraient normalement représentés par une idole. En interdisant toute image, on mettait une distance entre le culte exclusif de Yahweh et celui des dieux païens [35]. On prévenait tout danger de confusion. Peut-être certaines formulations, où il est question de métaux précieux (Ex. 20, 23 ; 34, 17), trahissent-elles une intention de cette sorte. Mais ce ne peut jamais être le motif dominant, car il aurait fallu proscrire également les sacrifices sanglants et les sanctuaires bâtis de main d'homme.

Finalement, bien que les livres bibliques ne l'aient pas exprimée explicitement, la raison décisive est celle qui a été discernée par bon nombre d'auteurs contemporains [36]. Selon la mentalité

---

35. W. ZIMMERLI, art. cit., pp. 552-558, a montré que les développements du second commandement dans Ex. 20, 4b-6 et Deut. 5, 8b-10 ont déjà pour but de le rattacher étroitement au premier, l'adoration exclusive de Yahweh.

36. K.H. BERNHARDT, Gott und Bild, 1956, pp. 152-155. C.R. NORTH, « The Essence of Idolatry », dans Von Ugarit nach Qumran. Beiträge... O. Eissfeldt (BZAW, 77), 1958, pp. 151-160, voir pp. 157-159. M. NOTH, Exodus (ATD, 5), 1959, sur 20, 5. J.J. STAMM, Le décalogue, p. 44. W. ZIMMERLI, art. cit., pp. 560-561. On trouve chez H. RINGGREN, Israelitische Religion, 1963, pp. 34-35, une hésitation entre cette explication et celle recourant à une conception spiritualisée de Dieu. De

de l'Ancien Orient, partagée par Israël, il y a un lien objectif entre l'image et l'être qu'elle figure. En agissant sur une image, on commence déjà à s'en prendre à la personne ou à la chose représentée[37]. C'est sans doute à cette efficacité attribuée à l'image qu'il faut faire remonter les scènes de chasse peintes ou gravées par les peuples primitifs. On assurait la prise future du gibier en le représentant déjà perdant son sang ou transpercé d'une flèche. Le Pharaon avait coutume lors de son couronnement de briser des vases d'argile où étaient inscrits les noms de ses ennemis et le Ps. 2, 9 fait allusion à cette pratique. Cette mentalité se perpétue en Israël dans des gestes symboliques accomplis non seulement dans des circonstances relativement profanes (1 Sam. 11, 7 ; Néh. 5, 13), mais encore par des prophètes annonçant la parole de Yahweh[38]. Jérémie cimente en Egypte, à Tahpanhès, une plate-forme de grosses pierres, sur laquelle plus tard Nabuchodonosor placera son trône, avant de détruire les temples des dieux égyptiens (Jér. 43, 8-13). Ezéchiel grave sur une brique le plan de Jérusalem et mime le siège de la ville (Ez. 4, 1-3). Ce ne sont que des exemples parmi une foule de cas, dont le plus surprenant est la malédiction lancée par Jésus contre un figuier ne portant pas encore de fruits au début du printemps (Marc 11, 12-14.20-24).

Dans un peuple imbu de telles manières de penser la confection d'une image, loin d'être tenue pour une aide pédagogique à l'in-

---

même B.S. CHILDS hésite entre plusieurs explications et fait valoir successivement chacune d'elles ; *Exodus. A Commentary* (O.T. Library), 1974, pp. 407-409.

37. S. LYONNET retrouve cette intention dans le récit biblique de la première idolâtrie d'Israël, le culte du veau d'or (Ex. 32, 1-6). Un Dieu invisible était trop élevé pour l'intelligence du peuple. Il fallait un Dieu sur lequel on puisse agir par les sacrifices et qu'on puisse transporter à sa guise en tête de la caravane (Ex. 32, 1). Au contraire la nuée divine, qui guidait les déplacements du camp, devait être simplement obéie, soit qu'elle s'arrêtât, soit qu'elle se mît en route (Nomb. 9, 18-22). *Quaestiones in epistolam ad Romanos*, 1955, p. 93. Malgré le « clare elucet » qui qualifie cette interprétation subtile, on a peine à croire que le rédacteur du récit ait perçu des allusions aussi fines. Pour lui le commandement divin suffisait : Israël était coupable de s'être écarté de la voie prescrite (Ex. 32, 8). L'interprétation de S. Lyonnet est déjà proposée par F. DE HUMMELAUER, *Exodus et Leviticus*, 1897.

38. On se rappellera G. FOHRER, *Die symbolischen Handlungen der Propheten*, 1953 ; voir ma recension dans RSPT 39 (1955), pp. 96-97.

telligence en quête de Dieu, peut facilement apparaître comme un pas redoutable vers la prétention d'exercer une action sur la divinité ou de disposer plus sûrement de sa puissance. Au lieu de reconnaître sa souveraineté et de s'y soumettre, on se met en mesure de faire pression sur elle. Pour prévenir cette attitude de supériorité ou même ce danger de révolte, mieux valait interdire toute image. Cette défense était apparentée, mais avec une rigueur plus radicale, à celle qui lui fait suite dans le décalogue : ne pas prendre à tort le nom de Yahweh. En révélant son nom, Dieu s'était comme mis à la disposition des hommes : il s'était rendu accessible à leurs invocations. Il s'approchait pour sauver quand on invoquait son nom (Deut. 4, 7 ; Joël 3, 5). Mais il ne fallait pas abuser de cette grâce.

Dans cette perspective sur le rôle des idoles, on s'explique la sévérité du jugement d'un Isaïe, englobant dans une même menace de catastrophe l'idolâtrie et les préparatifs militaires, comme signes d'un orgueil arrogant (Is. 2, 6-22). On comprend mieux que Paul ait lié étroitement le refus de glorifier Dieu et l'idolâtrie. Celle-ci n'était pas seulement une erreur de l'intelligence, mais un commencement de révolte, une inversion des rôles entre le Créateur et la créature (Rom. 1, 21-25). Quant à la satire burlesque de l'idolâtrie, elle pousse jusqu'à une exagération caricaturale le lien mis entre l'image et l'être représenté [39].

---

39. L'identification entre l'idole et la divinité a des analogies. Le prophète Sédécias assimile la réalité et l'image censément efficace, quand s'étant fait des cornes de fer il déclare au roi Achab : « Avec celles-ci tu frapperas les Araméens de la corne » (1 R. 22, 11 ; 2 Ch. 18, 10). David assimile le moyen et le résultat, quand il refuse de boire l'eau que ses braves sont allés lui chercher au péril de leur vie (au prix de leur sang) : « Boirai-je le sang de ces hommes ? » (2 Sam. 23, 17 ; 1 Ch. 11, 19).

CHAPITRE IV

EMPRUNTS ET TATONNEMENTS

La religion biblique ne méconnaît pas son lien avec le fonds religieux de l'humanité. La Genèse suppose, sans y réfléchir expressément, la parenté entre la foi des grands ancêtres et la vie religieuse du milieu où ils vivent.

L'étude des livres bibliques peut de moins en moins se passer de les comparer avec les témoignages provenant du monde oriental ancien. Depuis deux siècles, des découvertes en Egypte d'abord, puis en Babylonie, en Asie Mineure, en Palestine, à Ugarit, à Qumrân, ont mis à la disposition des biblistes des textes, des représentations figurées, des installations cultuelles. Ce matériel varié permet non seulement de reconstituer le cadre extérieur où s'est déroulée l'histoire d'Israël, mais encore de connaître l'origine et le développement de telle conception religieuse biblique, de telle prescription morale ou liturgique. La constatation des ressemblances permet de préciser où se situe l'originalité du message biblique.

Il ne saurait être question ici de retracer toute la suite de la religion prêchée et promue par les écrits canoniques, en fonction des sources étrangères que l'on peut déceler. D'excellents exposés existent déjà, auxquels on peut renvoyer pour le détail [1]. Il

---

1. On peut voir, entre bien d'autres, W.F. ALBRIGHT, *From the Stone Age to the Christianity. Monotheism and the Historical Process*, 1940, 2ᵉ éd. revue 1946 ; trad. fr. *De l'âge de la pierre à la chrétienté*, 1951 ; R. DE VAUX, *Les institutions de l'Ancien Testament*, I-II, 1958-1960 ; J. HEMPEL, « Altes Testament und Religionsgeschichte », dans TLZ 81 (1956), pp. 259-280.

sera surtout question de points où les historiens israélites ont eu
conscience d'un emprunt et l'ont signalé expressément à l'attention. Là s'est manifestée l'originalité avec laquelle a été assimilée
et partiellement transformée la donnée puisée dans le milieu
environnant.

a) Les emprunts ressentis comme tels

Il y a dans l'histoire biblique plusieurs épisodes dans lesquels
Yahweh ou ses porte-parole refusent et empêchent, ou bien
condamnent sans pouvoir l'empêcher un emprunt à l'étranger,
une imitation de ce que font les nations d'alentour, bien que,
par la suite, ce qui a été d'abord rejeté soit accepté et assimilé [2].

Les anciens d'Israël demandent un roi comme en ont les autres
nations. Samuel désapprouve ce désir, où il voit un refus d'accepter le règne de Yahweh. Néanmoins, sur un ordre divin, il
finit par consentir, tout en faisant prévoir les inconvénients de la
royauté (1 Sam. 8). Après le rejet de Saül, Yahweh se cherche un
homme selon son cœur. C'est David, qui reçoit l'onction le dési-
gnant comme chef (1 Sam. 13, 14 ; 16, 13). Il ne se borne pas à
conduire des guerres heureuses, assurant l'indépendance de son
peuple, ce qui était l'objectif premier de la demande des anciens
(1 Sam. 8, 19), il organise l'administration de son état, vraisemblablement en faisant appel à des fonctionnaires égyptiens [3].
Finalement il devient le modèle des rois qui lui succèdent ; c'est
d'après lui qu'on juge la conduite de chacun. Mais surtout c'est
sur lui que s'appuie une des plus constantes espérances d'Israël.
Les prophéties messianiques annoncent le règne futur d'un nouveau David, qui refera l'unité du peuple déchiré et reconquerra
la liberté nationale. Une grande partie de l'Ancien Testament
tourne autour de cette importation étrangère, d'abord repoussée.

Quand David fait part à Nathan de son intention de bâtir
un temple, il n'invoque pas explicitement l'exemple des nations
étrangères. Il y avait eu précédemment un temple à Silo. Mais

---

2. Sur cet enchaînement d'un refus et d'une acceptation, voir
L. BOUYER, *La Bible et l'Evangile. Le sens de l'Ecriture : du Dieu
qui parle au Dieu fait homme*, 1951, pp. 48-50.

3. Comme l'a montré R. DE VAUX, « Titres et fonctionnaires égyptiens
à la cour de David et de Salomon », dans RB 48 (1939), pp. 394-405 ;
Les Institutions de l'Ancien Testament, I, pp. 195-203.

déjà ce devait être une imitation de l'usage des sédentaires, car la tradition israélite la plus pure ne comportait qu'un sanctuaire mobile, une tente suivant les déplacements des nomades. C'est ce que le prophète rappelle au roi (2 Sam. 7, 1-7). Aussi, après avoir donné d'abord une approbation spontanée, repousse-t-il ce projet d'une construction luxueuse pour se conformer à une révélation spéciale reçue de Yahweh. Mais la construction n'est que différée : ce sera le fils de David qui en sera l'auteur (2 Sam. 7, 8-17). Et pour ce faire il embauchera des artistes tyriens (1 R. 5, 32 ; 7, 13). Il y a tout lieu de supposer que le plan et la décoration architecturale se sont inspirés de modèles étrangers.

Reprenant d'anciennes prohibitions (Ex. 23, 24 ; 34, 13 ; Nomb. 33, 52 ; Deut. 12, 2-3) et leur donnant une extension et une rigueur plus grandes, un texte du Deutéronome interdit l'imitation des rites religieux en usage chez les populations cananéennes expulsées (Deut. 12, 30-31). Il s'agit d'autre chose que de l'adoration de leurs dieux, déjà fermement prohibée. On ne doit pas adopter en l'honneur de Yahweh les pratiques cultuelles des anciens habitants. L'exemple choisi est l'usage de brûler des enfants, sacrifice souvent dénoncé avec horreur par les prophètes ou les livres historiques [4]. Plus loin est réprouvé un autre cas d'abomination païenne, la divination sous ses différentes formes (Deut. 18, 10-14). En fait, malgré cette réprobation généralisée, le culte et le rituel sacrificiel comportent bien des éléments empruntés aux religions des peuples voisins, comme il ressort d'une étude détaillée [5]. Mais ce qui a été ainsi repris a reçu une portée nouvelle. Ainsi les fêtes saisonnières ne sont plus seulement déterminées par le cours de l'année agricole ; elles deviennent une commémoration des hauts faits de Yahweh dans la délivrance de son peuple.

D'après Lév. 20, 24-26, Israël a été mis à part des peuples païens et doit en conséquence ne pas se souiller avec des animaux impurs. Deut. 14, 21 donne à entendre que les étrangers ne sont pas soumis à des règles aussi rigoureuses et peuvent manger d'une bête morte, c'est-à-dire non abattue intentionnellement pour la boucherie. Pour observer cette défense des usages alimentaires

---

4. 1 R. 16, 34 ; 2 R. 3, 27 ; 16, 3 ; 17, 31 ; 21, 6 ; 23, 10 ; Jér. 7, 31 ; 19, 5 ; 32, 35 ; Ez. 16, 20 ; 20, 26 ; 23, 37-39 ; Mic. 6, 7-8.

5. Voir R. DE VAUX, *Les Institutions de l'Ancien Testament*, II.

païens, des Juifs subirent le supplice au temps de la persécution d'Antiochus Epiphane (1 Mac. 1, 66 ; 2 Mac. 6, 18 ; 7, 1). Cependant, quand les disciples de Jésus devront porter la bonne nouvelle aux païens, la première chose qu'ils feront sera de manger avec eux, au risque d'enfreindre ces interdictions si saintes qu'on était mort pour elles (Act. 10, 11-16 ; 11, 3-10). Désormais ils pourront vivre à la païenne (Gal. 2, 14).

Quand Antiochus entreprit de répandre la culture grecque dans tout son royaume, des Juifs voulurent faire alliance avec les nations voisines. Jugeant que la séparation n'a produit que des résultats néfastes, ils adoptent les coutumes étrangères, notamment les jeux du stade et abandonnent la circoncision, signe de l'alliance sainte (1 Mac. 1, 10-15 ; 2 Mac. 4, 9-17). Pour fondre en un seul peuple Juifs et païens (Eph. 2, 14-16), Paul prendra parti pour l'abolition de la loi mosaïque, plus exactement du détail de ses prescriptions mineures, et déclarera que la circoncision n'est rien ; ce qui importe est d'observer les commandements de Dieu (1 Cor. 7, 19 ; Gal. 6, 15).

On peut donc observer une dialectique dans la suite de l'histoire du salut. Ce qui a été interdit de manière plus ou moins rigoureuse peut devenir licite, bienfaisant ou même obligatoire dans la suite. Des formules sans nuances ont parfois englobé dans une même réprobation ce qui était inconditionnellement mauvais et ce qui était répréhensible en fonction de l'intention ou inopportun en raison des circonstances. Comme il arrive souvent, les écrivains bibliques ne se sont pas préoccupés de souligner explicitement la conciliation entre des affirmations opposées ou des pratiques successives.

Les exemples qui viennent d'être examinés montrent que la religion d'Israël n'a pas grandi en vase clos. Elle est au contact permanent des usages et des croyances d'un entourage païen. Elle en subit l'attrait et aussi la répulsion. Elle a le souci de se garder d'une imitation qui corromprait sa propre foi. Il arrive plus d'une fois que ce qui a été d'abord rejeté est ensuite adopté. Les emprunts qui finissent par être acceptés montrent que tout n'est pas indistinctement corrompu dans les religions étrangères, qu'il s'y trouve des valeurs dont la vraie foi peut faire son profit [6].

---

6. R. RENDTORFF, « Die Entstehung der israelitischen Religion als religionsgeschichtliche und theologische Problem », dans *TLZ* 88 (1963), pp. 735-746, a mis en relief les emprunts faits dans tous les domaines

b) Un cas inconscient remarquable

Un exemple de la fécondité de ces emprunts faits à des conceptions étrangères peut être fourni par un verset dont l'origine égyptienne a été décelée par l'érudition moderne, sans être signalée par l'auteur biblique.

Le souffle de nos narines, l'oint de Yahweh,
    fut pris dans leurs fosses,
lui dont nous disions : « A son ombre
    nous vivrons chez les nations » (Lam. 4, 20).

Il s'agit vraisemblablement du roi Sédécias, qui tenta de s'échapper de Jérusalem assiégée par l'armée de Nabuchodonosor et fut fait prisonnier dans les plaines de Jéricho (2 R. 25, 4).

La figure de l'ombre est attestée anciennement dans la fable des arbres cherchant un roi (Jug. 9, 15). Ezéchiel l'a appliquée au Pharaon (31, 6.12.17) et au roi messianique futur (17, 23). Daniel en a fait le symbole de Nabuchodonosor (4, 9) et Osée celui d'Israël converti et restauré (14, 8 ; cf. Ps. 80, 11). En Egypte on trouve une image légèrement différente : Ramsès II est « le beau faucon qui protège ses sujets de ses ailes et répand l'ombre sur eux ». A la rigueur l'image de Lam. 4, 20 pourrait s'entendre de l'ombre des ailes, puisque l'image est explicitement ailleurs dans l'Ancien Testament (Ps. 17, 8 ; 36, 8 ; 57, 2 ; 63, 8).

Mais le plus caractéristique est l'expression « souffle de nos narines », qui est appliquée également à Ramsès II : « Promets-nous, ô roi, la vie que tu donnes, toi qui es le souffle de nos narines » [7]. On attribuait donc au Pharaon le pouvoir de donner la vie à ses sujets, ce qui pour la foi d'Israël était une prérogative exclusive de Yahweh (Gen. 2, 7 ; Nomb. 16, 22 ; 27, 16 ; Ps. 104, 29 ; Qoh. 12, 7). Nous ne savons si la cour de Jérusalem a recouru fréquemment à ce langage. La chose est possible. Mais dans le texte des Lamentations l'hyperbole qui prêtait au roi un pouvoir divin ne sert plus qu'à faire ressortir le profond abaisse-

---

par la religion d'Israël ; aucun point particulier ne lui est propre ; c'est l'ensemble du développement qui est original.

7. On trouvera des références détaillées dans J. DE SAVIGNAC, « Théologie pharaonique et messianisme d'Israël », dans VT 7 (1957), pp. 82-90 ; W. RUDOLPH, Die Klagelieder (KAT, XVII, 3), 1963 ; P. BORDREUIL, « A l'ombre d'Elohim », dans RHPR (1966), pp. 372-373.

ment de cet homme qu'on avait si fort exalté. Tous les espoirs
mis en lui sont affreusement déçus. Le protecteur de ses sujets
n'est plus qu'un prisonnier misérable. Sa prétendue puissance
ne l'a pas délivré des mains de ses ennemis. L'emprunt stylistique
aboutit presque à un rejet de l'idée exprimée.

Or ces mots « l'oint de Yahweh », devenus dans la traduction
grecque « le Christ du Seigneur », *Christos Kyriou*, ont été lus
par les copistes chrétiens *Christos Kyrios*, « le Christ Seigneur ».
C'est la leçon que l'on trouve dans les manuscrits et qui a passé
dans les Psaumes de Salomon (17, 32) : « tous sont saints et leur
roi c'est le Christ (du) Seigneur » [8]. L'ange qui annonce aux
bergers de Bethléem la naissance de Jésus, proclame qu'il est un
sauveur, le Christ Seigneur (Luc 2, 11) [9]. Pierre atteste, le jour
de la Pentecôte, que Dieu a fait Seigneur et Christ ce Jésus qui
a été crucifié (Act. 2, 36) [10].

Nombreux sont les écrivains chrétiens des premiers siècles, qui
ont commenté ce verset des Lamentations [11], en exploitant aussi
bien l'image de l'ombre que celle du souffle (*pneuma*) du visage.
Il y a là une véritable tradition [12], dont la continuité s'explique de
la manière la plus satisfaisante par l'existence d'un recueil de
« Testimonia », qui fournissait un appui scripturaire à la prédication chrétienne.

---

8. En dehors de ces deux passages (et peut-être des textes ambigus
de *Psal. Salom.* 18, 1.7), la version grecque porte toujours « Christ *du*
Seigneur ». Pour tout ce qui suit relativement aux écrits des Pères et
au rapprochement avec 2 Cor. 3, 17, on trouvera le détail des références
dans J. DANIÉLOU, « Christos Kyrios. Une citation des Lamentations de
Jérémie dans les *Testimonia* », dans RecSR 39 (1951-1952), pp. 338-361
(= Mélanges Lebreton).

9. Le rapprochement des deux textes de Lam. et Luc se trouve dans
IRÉNÉE, *Adv. Haer.* III, 10, 3-4.

10. Il est possible que l'attention à Lam. 4, 20 ait été provoquée par
la question posée aux Pharisiens (Mat. 22, 41-46 et par.) : comment
le fils de David, le Christ, est-il le Seigneur de David, d'après Ps. 110, 1 ?
On s'expliquerait ainsi que Pierre, citant comme Jésus le Ps. 110, 1,
où le mot Christ est absent, en conclue que le crucifié est Seigneur
et Christ.

11. Ainsi Justin, Irénée, Tertullien, Clément d'Alexandrie, Origène,
Eusèbe de Césarée, Grégoire de Nysse, Cyrille de Jérusalem, Didyme
l'Aveugle, Basile, Jean Chrysostome, Ambroise, Rufin, Augustin,
Théodoret.

12. Comme ORIGÈNE le dit explicitement (*Selecta in Threnos*) dans
un passage où il rapproche 2 Cor. 3, 17 de Lam. 4, 20.

Il est donc très probable que Paul lui-même a puisé dans un recueil de ce genre, quand il a écrit : « Le Seigneur, c'est l'Esprit (*pneuma*) » dans un contexte où il est question du visage des croyants [13]. Ce qu'il y a d'un peu étrange dans ce passage et qui a provoqué de nombreuses discussions, s'éclaire quand on y voit le rappel d'un texte bien connu de la première génération chrétienne. Le verset des Lamentations assurait aux disciples de Jésus que leur maître était le Seigneur en qui ils trouveraient le don de la vie et la protection. Ainsi prennent un nouveau relief plusieurs versets de Paul où il déclare : « Ce n'est plus moi qui vis, c'est le Christ qui vit en moi » (Gal. 2, 20) ; « pour moi vivre c'est le Christ » (Phil. 1, 21) ; où il exalte « le Christ, votre vie » (Col. 3, 4), « le dernier Adam devenu esprit vivifiant » (1 Cor. 15, 45).

On peut donc suivre la promotion de sens qu'une expression égyptienne a subi depuis le jour où elle n'était qu'une flatterie adressée au Pharaon ou une demi-divinisation, jusqu'à sa reprise par Paul. Dans la perspective chrétienne ce n'est plus l'exaltation démesurée d'un homme ou la critique sous-entendue (dans Lam. 4, 20) de cette exaltation, mais l'affirmation du rôle hors pair joué par le Christ dans le salut des hommes et de son union intime avec le croyant. Le christianisme primitif n'a pas appliqué sans fondement le texte de Lam. 4, 20 au Christ Jésus, quand il y a vu « ce que les Pères de l'Eglise ont surtout retenu, la belle définition donnée du roi, oint de Yahweh, qui est comme le souffle auquel est suspendu l'existence du peuple et comme l'ombre protectrice qui le garde au milieu des nations [14] ».

---

13. Le mot hébreu traduit plus haut par « narines » a été rendu approximativement par *prosôpon* « visage » dans les Septante. Cela facilitait l'association d'idées entre le verset classé dans un recueil de témoignages et la mention du visage de Moïse. Dans l'utilisation de Lam. 4, 20 par Paul, comme dans l'allégorie du voile, il y a une sorte de retournement, quand on passe de l'ancienne à la nouvelle alliance. Les chrétiens n'ont plus à cacher, comme Moïse, la gloire qui se reflète sur leur visage. Le (Christ) Seigneur n'est plus le prisonnier de ses ennemis ; il est celui qui donne la liberté.

14. Comme le dit J. DANIÉLOU, *art. cit.*, p. 351. Cette explication de 2 Cor. 3, 17 par J. Daniélou ne semble pas avoir attiré beaucoup l'attention. A ma connaissance, elle n'est citée (et pour être rejetée) que par K. PRUEMM, *Diakonia Pneumatos*, t. I, p. 419, 1967. Le fait même exploité par K. Prümm, à savoir que les rapports mis par les

c) La manifestation divine dans l'histoire

Ce ne sont pas seulement des détails qui ont pu être empruntés. Des conceptions d'ensemble et fondamentales de la religion biblique dérivent des religions étrangères. C'est le cas notamment de la croyance que les événements de l'histoire nationale font connaître les réactions de Dieu à la conduite des hommes.

Bien des documents provenant des divers peuples du Proche-Orient ancien attestent cette croyance et s'efforcent d'expliquer les grands désastres et revers de fortune par la colère divine, excitée par des fautes antérieures. Israël n'est donc pas totalement isolé dans cette compréhension religieuse de l'histoire. Il en a vraisemblablement reçu le germe de ses voisins, bien que nous ne puissions retrouver avec certitude les voies de la transmission [15].

écrivains chrétiens entre Lam. 4, 20 et 2 Cor. 3, 17 ne sont pas valables exégétiquement (et J. Daniélou pensait même que chez Paul il y avait un passage peu logique de l'Esprit au visage, p. 351) suggère que derrière le rapprochement forcé une tradition exerce sa pression. Une longue discussion sur l'influence de Lam. 4, 20 dans plusieurs textes du Nouveau Testament serait ici hors de propos. Il suffit de noter que Paul peut dans un même passage parler du *Kyrios* sans qu'on voie toujours clairement s'il pense à Dieu (le Père) ou au Christ : ainsi dans Rom. 14, 3-10. Il a donc pu, dans 2 Cor. 3, 17, passer du Kyrios de l'Exode (Yahweh) au Kyrios des chrétiens (Jésus-Christ) et faire une allusion (plutôt qu'une citation proprement dite) à une idée rendue familière par Lam. 4, 20 : le Christ Seigneur donne la vie. - Un dernier rapprochement curieux, mais bien problématique. L'Oint du Seigneur, le souffle vital de son peuple, est Josias d'après les sources rabbiniques, mais Sédécias d'après les modernes. Ce roi a tenté de s'enfuir de Jérusalem (2 R. 25, 4) et dans sa fuite devait se couvrir le visage pour ne pas voir la terre (Ez. 12, 12). Dans le texte hébreu le vocabulaire est différent d'Ex. 34, 33, mais les Septante recourent à la même racine. Paul a-t-il remarqué la ressemblance ? C'est douteux ; mais, si c'était le cas, il pouvait passer facilement de Moïse au Christ Seigneur.

15. On trouvera des détails dans R.C. DENTAN (éditeur), *The Idea of History in the Ancient Near East*, 1955 ; G. GOOSSENS, « La philosophie de l'histoire dans l'Ancien Orient » dans *Sacra Pagina*, 1959, I, pp. 242-252 ; B. ALBREKTSON, *History and the Gods*, 1967 ; et sur un point particulier, assez ancien, A. MALAMAT, « Doctrines of causality in Hittite and biblical Historiography : a parallel », dans VT 5 (1955), pp. 1-12.

Mais ce germe a effectué chez lui un développement exceptionnel et reçu un caractère original, qu'il faut indiquer de quelques mots seulement, car on sort ici du domaine de la manifestation naturelle de Dieu. En Israël, ou plus exactement dans les
livres bibliques, la révélation de Dieu par l'histoire nationale en
est venue à occuper presque toute la place. Le fait est dû à la
conviction que le rapport entre le peuple et son Dieu n'est pas
un rapport naturel, fondé sur l'ancrage dans un même pays. Israël est devenu un peuple par le libre choix de Yahweh, qui lui
a donné simultanément l'existence et la liberté et qui a conclu
avec lui une alliance de grâce. Les événements du destin collectif
ne sont pas seulement une réaction de la colère divine aux fautes
commises. Dans les grandes crises et frustrations de la nation
Yahweh opère une mise à l'épreuve et dispense un enseignement
(Deut. 8 ; Jug. 2, 22—3,4). Bien plus il y réalise un dessein de
longue haleine, qu'il révèle aux prophètes (Am. 3, 7) et qui utilise
le mal en vue d'un bien ultérieur (Gen. 45, 5-8 ; 50, 19-21).

Le rôle de l'histoire dans la religion biblique n'est donc pas
un trait absolument distinctif et exclusif, mais c'est là seulement
qu'il a acquis une importance prépondérante. Les prophètes
semblent en avoir eu conscience et n'avoir pas attribué beaucoup d'efficacité aux leçons que les événements auraient pu donner aux peuples étrangers. « Quand tes jugements (s'exercent)
sur la terre, les habitants de l'univers apprennent la justice. »
Mais la restriction vient aussitôt. « Yahweh, ta main est levée,
ils ne la voient pas » (Is. 26, 9-11).

LA SAGESSE EST-ELLE UNE ÉTRANGÈRE EN ISRAEL ?

Comme on l'a vu, Israël a emprunté au milieu païen où il vivait des rites cultuels, des formes architecturales pour le Temple, des genres littéraires dans ses chants religieux, des techniques administratives et l'institution même de la royauté. La question se pose de savoir s'il a aussi emprunté le courant intellectuel
de la sagesse et elle doit recevoir une réponse plus nuancée.

La sagesse n'est pas à confiner dans des productions littéraires. Il y avait une sagesse d'expérience qui se fixait dans des sentences orales ou des proverbes, dont la concision favorisait la

mémoire [16]. Cette sagesse, dont les vieillards étaient les dépositaires, avait sa source dans la vie quotidienne et non dans les événements de l'Alliance. Elle était la manifestation en Israël d'un patrimoine international, qui pouvait se diversifier dans les peuples particuliers, mais n'était la possession exclusive d'aucun. Cette sagesse a dû exister de tout temps en Israël : aucune société ne pourrait s'en passer complètement. Les tribus qui firent alliance avec Yahweh au Sinaï ne pouvaient pas en être dépourvues totalement, bien que nous n'ayons pas de témoignage explicite sur son contenu. On ne la ressentait nullement comme une propriété étrangère, dont on discuterait pour savoir si on l'adopterait ou non. Quand Salomon en apparaît comme un représentant éminent, on le compare avec enthousiasme aux plus renommés parmi les sages de l'Orient (1 R. 5, 9-14), mais sa sagesse vient de Yahweh. D'autre part, les étrangers énumérés n'apparaissent pas comme des faussaires, dont il faudrait se défier. La sagesse autochtone pouvait être stimulée par des livres venus du dehors.

a) Sagesse et fidélité à Yahweh

Pourtant peu à peu se manifeste une opposition entre la sagesse et la fidélité à Yahweh. La sagesse est suspecte à Isaïe [17]. C'est elle qui conseille aux ministres du roi de faire appel au secours de l'Egypte plutôt que de mettre leur confiance en Yahweh (Is. 30, 2). C'est que le mot de « sagesse » désignait primitivement l'habileté technique ou psychologique de manière neutre moralement. Pharaon était sage, quand il oppressait adroitement ses sujets hébreux (Ex. 1, 10). Jonadab était sage, quand il soufflait à Amnon, l'héritier royal, une ruse perfide pour abuser de sa demi-sœur Tamar (2 Sam. 13, 3). Une femme de Técoa était sage, quand elle se déguisait pour proposer au roi David un cas imaginaire et provoquer ainsi le retour d'Absalom à Jérusa-

---

16. Par exemple, 1 Sam. 24, 14 ; 2 Sam. 14, 14 ; 20, 18-19 ; Ez. 16, 4.
17. On peut voir J. FICHTNER, « Jesaja unter den Weisen », dans TLZ 74 (1949), pp. 75-80. Pour lui Isaïe a fait partie de milieux cultivant la sagesse, ceux des grands fonctionnaires du royaume ; il s'en est détaché, mais il a gardé certains éléments de leur pensée dans ses vues d'avenir. H. CAZELLES, « A propos d'une phrase de H.H. Rowley », dans *Wisdom in Israel and in the Near East* (Suppl. to VT, 3), 1955, pp. 26-32, retrace l'ensemble de l'opposition prophétique à la sagesse.

lem (2 Sam. 14, 2) : elle servait ainsi les calculs politiques de
Joab.

On trouve donc chez Isaïe [18], plus tard chez Jérémie [19], les
expressions de leur défiance à l'égard de la sagesse. Il n'y a aucun
rejet de principe, mais une inquiétude à l'égard d'un manque ou
d'une contrefaçon. L'inspiration initiale de la sagesse, en effet,
est autre que la foi en l'alliance avec Yahweh. Même dans des
livres qui sont finalement entrés dans la collection des Ecritures
sacrées, dans Proverbes, Job ou Qohéleth, il n'est question ni du
choix que Dieu a fait d'Israël, ni de la providence dont il l'a en-
touré au cours de son histoire, ni de l'alliance conclue avec ce
peuple particulier, ni de la loi qui doit diriger sa vie. Le seul
indice, bien ténu, d'un rattachement aux traditions propres d'Israël consiste dans l'usage par Proverbes et Job (dans les récits
en prose) du nom national de Dieu, Yahweh. Il faut attendre le
livre de Ben Sirah (deux siècles avant notre ère) pour trouver
dans le courant sapientiel une méditation avouée sur la loi, les
récits historiques, les prophètes (Sir. 39, 1-3), les textes qui ont
gardé le souvenir de l'élection d'Israël. C'est alors que la Sagesse est considérée comme ayant son siège dans Jérusalem, la
ville sainte, de préférence à tout autre lieu (Sir. 24, 8-12).

De nos jours certains biblistes ont senti si vivement cet écart
entre les anciens livres de sagesse dans la Bible et le reste du
recueil canonique qu'ils en sont venus à considérer la sagesse
comme « un corps étranger dans le monde de l'Ancien Testament [20] ». Ils se montrent en cela plus difficiles que les docteurs
juifs qui n'ont pas rejeté Proverbes, Job ou Qohéleth, alors
que les écrits plus tardifs de Ben Sirah ou de la Sagesse n'ont
été reconnus que par le judaïsme alexandrin, bien qu'ils fassent
une large part à l'histoire et à l'élection d'Israël.

Pour H.D. Preuss [21], la sagesse est la doctrine qui affirme un
lien cohérent entre action et résultat. Cette doctrine va fatalement

---

18. Is. 3, 1-3 ; 5, 21 ; 10, 13 ; 19, 11 ; 29, 13-15 ; 30, 1.

19. Jér. 4, 22 ; 8, 8 ; 9, 22 ; 49, 7 ; 50, 35.

20. C'est l'expression de H. GESE, *Lehre und Wirklichkeit in der
alten Weisheit. Studien zu den Sprüchen Salomos und zu dem Buche
Hiob*, 1958, p. 2. Il note toutefois que les Proverbes reconnaissent
l'action de Dieu dans les événements individuels et surmontent le déter-
minisme dont est pénétrée la pensée égyptienne (pp. 45-46).

21. H.D. PREUSS, « Erwägungen zum theologischem Ort alttestament-
licher Weisheitsliteratur », dans *Evang. Th.* 30 (1970), pp. 393-417 ; du

à une impasse, comme le manifestent les livres de Job et de Qohéleth et aussi plusieurs écrits de l'ancien Orient. Elle ne peut faire l'objet de la prédication chrétienne, contredite qu'elle est par l'Evangile (Luc 13, 1-5 ; Jn 9, 1-3). Si l'on accorde à l'auteur cette définition initiale de la sagesse, les conclusions tirées suivent logiquement. Mais une telle limitation est artificielle et arbitraire. Aucun livre biblique ne soutient dans toute sa rigueur cette conception d'un lien absolument régulier entre action et résultat, qui est celle des amis de Job, finalement désavoués par Yahweh [22]. Toute sagesse commence par un effort pour comprendre et formuler l'ordre du monde. Et cet effort connaît des succès. Mais il se heurte aussi à des échecs et ceux-ci provoquent une réflexion qui fait encore partie de la sagesse, comme en témoignent aussi bien les livres bibliques que les écrits étrangers.

b) Place et rôle des livres sapientiaux dans l'Ancien Testament

Il n'y a donc pas à vouloir éliminer les livres sapientiaux de l'Ancien Testament proprement dit. Il faut plutôt préciser le rôle qu'ils y jouent. W. Zimmerli [23] a proposé de les rattacher aux premiers chapitres de la Genèse, à ce qu'on appelle l'histoire primitive (Gen. 1 — 11) et que personne ne songerait à exclure de la Bible, à regarder comme étranger à son propos. Il y est parlé, sous une forme imagée, de l'humanité entière et non de la situation privilégiée d'un peuple choisi. Cette observation est juste, s'il s'agit de la portée universaliste de l'histoire primitive et des écrits de sagesse biblique. Mais elle n'a peut-être pas la portée que lui attribue W. Zimmerli.

---

même « Alttestamentliche Weisheit in christlichen Theologie ? » dans *Questions disputées d'Ancien Testament. Méthode et théologie.* XIIIe session des Journées bibliques de Louvain, 1974, pp. 165-181. Dans ce dernier volume se trouve aussi l'exposé en sens inverse de J. Lévêque, « Le contrepoint théologique apporté par la réflexion sapientielle », pp. 183-202.

22. Pour Proverbes en particulier, voir le paragraphe suivant, plus bas, pp. 116-118.

23. W. Zimmerli, « Ort und Grenze der Weisheit im Rahmen des alttestamentlichen Theologie », dans *Les sagesses du Proche-Orient ancien. Colloque de Strasbourg* (17-19 mai 1962), 1963, pp. 121-138.

Ni la Genèse, ni l'histoire primitive ne sont une unité originelle, dont les éléments auraient ensuite été dissociés et dont certains, cultivés isolément, auraient constitué la littérature sapientielle biblique. C'est bien plutôt la rencontre, dans la foi d'un écrivain israélite, de la révélation historique faite à son peuple et de la perspective universaliste propre aux sages qui a provoqué la composition de l'histoire primitive avec ses problèmes largement humains.

On reconnaît ordinairement que ces chapitres de Gen. 1-11 ne sont pas une partie primitive de la tradition proprement israélite. On attribue à l'écrivain yahwiste (J) d'avoir conçu une introduction aux récits patriarcaux, en recueillant et en réinterprétant pour ce faire des légendes et mythes, qui étaient d'origine étrangère, peut-être cananéenne [24]. Ultérieurement l'auteur sacerdotal (P) a repris le projet du yahwiste et composé à son tour une histoire des origines profondément remaniée. Il a projeté dans le récit de la création de l'homme les grandes promesses faites aux patriarches, celles de posséder une terre et d'avoir une nombreuse descendance (Gen. 1, 28).

C'est à l'époque de Salomon que l'on fait remonter la composition du yahwiste et le livre des Rois attribue au grand souverain d'avoir cultivé la sagesse, dont il note le caractère international (1 R. 5, 9-14). C'est après le retour de l'exil que se place la compilation définitive de la Genèse combinant les deux versions de l'histoire primitive, comme aussi la dernière rédaction du livre des Proverbes dans sa forme actuelle. Ainsi, autant qu'on peut le préciser, le courant sapientiel a coexisté longtemps avec la foi fondée sur l'histoire du salut, propre à Israël, sans se confondre entièrement avec elle. Les récits de la Genèse allant de la création à la Tour de Babel attestent que ces deux orientations spirituelles et religieuses ne sont pas inconciliables, qu'elles

---

24. L. ALONSO-SCHÖKEL, « Motivos sapienciales y de alienza en Gen. 2-3 », dans *Bib.* 43 (1962), pp. 295-315 et N. LOHFINK, « Le récit de la chute du premier homme », dans *Das Siegeslied am Schilfmeer. Christliche Auseinandersetzung mit dem Alten Testament*, 1964 (tr. fr. *L'Ancien Testament, Bible du chrétien d'aujourd'hui*, 1969). Ces deux auteurs ont montré comment le récit du paradis et de la chute insère les données provenant des mythes de l'ancien Orient dans un cadre de convictions religieuses issues de la théologie israélite de l'alliance ; il donne ainsi une signification nouvelle aux images utilisées.

ont effectivement réagi l'une sur l'autre, que leur synthèse n'est pas chimérique. Mais ceci n'entraîne pas que l'une des deux soit totalement absorbée par l'autre. Au contraire, la spéculation de sagesse a conservé une certaine autonomie ; elle a donné naissance à des œuvres non marquées explicitement du sceau propre à la religion historique de l'alliance : les Proverbes, Job, Qohéleth, avant que s'effectue entre les deux une nouvelle rencontre, avouée clairement cette fois, dans Ben Sirah et la Sagesse.

c) Tradition de sagesse et tradition de l'alliance

Il n'est donc pas justifié de dire que les écrits sapientiaux sont un corps étranger à l'intérieur de l'Ancien Testament, comme si l'on voulait déterminer un canon plus pur dans le recueil traditionnel. Les livres de sagesse font partie du canon, de manière unanimement reconnue pour les plus anciens, de manière discutée par certaines églises pour les plus récents, Ben Sirah et la Sagesse. Il faut plutôt renoncer à une manière trop unilatérale de définir le contenu de l'Ancien Testament. Il y a deux perspectives possibles de la connaissance biblique de Dieu : l'une, plus largement attestée, passe par l'histoire du salut propre à Israël, l'autre passe par le spectacle du monde visible et l'expérience commune de l'humanité [25] ; elle pratique des emprunts aux littératures étrangères d'inspiration analogue et produit des écrits comparables [26].

Il y a eu coexistence, et qui n'a pas toujours été pacifique, entre une tradition de sagesse et une tradition de l'alliance. Mais

---

25. J. BARR, *Old and New in Interpretation. A Study of the two Testaments*, 1966, pp. 72-73, a vigoureusement affirmé l'impossibilité de réduire l'Ancien Testament à une révélation par l'histoire et pris comme exemple la littérature de sagesse.

26. Il est impossible ici d'entrer dans des précisions sur les emprunts des écrits bibliques aux sagesses étrangères. On peut trouver de riches indications surtout pour la littérature égyptienne dans *Les sagesses du Proche-Orient ancien. Colloque de Strasbourg* (17-19 mai 1962), 1964. Bien que de manière générale des emprunts soient indubitables, il n'est pas toujours possible dans un cas particulier d'avoir une entière certitude. Ainsi pour O. LORETZ, *Qohelet und der Alte Orient*, 1964, Qohélet s'inspire de Babylone, et pour R. BRAUN, *Kohelet und die frühhellenistische Popularphilosophie*, 1973, il s'inspire de la philosophie grecque populaire.

avant même qu'une union déclarée se réalise entre elles dans
Ben Sirah et la Sagesse, des influences mutuelles se sont exercées. Les sages qui ont constitué les anciennes collections de
sentences, et plus encore les responsables de l'introduction générale de Prov. 1-9, ont été pénétrés même inconsciemment par la
foi yahwiste qui était celle de leur milieu [27]. Réciproquement certains des prophètes ont eu des accointances avec les cercles de
la réflexion sapientielle et ils ont coloré leurs espérances d'avenir
par des éléments de l'idéal humain que l'on y cultivait [28].

Le problème de l'assimilation ou du rejet de la sagesse ne
s'est pas posé en Israël de manière aussi claire et dans une circonstance aussi précise que pour l'institution de la royauté, et
dans une moindre mesure pour le temple, pour les usages cultuels des voisins. Il s'est posé néanmoins, comme le montrent
des indices plus ténus. Presque toutes les parties de ce qui a
finalement constitué le patrimoine de la religion biblique ont
provoqué une hésitation : pouvait-on les recevoir dans le cadre
de l'alliance avec Yahweh ? Et après leur adoption la critique
s'est plus d'une fois exercée sur eux, quand l'élément assimilé
menaçait de se corrompre. Les prophètes ont à l'occasion blâmé
durement la royauté, le culte, le temple ; certains d'entre eux ne
les ont pas inclus dans leurs visions d'avenir. Ils ont aussi critiqué certaines manifestations contemporaines de la sagesse, notamment dans le domaine politique. De même, plus tard, Ben Sirah
distinguera entre vraie et fausse sagesse (Sir. 19, 20-30 ; 37, 19-
24). Et Paul condamnera la sagesse de ce monde, en lui opposant
une sagesse venant de Dieu, dans un passage plein des souvenirs
de l'Ancien Testament (1 Cor. 1, 18 — 2, 13). Il détournera d'une
tradition humaine et de la philosophie (Col. 2, 8).

---

27. A. ROBERT, « Le Yahvisme de Prov. X, 1-XXII, 16 ; XXV-
XXIX », dans *Mémorial Lagrange*, 1940, pp. 163-182, décèle une influence
littéraire du Deutéronome et des prophètes sur certaines sentences des
grandes collections attribuées à Salomon. Même en admettant le fait,
on ne peut en tirer une conclusion générale pour des productions où
il est si facile de pratiquer des interpolations.

28. J. FICHTNER pense qu'Isaïe en particulier trace l'image du roi
futur en lui attribuant les vertus prônées par les sages. Il recourt (p. 78)
aux mêmes rapprochements (Prov. 16, 12 ; 20, 28 ; 29, 14 et Is. 9, 5-6 ;
11, 4) que A. Robert (p. 170). Voir article cité plus haut, n. 17. Comme
il arrive parfois, la ressemblance littéraire n'est pas interprétée dans le
même sens pour la question de la dépendance.

La pensée religieuse d'Israël et des auteurs bibliques en général a connu des hésitations, des va-et-vient, des conflits internes. Les conflits ouverts que l'on peut observer dans le Nouveau Testament (par exemple, au sujet de la loi mosaïque) montrent que c'est dans la discussion et l'opposition que naît et se formule la parole de Dieu.

L'EXPÉRIENCE ET LA FOI DANS LES LIVRES SAPIENTIAUX

Sans vouloir exposer ici complètement la pensée des livres sapientiaux, il est utile d'attirer l'attention sur leur contribution à la doctrine de l'Ancien Testament. Ces livres représentent en Israël une tradition de sagesse qui se retrouve dans tout l'Orient ancien. Il se peut qu'en bien des cas il y ait dans la Bible le développement propre à Israël d'une sagesse de proverbes et de sentences, venue du passé des tribus nomades, réactivée par le contact avec des œuvres étrangères, mais sans qu'une influence littéraire précise soit toujours manifeste.

La sagesse biblique offre sur la vie psychologique et sociale tout un ensemble de maximes résultant seulement de l'observation et accessibles en principe à n'importe quel peuple. Elle présente aussi des exigences morales élevées, mais dont on peut retrouver l'analogue en dehors d'Israël. Enfin elle développe des vues religieuses, comme le font semblablement les sagesses orientales. Mais ici la sagesse biblique porte beaucoup plus nettement un caractère propre. Elle ne parle que d'un seul Dieu, appelé même du nom national de Yahweh, qui régit souverainement la destinée des hommes.

Dans l'Ancien Testament les auteurs sapientiaux sont d'authentiques croyants, qui ont assimilé la foi de leur peuple, même s'ils n'entreprennent pas de communiquer à leurs disciples le souvenir des événements qui de métèques tyrannisés et exploités en Egypte ont fait un peuple libre, favorisé de l'alliance divine, puis l'ont maintenu dans cet état au travers de bien des vicissitudes.

a) La rétribution divine

Chez les écrivains de sagesse la conviction fondamentale de la foi yahwiste, à savoir que l'observation de la Loi divine est une source de bénédictions (Lév. 26 ; Deut. 28), est constamment présente, d'abord pour être affirmée et inculquée, puis confrontée avec l'expérience ; des données nouvelles surgissent ainsi qui vont préciser, restreindre le principe général, l'ébranler même, jusqu'au jour où de l'épreuve radicale naîtra la doctrine de la vie future.

La situation intellectuelle est ici différente de celle qu'on trouve dans les livres narratifs. Les historiens de la conquête, de la période des juges, de la royauté ont pu sans trop de difficulté rattacher les événements variés de la destinée nationale à la croyance en la rétribution divine. Considérant l'ensemble du peuple et non chaque individu, embrassant du regard plusieurs générations et admettant ainsi la possibilité d'un certain décalage chronologique entre une conduite et ses conséquences, ils pouvaient trouver une correspondance entre la fidélité ou l'infidélité à la Loi, d'une part, et la prospérité ou le malheur, d'autre part.

b) Un nouveau sens de la justice

Mais un sens nouveau de la justice avait pris naissance avec le développement de la juridiction royale. Les anciennes vengeances de clan, englobant tous les proches d'un coupable, avaient été réprimées (Deut. 24, 16 ; 2 R. 14, 6). Chacun ne devait être puni que pour ses crimes personnels. Cette exigence de justice individuelle avait été transférée au jugement divin. Yahweh lui aussi devrait châtier seulement le responsable, et non pas venger l'iniquité des pères sur les enfants et les petits-enfants, comme on l'avait longtemps admis sans scandale (cf. Ex. 20, 5 ; Jér. 32, 18). En fait, on aboutissait à la constatation railleuse ou découragée que les choses ne se passaient pas de manière aussi équitable. Et l'on résumait la situation dans ce dicton imagé : « Les pères ont mangé du raisin vert et les dents des fils en sont agacées » (Jér. 31, 29 ; Ez. 18, 2). Il y avait bien un lien entre la conduite et la destinée, mais il ne faisait sentir ses effets que trop lentement. Les coups mérités arrivaient trop tard et ne frappaient plus les coupables, disparus dans l'intervalle.

Face à un scepticisme ironique ou à un morne abattement, les prophètes ont promis que les choses allaient changer. Dans l'avenir on n'aurait plus à répéter le proverbe où se résumait l'expérience du présent. Désormais « celui qui a péché, c'est lui qui mourra » (Ez. 18, 4 ; cf. Jér. 31, 30). Après de tels oracles, il était naturel de chercher à confronter des promesses aussi précises avec les faits d'observation.

c) *La pensée nuancée du livre des Proverbes*

C'est ce qui commence à être pratiqué dans le livre des Proverbes. Il ne s'agit pas là du destin du peuple entier, mais du sort des individus. Les sages qui prennent la parole n'éprouvent aucun doute sur la réalité d'une rétribution providentielle, s'il s'agit d'un principe très général. Ils l'affirment parfois avec une netteté sans restriction. Mais au delà de ces sentences très assurées de ton, il faut tenir compte de maintes atténuations apportées ailleurs et ne pas donner à la pensée une rigidité que ne comporte pas le genre littéraire. Dans ces recueils de courtes maximes tous les éléments se relativisent indéfiniment l'un l'autre.

La route des justes est comme la lumière de l'aube,
dont l'éclat grandit jusqu'au plein jour.
Le chemin des méchants est comme l'obscurité,
ils ne savent pas sur quoi ils trébuchent (Prov. 4, 18-19).

La sagesse et la justice exigent la persévérance ; elles ne produisent pas instantanément tous leurs effets. Cette sentence imagée, prise pour un absolu, isolée du reste, pourrait suggérer une croissance absolument régulière et aussi prévisible que le retour du jour. L'expérience, alors, ne la vérifierait pas. Mais d'autres versets préviennent une interprétation aussi étroite. Sans insister expressément, ils donnent à entendre que le juste peut se trouver dans une situation difficile, incertaine, dangereuse, mais qu'il est délivré finalement, tandis que les impies succombent.

Par le forfait de ses lèvres le méchant est pris au piège,
mais le juste se tire de la détresse (Prov. 12, 13 ; cf. 11, 4-8).

Le juste tombe sept fois, mais il se relève ;
les méchants trébuchent dans le malheur (Prov. 24, 16).

La rétribution providentielle, toute réelle qu'elle soit, ne joue pas avec une précision rigoureuse. Il y a des retards, des à-coups. Il faut donc avertir les disciples encore inexpérimentés de ne pas se troubler de ces défaillances apparentes. En attendant avec patience on finira par récolter le fruit de ses œuvres. Il est vain de jalouser un triomphe qui sera court.

> Que ton cœur n'envie pas les pécheurs,
> mais qu'il craigne Yahweh tout le jour.
> Car il y a un avenir,
> et ton espérance ne sera pas anéantie (Prov. 23, 17-18).

Tout un psaume est consacré à ce thème (Ps. 37, 2.20.28.35-38), qui revient encore dans Prov. 24, 19-20.

Il y a donc des succès provisoires pour l'homme fourbe ou le pervers, mais qui sont de courte durée [29]. Il y a des ruines subites (Prov. 6, 15 ; 29, 1). Il est donc imprudent de compter trop fermement sur l'avenir, car il y a toujours de l'imprévu (Prov. 27, 1).

Dans ces conditions la souffrance n'est pas un signe certain de la défaveur divine. Les sages ont observé des cas qui demandaient une autre interprétation et ils l'ont trouvée dans l'idée d'une éducation divine austère, comparable aux châtiments corporels imposés par des parents attentifs à leurs jeunes enfants.

> Ne méprise pas, mon fils, la correction de Yahweh,
> et ne prends pas mal sa réprimande.
> Car Yahweh reprend celui qu'il chérit,
> comme un père son fils bien-aimé (Prov. 3, 11-12).

Dans cette première approche la pensée des Proverbes peut paraître équivalente à la thèse soutenue par les amis de Job : le triomphe des méchants est court et leur ruine arrive promptement. A moins d'affirmer que l'on ne peut réaliser effectivement aucun mal, que le pécheur ne peut jamais qu'avoir l'intention du mal sans pouvoir l'exécuter, qu'il peut par exemple désirer la mort d'autrui, mais non l'assassiner réellement, ce qui serait une folie qu'on n'a jamais soutenue, toute doctrine de la rétribution temporelle régulière des mérites doit admettre la réalité des succès des méchants et dire seulement que ce succès provisoire se terminera par le malheur.

---

29. Prov. 1, 19 ; 2, 22 ; 11, 18 ; 12, 19 ; 18, 12 ; 20, 17 ; 21, 6 ; 28, 8 ; 29, 16.

Si l'on s'en tenait là, il y aurait correspondance entre l'enseignement des Proverbes et la théorie développée par les amis de Job.
On pourrait aisément dresser deux listes parallèles de références.
Même l'idée d'une souffrance éducative et non pas punitive se
retrouve de part et d'autre (Prov. 3, 11-12 ; Job 5, 17-18).

d) Les dires des Proverbes et ceux des amis de Job

Il faut donc pousser plus avant l'analyse, si l'on veut établir
une différence entre la pensée proposée par le livre des Proverbes
et le système professé par les amis de Job.

La conception d'une discipline divine par la douleur peut donner lieu à deux perspectives différentes. Ou bien cette correction
a pour but de détourner d'une voie mauvaise, sur laquelle un
délinquant commençait à s'engager ; grâce à une prompte admo-
nestation celui qui chancelait peut reprendre la bonne voie. Ou
bien la leçon vise à faire accéder à une plus haute sagesse ; elle
prive d'un bien inférieur pour faire désirer et accepter un bien
meilleur [30]. Dans la bouche d'Eliphaz l'expression est encore
indécise, bien que déjà la doctrine de la rétribution soit énoncée
avec une rigidité presque mécanique et orientée ainsi vers la
conception de la souffrance comme premier avertissement adressé
à un hésitant (cf. Job 8, 4-6).

Les amis de Job ne prennent en considération que les biens
matériels et extérieurs : champs prospères, grands troupeaux,
postérité nombreuse, sécurité contre les pillards ou les accidents
naturels, considération sociale, longue vie. Ils en promettent la
possession aux justes, en annoncent la privation prochaine aux
impies qui d'aventure en jouiraient pour un temps bref. La liaison
est si ferme dans leur esprit qu'ils n'hésitent pas à conclure de

---

30. C'est cette dernière interprétation que suggère Deut. 8, 2-5 et
que développe Héb. 12, 5-11, avant une très rapide allusion en 12, 12
à la première interprétation. Une autre perspective, moins nettement
formulée dans Proverbes, est que la souffrance constitue une épreuve
qui doit rendre manifeste la valeur intime de celui qui lui est soumis.
S'il est question dans Prov. (17, 3 ; 21, 2 ; 16, 2) d'une évaluation des
cœurs par Dieu, semblable à celle de l'or, il n'est pas dit explicitement
que c'est au moyen de la souffrance ; mais l'idée se trouve ailleurs
(Job 1-2 ; Deut. 8, 2 ; Ps. 81, 8 ; Tob. 12, 13) et avec la comparaison
du creuset où s'affinent les métaux (Is. 48, 10 ; Zac. 13, 9 ; Ps. 26, 2 ;
66, 10 ; Judt. 8, 27 ; Sir. 2, 1-6 ; Sag. 3, 6 ; 1 Pi. 1, 6-7 ; 4, 12-13).

l'infortune actuelle du patriarche à des forfaits dissimulés jusque-là et amenés en plein jour par le châtiment divin : Eliphaz articule un réquisitoire (22, 5-9) en opposition complète avec l'apologie que le malheureux fera entendre un peu plus tard (31, 1-40).

Face à l'assurance du verdict porté par Eliphaz sur son ami tombé dans le malheur, on trouve une sorte d'indifférence objective des Proverbes, qui observent la diversité des conditions humaines, sans les soumettre aussitôt à un jugement de valeur morale. Ils notent en particulier la différence des riches et des pauvres dans la vie sociale [31], les effets de l'affabilité (15, 14 ; 16, 24), de la flatterie (29, 5), des cadeaux (17, 8 ; 21, 14), les petites roueries des marchandages (20, 14), le pouvoir du roi (20, 2, etc.), la nécessité de la persévérance (25, 15), l'honneur mutuel que parents et enfants tirent mutuellement les uns des autres (17, 6). Les Proverbes enregistrent des faits sans prétendre en apprécier aussitôt la valeur dernière.

Autre différence qui les sépare des amis de Job, les Proverbes, tout en estimant et promettant les mêmes biens matériels, placent à côté ou au-dessus d'eux des biens d'ordre spirituel. La sagesse procure la longue vie, la richesse et l'honneur. Mais par elle-même déjà elle assure le bonheur de qui la possède (3, 14-18 ; 4, 5-9). Elle vaut mieux que l'or (16, 16). La crainte de Dieu donne la vie (14, 27) ; de même la sagesse (8, 35). Le mot est d'une très vaste compréhension, susceptible de se dilater sans mesure. La promesse ne s'arrête à aucune perspective limitée et pourra dans le Nouveau Testament s'étendre jusqu'à l'espoir de la vie éternelle, qui reste encore en dehors du champ visuel des sages et des prophètes [32]. La sagesse fait éviter le chéol (15, 24), où descendent les familiers de la folie (9, 18). Il est difficile dans de pareilles sentences de mesurer exactement la part de l'hyperbole enthousiaste et celle de l'affirmation réfléchie.

La droiture conduit à l'intimité avec Dieu (3, 32 ; cf. Ps. 25, 14). C'est un bien d'ordre religieux, qui deviendra pour certains psalmistes le bien suprême, les consolant de toutes les infortunes (cf. Prov. 16, 20). Dans la bouche d'Eliphaz se fait entendre en

---

31. Prov. 10, 15 ; 13, 8 ; 14, 20 ; 18, 11.23 ; 19, 4.7 ; 22, 7.
32. Ainsi Ps. 34, 13-17, avec ses expressions vagues, est appliqué par 1 Pi. 3, 10-12 à la condition des chrétiens dans une visée eschatologique.

passant un accent analogue (Job 22, 25-26), mais l'impression finale reste que Dieu est considéré surtout comme un moyen d'obtenir le succès de ses entreprises (Job 22, 27).

On trouve donc dans les Proverbes une idée qui ne se rencontre pas chez les amis de Job, la supposition que l'on peut être juste, avoir la crainte de Dieu et rester cependant dans une condition très modeste. Bien plus cet état voisin de la pauvreté est préférable à la richesse injuste [33]. De même l'affection et la paix familiale l'emportent sur l'opulence dans la discorde (Prov. 15, 17 ; 17, 1).

Préludant à Job et Qohéleth, les auteurs de maximes témoignent d'une certaine conscience des limites de l'esprit humain. Le plus explicite est Agur (Prov. 30, 1-6). Mais d'autres rappellent que l'homme ne sait pas ce que lui apportera le lendemain (27, 1), qu'il ne peut prévoir l'issue de ses entreprises. La voie où il s'engage peut lui paraître droite, c'est-à-dire favorable, elle conduit en fait à la mort (14, 12 ; 16, 25). La voie peut paraître pure, c'est-à-dire innocente, vertueuse, mais Dieu seul apprécie les cœurs ou les esprits (16, 2 ; 17, 3 ; 21, 2). C'est de lui que vient la décision du sort (16, 33) ; c'est de lui que dépend la réussite des projets (16, 1 ; 19, 21 ; 21, 31). C'est lui qui dirige les pas de l'homme, incapable de comprendre sa voie (20, 24). Il n'y a ni sagesse, ni prudence, ni conseil en face de Dieu (21, 30), c'est-à-dire qui soit comparable à sa sagesse, ou qui soit capable de lui résister.

Ainsi, à prendre la totalité des Proverbes, on trouve maintes atténuations au ton très décidé de nombreuses maximes. Ce n'est pas l'aplomb imperturbable d'Eliphaz et de ses comparses, mais ce n'est pas encore tout à fait la mise en question radicale et systématique de Job et de Qohéleth. Si les Proverbes ont mis en garde contre l'attente naïve d'une rétribution immédiate et ne comportant aucune irrégularité, s'ils ont reconnu les succès bien réels des impies, les souffrances subies par les justes, dans l'ensemble leur ton est optimiste. C'est pourquoi il fallait s'arrêter à relever les indices montrant que ce livre ne soutient pas un système rigide, analogue à celui qui sera prôné par les amis de Job, mais qu'il reste ouvert à l'imprévu et au mystère des voies divines.

---

33. Prov. 15, 16 ; 16, 8.19 ; 19, 1.22 ; 28, 6.

e) Job et Qohéleth

Dans les deux écrits de Job et de Qohéleth la situation est inverse. Mais on peut passer plus rapidement, tant est claire la thèse qu'ils soutiennent. Non, le sort de l'individu ne correspond pas à sa valeur morale et religieuse. Une conduite intègre n'entraîne nullement le bonheur. Bien plus, l'absence d'une sanction immédiate est pour beaucoup un encouragement à la violence, à l'injustice, à la recherche effrénée du plaisir (Job 12, 4-6 ; 24, 1-12 ; Qoh. 8, 11).

Malgré ce résultat décevant de leurs observations, qui serait bien fait pour saper toute foi religieuse (cf. Job 34, 37), les deux écrits de Job et de Qohéleth expriment encore la conviction d'un juste jugement final, soit dans Job par le suprême cri de confiance du malheureux (19, 25-29) et par le dénouement heureux du récit en prose (42, 7-17), soit dans Qohéleth par quelques versets parsemés à travers les comptes rendus d'observations et par l'épilogue (12, 13-14). Qu'il faille ou non expliquer ces contrastes par une pluralité de rédacteurs, il reste au moins ceci : quelle que soit la pensée personnelle du poète de Job, ou du sage dissimulé sous le nom de Qohéleth, les livres entrés dans la collection sacrée juxtaposent des points de vue opposés, constatations amères de l'expérience et confiance indéfectible en une Providence équitable, sans se préoccuper d'en montrer la conciliation.

*f) Les espérances plus hautes de l'auteur de la Sagesse
et des psalmistes*

C'est cette conciliation qui va être donnée en fait par le livre de la Sagesse. Dans l'intervalle Ben Sirah n'a fait que reprendre la position générale des Proverbes, une confiance sereine en la Providence malgré des irrégularités provisoires ; il a seulement fortifié cette confiance par le souvenir du passé de son peuple (Sir. 44-50 ; cf. 2, 10 ; 16, 5-10). Le livre de la Sagesse, lui, répond au scandale qu'avait observé Qohéleth pour le déplorer : « Comme il n'y a pas de verdict sur les mauvaises actions exécuté sans tarder, le cœur des hommes s'enhardit à faire le mal » (Qoh. 8, 11). Le Sage développe cette pensée dans un long monologue (Sag. 2), où les impies, raisonnant faussement, affirment leur intention de rechercher le plaisir avant la mort inévitable, sans se préoccuper de la justice (cf. Is. 22, 13 ; 3, 10 LXX). Bien loin de critiquer

Qohéleth (contrairement à ce qu'on dit parfois), le Sage abonde dans son sens, mais sans le souligner expressément. Il reprend la pensée de son prédécesseur pour la porter plus loin et donner enfin une solution à l'aporie qu'il avait exprimée : « L'homme ne peut trouver ce que Dieu fait du commencement jusqu'à la fin » (Qoh. 3, 11). De cette ignorance les impies tirent une négation radicale : à leurs yeux, la fin de tout pour l'homme, c'est le décès corporel (Sag. 2, 3). Il n'y a rien au delà. Nul n'est revenu de l'Hadès pour faire connaître la vie qu'on y mène (Sag. 2, 1.5).

Ainsi la doctrine de l'immortalité bienheureuse n'est pas une donnée d'expérience, ni une doctrine qui serait susceptible d'être confirmée ou démentie par elle. C'est un mystère que Dieu révèle à ses fidèles et que les impies ignorent, aveuglés qu'ils sont par leur malice (Sag. 2, 21-23). Elle résulte de l'espérance mise indéfectiblement dans la récompense destinée aux âmes pures (Sag. 2, 22). L'expérience décevante faite par Job et Qohéleth est venue donner un démenti apparent à cet espoir, en réalité lui lancer le coup d'éperon qui le fait bondir au delà de sa visée première. La foi initiale en la bénédiction promise à l'observation de la Loi s'est maintenue en se modifiant, pour ne pas entrer en contradiction avec les observations tragiquement douloureuses faites par Job et Qohéleth.

Toutefois les expériences négatives de ces deux sages auraient été une base bien fragile pour les espérances plus hautes du livre de la Sagesse, s'il n'y avait eu parallèlement des expériences positives dont le Psautier a gardé la trace. Les observateurs du dehors de la condition humaine ont constaté que les bénédictions d'ordre matériel promises par la Loi ne se vérifiaient pas au plan individuel : certains justes éprouvaient les pires infortunes, tandis que des impies réussissaient et prospéraient. Mais simultanément des psalmistes confrontés avec ce scandale le surmontaient en découvrant dans la familiarité de Dieu un bonheur qu'aucune hostilité de leurs ennemis, aucune souffrance ne pouvaient leur enlever. Le Psaume 73 est le plus explicite à ce sujet. Après un temps où sa foi était ébranlée, le croyant a surmonté son désarroi. Désormais il est auprès de Dieu et sans désir pour autre chose que Lui.

Finalement dans la gloire tu me prendras.
Qui donc aurai-je dans le ciel ?
En dehors de toi je ne désire rien sur la terre.

Ma chair et mon cœur sont consumés.
Le rocher de mon cœur et ma part, c'est Dieu à jamais.
... Pour moi approcher de Dieu est mon bien.
J'ai placé mon refuge dans le Seigneur (73, 24-28).

Ce psaume et quelques autres semblables envisagent-ils une vie éternelle ? La question est débattue [34]. D'une certaine façon elle est sans importance pour le présent propos. Ce qui reste indubitable en toute hypothèse, c'est que des fidèles ont plus d'une fois trouvé une joie profonde dans la louange divine, qu'ils ont goûté la paix dans le séjour du temple [35] et qu'ils sont allés jusqu'à estimer ces expériences de la faveur de Dieu supérieures à tous les avantages d'une prospérité matérielle [36]. Quelques-uns ont-ils vu dans ces moments bienheureux l'avant-goût et la promesse d'une béatitude sans fin ? S'ils ne l'ont pas fait, l'auteur du livre de la Sagesse promet indubitablement la vie éternelle et se sert pour l'évoquer d'expressions empruntées aux psaumes. Les justes sont dans la paix et le repos (3, 3 ; 4, 7). Comptés parmi les fils de Dieu (5, 5), ils ont une place proche de Lui dans son temple (6, 19 ; 3, 14). Ils comprennent la vérité et bénéficient de l'amour de Dieu (3, 9). Ils éprouvent sa grâce, sa miséricorde, sa sollicitude (3, 9 ; 4, 15 ; 5, 15). Les images de domination politique, fréquentes chez les prophètes, ne tiennent plus ici qu'une place minime (Sag. 3, 8).

Finalement le Sage a donc élaboré une doctrine qui dépasse l'expérience, mais qui néanmoins en utilise les leçons, qu'il s'agisse des constatations négatives enregistrées par Job et Qohéleth ou des données positives dont témoigne la plus fervente piété des psalmistes. Le ressort actif de cette doctrine de la vie éternelle est la croyance en la rétribution divine.

---

34. On peut voir A.M. Dubarle, *Les sages d'Israël*, 1946, pp. 137-139, où les Ps. 49 ; 73 et 16 sont considérés comme témoignant d'une espérance de vie éternelle. Cette conclusion me semble maintenant moins assurée. On peut voir en sens inverse R. Tournay, « L'eschatologie individuelle dans les Psaumes », dans RB 56 (1949), pp. 481-506.

35. Ainsi Ps. 26, 6-8 ; 27, 4 ; 36, 8-10 ; 42-43 ; 65, 5 ; 71, 23 ; 84.

36. Ainsi Ps. 4, 8 ; 17, 15 ; 63, 4 ; 73, 25 ; 84, 11 ; 119, 103. Il y a, en outre, plusieurs psaumes où les motifs sont moins nets. Le fidèle se réjouit de trouver auprès de son Dieu une protection contre les calomnies ou les embûches de ses ennemis. La cause de son bonheur est-elle dans ce cas d'ordre purement religieux ou d'ordre humain ?

Mais ce qui est remarquable, c'est la lenteur avec laquelle Israël en est venu à l'espérance d'une vie future [37]. Il semble que ce résultat d'un travail séculaire d'observations et de réflexions aurait pu être atteint beaucoup plus tôt. Les Egyptiens connaissaient un enseignement sur les sanctions d'outre-tombe. Les peintures du « livre des morts » représentent les dieux se livrant à la pesée des âmes. Les textes babyloniens et iraniens utilisent la métaphore. Des auteurs bibliques ont bien probablement connu cette conception, puisque l'image de la balance se retrouve dans Job 31, 6 ; Ps. 62, 10 ; Dan. 5, 27, mais sans aucune allusion à une vie future [38]. Plutôt que d'adopter un espoir consolant, Israël est resté attaché à l'antique description d'un morne chéol, lieu de ténèbres et d'engourdissement. Il a fallu se convaincre irréfutablement que la rétribution des mérites ne se réalisait pas dans la vie présente avant d'admettre une récompense dans l'au-delà [39].

L'intérêt de ce cheminement spirituel dans la question de la justice divine est de fournir un exemple de collaboration étroite entre une expérience attentive aux faits et un principe de foi

37. O.S. RANKIN, *Israel's Wisdom Literature. Its Bearing on Theology and the History of Religion*, 1936, s'est efforcé particulièrement de déterminer les causes qui ont retardé en Israël l'adoption d'une croyance en une vie future comportant la sanction des mérites individuels, croyance qui existait chez ses voisins. Il discerne trois raisons : 1. Yahweh est un Dieu du ciel (cf. Ps. 115, 16-18), alors que ce sont les dieux de la terre et du monde souterrain qui jouent un rôle dans les croyances en une vie d'outre-tombe ; - 2. Yahweh est un Dieu transcendant à la nature, alors que les religions comportant la croyance en une survie sont des religions naturistes ; — 3. enfin, et c'est ce qui nous intéresse le plus ici, en Israël régnait une foi très forte en une rétribution temporelle de la fidélité à la Loi ; cette rétribution, conçue comme collective et pouvant comporter des retards dans le temps, ne provoquait pas le besoin de chercher une solution plus satisfaisante (ch. 7 et 8).

38. Il n'est pas certain que dans Prov. 16, 2 ; 21, 2 ; 24, 12 le verbe hébreu, souvent traduit par « peser », ait cette signification précise. L'image de la balance revient dans les livres tardifs et non canoniques (Psal. Salom. 5, 4 ; Hen. 41, 1).

39. Ce qui s'est passé dans le courant sapientiel, à partir de faits universellement humains, a eu son analogue dans le courant historique et prophétique. Ce sont les supplices et la mort des justes les plus fidèles dans la persécution, qui ont provoqué, lors de la réaction maccabéenne, la croyance en la résurrection dont témoignent Dan. 12, 1-3 ; 2 Mac. 7, 9.11.14.23 ; 12, 43-45 ; 14, 46.

religieuse, qui venait de la tradition nationale israélite, ou du moins avait reçu dans cette tradition une forme plus précise. La solution finale adoptée par le livre de la Sagesse n'est pas une théorie abstraite, tombée du ciel par révélation massive ou empruntée paresseusement à l'étranger, mais le fruit d'un long effort pour cerner la réalité par les voies, qui doivent finalement converger, de la foi et de l'observation.

La croyance en une rétribution temporelle, telle qu'on la trouve dans la Loi, entraîne inévitablement une confrontation avec l'expérience. Elle éveille une attente qui doit être satisfaite par les événements. Mais elle fait naître pour certains esprits le danger de s'attacher inflexiblement à une doctrine traditionnelle et de fermer les yeux aux démentis de l'expérience. C'est l'attitude dont les amis de Job donnent un exemple extrême, finalement condamné. Les livres de Job et de Qohéleth, pris dans leur totalité, n'ont pas cherché à maintenir à tout prix une vue *a priori* ; ils ont fait place aux leçons de l'expérience et ont ainsi préparé de loin un épanouissement qu'eux-mêmes n'ont pas atteint.

La croyance en une rétribution d'outre-tombe, qui se retrouve dans d'autres religions que celle d'Israël, qui n'est pas liée à une alliance conclue avec un peuple particulier, a été dans la tradition des sages élaborée par un actif travail de l'esprit. L'exemple nous apprend que la raison et la foi, bien que distinctes, ne doivent être ni opposées, ni séparées.

LES TEXTES CLASSIQUES

Chapitre 1

LA CONNAISSANCE DE DIEU
PAR LE MONDE VISIBLE
D'APRÈS LE LIVRE DE LA SAGESSE

Au milieu d'une méditation sur l'action de la Sagesse dans l'histoire d'Israël (Sag. 10-19) s'insère un excursus traitant de diverses formes erronées du paganisme, qui sont tour à tour critiquées [1]. Une première section rejette la divinisation des forces naturelles et des astres (13, 1-9).

PRÉCAUTIONS DE MÉTHODE

Ce morceau est difficile à interpréter exactement [2]. Les parallèles profanes qu'on peut citer doivent-ils incliner à reverser dans un texte elliptique les idées plus clairement exprimées dans des développements plus précis ? ou faut-il, au contraire, s'en tenir à ce vague de la pensée, y voir le signe d'un esprit qui n'a pas abordé certains problèmes ? Faut-il comprendre ce passage dans le cadre de la vue biblique, pour laquelle l'existence même de Dieu n'est pas une question réclamant une réponse, mais une certitude première ? ou faut-il le replacer parmi les tentatives de la pensée grecque pour démontrer l'existence de Dieu (des dieux) face à des négations ou à des doutes nettement formulés ?

Une première observation, tendant à suggérer qu'il ne s'agit

---

1. Voir en fin de chapitre la liste des ouvrages consultés. Les références seront faites par le nom de l'auteur. Une bibliographie plus complète est donnée par M. Gilbert.
2. J'ai déjà donné une interprétation de ce texte dans *Les sages d'Israël*, 1946, pp. 225-231. Je ne pense pas avoir à la modifier sur le point principal : qu'il n'y a pas ici une vraie démonstration de l'existence de Dieu. Pour une correction sur un point, voir plus loin, p. 144, n. 36.

pas ici proprement d'une démonstration de l'existence de Dieu, est que le Sage s'en prend à des hommes qui regardent comme des dieux certains éléments du monde sublunaire ou encore les astres. Ce ne sont donc pas de purs athées. Ils recherchent Dieu et désirent le trouver ; ils le conçoivent comme une puissance gouvernant le monde et d'une excellence supérieure. Le Sage veut rectifier leurs conceptions plutôt que leur faire découvrir une réalité qu'ils auraient totalement ignorée ou même niée.

Dans le milieu grec lui-même la considération du monde visible n'a pas toujours joué un rôle identique.

Ce sont deux choses bien différentes, écrit A.J. Festugière, que de donner une preuve de l'existence de Dieu à partir de l'excellence du macrocosme (ou du microcosme) et de contempler le monde, en particulier le ciel étoilé, dans un sentiment de révérence et d'amour pour se laisser mener par cette contemplation jusqu'à l'adoration du Dieu ordinateur ? Dans le premier cas on a affaire à un argument philosophique : l'exposé, plus ou moins bien conduit, de la preuve classique par l'ordre du monde, dans le second, on se trouve en présence d'une attitude religieuse qui peut comporter elle-même bien des nuances... Peut-être n'a-t-on pas toujours marqué avec assez de soin la diversité psychologique de ces deux gestes et, à force d'insister sur l'ancienneté de la preuve téléologique, risque-t-on de méconnaître ce qu'il y eut d'original et de vraiment nouveau dans le mysticisme cosmique de l'âge hellénistique [3].

Plus anciennement, dans le développement de la pensée grecque, le souci de plusieurs des premiers philosophes a été de corriger les idées religieuses de leur milieu, de proposer une doctrine meilleure et plus vraie, sans se préoccuper d'abord de démontrer l'existence de Dieu, des dieux ou du divin, qui était communément accepté [4].

---

3. A.J. Festugière, *La révélation d'Hermès Trismégiste*. II, *Le Dieu cosmique*, 1949, p. 75. - Voir aussi *La Grèce. La religion*, p. 45, dans *Histoire générale des religions*, sous la direction de M. Gorce et R. Mortier, t. II, 1944.
4. Des ouvrages comme ceux de P. Decharme, *La critique des traditions religieuses chez les Grecs des origines au temps de Plutarque*, 1904, ou de W. Jaeger, *Die Theologie der frühen griechischen Denker*, 1953 (trad. fr. *A la naissance de la théologie. Essai sur les Présocratiques*, 1966), montrent bien qu'une réflexion philosophique sur des problèmes religieux ne comporte pas toujours une démonstration de l'existence des dieux ou de Dieu.

Ces remarques relatives à l'esprit grec doivent, à plus forte raison, inviter à la circonspection quand il s'agit d'un auteur influencé incontestablement par la littérature hellénistique, mais dont les conceptions fondamentales proviennent des écritures sacrées d'Israël. Il ne manque pas d'exégètes pour voir dans Sag. 13, 1-9 une démarche semblable à celle de la philosophie grecque visant à démontrer l'existence de Dieu par un raisonnement : des ressemblances de vocabulaire ou de certaines données conceptuelles leur font conclure à un processus de pensée identique. Il y aurait donc dans la Sagesse une différence avec la perspective propre à l'Ancien Testament, où le fidèle croit en Celui qui se manifeste dans la nature et dans l'histoire, où il contemple à travers sa foi les merveilles du monde visible [5].

D'autres exégètes, toutefois, ont émis des appréciations différentes, sans compter ceux qui se sont bornés à une paraphrase vague du texte ou à des informations sur la religion astrale dans l'antiquité. Après une analyse de ces versets et un aperçu des données de l'Ancien Testament et de la philosophie grecque, C. Larcher conclut :

Si l'écrivain inspiré affirme que le Créateur peut et doit être connu à partir du monde visible, il ne met pas en œuvre une véritable démonstration de l'existence de Dieu... Sans doute on sent percer, à travers tout ce développement, certaines réminiscences des arguments invoqués à l'époque pour prouver l'existence d'un dieu cosmique ou la réalité d'une providence... On a l'impression que l'auteur est au courant de certaines démonstrations. Et pourtant il n'en a exploité aucune [6].

_____

5. Ainsi R. CORNÉLY, pp. 463-464 ; H. EISING, p. 399 ; J. FICHTNER, *Commentaire*, p. 49, *Stellung*, p. 129 ; M. GILBERT, pp. 25, 41, 45 ; P. VAN IMSCHOOT, *Théologie de l'A.T.* ; I, *Dieu*, 1954, p. 6. — De manière plus ou moins nette : P. HEINISCH, *Commentaire*, pp. 256-257 ; J.M. REESE, pp. 51.56 ; J. WEBER, p. 488a ; G. ZIENER, pp. 24, 74, 135. — H. SCHLIER oppose la découverte immédiate dont il est question dans Rom. 1, 20 à la conclusion tirée par raisonnement dans Sag. 13, 5, influencée par la philosophie grecque hellénistique : « Die Erkenntnis Gottes nach den Briefen des Apostels Paulus », dans *Besinnung auf das Neue Testament*, 1964, p. 322, n. 8. (Trad. fr. « La connaissance de Dieu d'après les épîtres de saint Paul », dans *Le message de Jésus et l'interprétation moderne*, 1969, p. 211, n. 8.)

6. C. LARCHER, *Connaissance naturelle*, pp. 61-62. — Idées voisines dans B. GAERTNER, p. 127 ; J. REIDER, p. 158.

5

Ce jugement réservé se justifie pleinement quand on compare le Sage avec Philon, le penseur juif qui s'est efforcé de faire une synthèse entre sa foi religieuse et la philosophie grecque. Chez ces deux représentants du judaïsme alexandrin, peu éloignés dans le temps, une double influence s'est exercée, celle de la Bible et celle de la spéculation païenne, et il y a eu essai d'harmonisation. Bien plus, tous deux polémiquent pareillement contre trois degrés de l'erreur religieuse : le culte des forces cosmiques, le culte des idoles, celui des animaux. Toutes ces affinités rendent d'autant plus remarquables les différences qui subsistent.

Dans cette enquête sur Dieu, dit Philon, voici les deux questions principales qui se présentent à l'esprit du philosophe authentique : d'abord si le divin existe,... ensuite ce qu'est le divin quant à son essence.

La première question reste étrangère au Sage, qui s'en prend uniquement à de fausses religions, admettant l'existence de dieux. Mais Philon développe un argument contre l'athéisme proprement dit :

On a toujours passé, par une déduction naturelle, des ouvrages produits à la connaissance de ceux qui les ont produits. ...Car aucun produit de l'art ne se fait tout seul (*apautomatizétaï*) ; or le monde est l'ouvrage où se voit le plus d'art et de science, en sorte qu'il a été fabriqué par le plus savant et le meilleur des artisans. Voilà comment nous avons acquis la notion de l'existence de Dieu [7].

Une telle argumentation fait défaut chez le Sage : pour lui Dieu est bien l'artisan que l'on peut connaître par ses œuvres. Mais il n'y a aucune démonstration de l'existence d'un tel artiste souverain ; c'est une donnée première, ou du moins qui n'est pas explicitement dérivée d'une autre.

Il faut donc reprendre l'examen de cette péricope en se gardant de sous-entendre précipitamment ce qu'elle ne dit pas expressément. Il faut, bien sûr, compter avec la possibilité d'influences reçues, grâce auxquelles nous pouvons aujourd'hui suppléer ce qui pour l'auteur et ses lecteurs allait sans dire. Mais il faut

---

7. PHILON D'ALEXANDRIE, *De specialibus legibus*, I, 32-35 ; traduction A.J. FESTUGIÈRE, *Le Dieu cosmique*, 1949, p. 562.

aussi prendre conscience que cette question est complexe et difficile à trancher.

D'une part, le fait qu'un développement ou une argumentation s'appuie sur des textes bibliques cités explicitement ou facilement reconnaissables n'exclut pas dans les écrits rabbiniques une action indirecte de la pensée païenne : celle-ci posait un problème que l'on essaie de résoudre grâce à l'Ecriture, ou émettait une opinion que l'on cherche soit à réfuter soit à mettre en harmonie avec la foi juive. L'impulsion vient du dehors, bien que le matériel conceptuel mis en œuvre soit fourni par les livres sacrés. Cette remarque [8] peut valoir également pour le livre de la Sagesse.

D'autre part, la présence de mots étrangers aux Septante ou prenant un sens qu'ils ne connaissent pas n'a qu'une portée très limitée pour l'interprétation de la pensée [9]. Il y a une série de cas où une idée biblique est exprimée simultanément par deux termes synonymes en parallèle : l'un tiré du vocabulaire de la version grecque, l'autre n'y figurant pas. Le mot *pronoïa* était familier aux stoïciens, mais inconnu des Septante ; l'idée de Providence est incontestablement biblique [10].

On ne peut donc s'appuyer sur des critères linguistiques facilement repérables, mais d'une valeur démonstrative très faible ou nulle, pour déclarer que la pensée de Sag. 13, 1-9 se tient dans la perspective biblique de l'Ancien Testament ou qu'elle s'infléchit dans la ligne de la philosophie grecque. Il faut avoir l'attention toujours éveillée à droite comme à gauche. Mais l'examen doit se porter d'abord sur des analogies manifestes et indubitables que le texte de Sag. 13, 1-9 présente avec l'Ancien Testament [11], car il est certain que le Sage a connu personnellement et directement les Ecritures de son peuple. Les parallèles bibliques ont tous été rencontrés par lui et ils ont contribué même inconsciemment

---

8. Remarque faite par S. MORTON SMITH, « The Image of God. Notes on the Hellenisation of Judaism... », dans *BJRL* 40 (1958), pp. 473-512, voir p. 481.

9. Par exemple *prytanis, technitès, génésiarchès, analogôs*. Mais M. Gilbert, p. 35, note que, malgré l'inspiration philosophique plus sensible ici que dans le reste du livre, la langue n'est pas celle de la philosophie d'alors.

10. J.M. REESE, pp. 5-6. Cf. T. FINAN, pp. 39-40. Voir Sag. 14, 3.

11. Dans ce qui suit la Bible est citée d'après le texte hébreu, mais en notant, si c'est utile, les différences avec la traduction grecque des Septante, utilisée par le Sage.

à constituer un capital de pensées et d'expressions où il pourrait puiser le jour venu. Mais les parallèles profanes que l'on a pu multiplier autour de tel verset de la Sagesse montrent seulement qu'une idée était dans l'air à cette époque et qu'elle avait des chances d'être connue par un juif de culture moyenne. Il ne s'agit pas de nier d'avance toute influence de la pensée grecque, mais de mieux discerner les cas où elle seule peut expliquer ce que notre livre a d'original par rapport au reste de la Bible.

COMMENTAIRE DU TEXTE : LE CULTE DES FORCES NATURELLES

La polémique contre les erreurs païennes (Sag. 13—15) se répartit en trois sections concernant successivement le culte des forces cosmiques (13, 1-9), celui des idoles (13, 10—15, 13), l'adoration d'animaux vivants s'ajoutant à l'idolâtrie (15, 14-19). Un tel souci d'énumération complète peut se réclamer de précédents bibliques [12]. Jérémie dans un long discours énumère toutes les fausses divinités auxquelles ses compatriotes ont voué un culte : Baal (7, 9), la Reine du ciel (7, 18 ; LXX : l'armée du ciel), les dieux étrangers (7, 6.9.18), des abominations (des idoles) dont le nom n'est pas précisé (7, 30), le soleil, la lune et toute l'armée du ciel (8, 2). Dans Ezéchiel une vision montre au prophète transporté dans le temple une idole excitant la jalousie de Yahweh, puis une représentation murale, sculptée probablement, de reptiles, d'animaux répugnants et d'idoles, plus loin des femmes pleurant Tammuz, enfin des adorateurs du soleil (Ez. 8, 3-18). Le parallèle n'est sans doute pas fortuit, car il y a d'autres points de contact entre la Sagesse et Ezéchiel [13].

Venons-en maintenant à la section qui critique le culte des forces naturelles (Sag. 13, 1-9).

---

12. Cf. M. GILBERT, p. 266.
13. Sag. 1, 13 et Ez. 18, 32 : Dieu ne veut pas la mort. — Sag. 4, 4-5 et Ez. 17, 9-10 ; 19, 12 : la vigne inutile arrachée par le vent. — Sag. 5, 8 et Ez. 16, 49 : péché d'orgueil et de jouissance immodérée. — Sag. 11, 26 et Ez. 18, 4 : toutes les âmes sont à Dieu. — Sag. 14, 2 et Ez. 27 : le navire construit en vue du commerce. — Sag. 15, 4 et Ez. 23, 14-16 : séduction exercée par une peinture. — Sag. 17, 3 et Ez. 8, 12 : se cacher de Dieu dans les ténèbres. La ressemblance porte plus sur l'idée que sur les mots.

« Ils ont été d'un vain naturel tous les hommes en qui se trouvait l'ignorance de Dieu et qui n'ont pas été capables par les biens visibles de connaître Celui qui est » (13, 1).

Les adeptes de la religion cosmique sont « vains ». Ce mot résume les réflexions des sages sur le caractère trop souvent superficiel de l'esprit humain, mais il est aussi choisi parce que les idoles et les dieux païens sont fréquemment désignés de la sorte (*hébèl* en hébreu ; *mataïon* en grec). Israël avant l'exil est allé suivre la vanité et il est devenu lui-même vain (2 Rois 17, 15 ; Jér. 2, 5). L'adorateur devient semblable à sa fausse divinité (Ps. 115, 8). Le Sage applique aux païens étrangers ce que les auteurs bibliques précédents avaient dit des idolâtres en général (Is. 44, 9 LXX) ou même de leur propre peuple, séduit par les dieux venus du dehors.

La cause de cette vanité est l'ignorance de Dieu. Déjà cette ignorance était reprochée aux nations païennes (Jér. 10, 25 ; Ps. 79, 6). Par les êtres visibles qui sont bons (cf. Gen. 1, 27) les serviteurs des forces naturelles n'ont pas été capables de connaître Celui qui est (Sag. 13, 1). Dieu est désigné ici par un terme qui peut avoir une résonance philosophique exploitée par Philon [14]. Mais chez les deux penseurs juifs le participe est au masculin et non pas au neutre comme chez les philosophes grecs. Il s'applique à un Dieu personnel, non pas à l'être abstrait. C'est la formule qui traduisait dans les Septante l'explication du nom divin dans Ex. 3, 14. Elle devait avoir une valeur normative parmi les Juifs d'Alexandrie, car on la retrouve plusieurs fois, à la suite d'une erreur de lecture de l'original hébreu, dans la traduction grecque de Jérémie [15].

Dieu est encore caractérisé comme l'artisan dont le monde est l'ouvrage. On estime plus d'une fois qu'une influence grecque se fait sentir dans l'usage de ce terme [16]. La chose est probable. Mais si le mot *technitès* n'est pas appliqué à Dieu dans un autre pas-

---

14. Philon a utilisé ce nom plus de quatre-vingts fois. Déjà Platon, dans le *Timée* (27-28), avait distingué entre ce qui est et ce qui devient. Cf. G. ZIENER, p. 45.

15. Jér. 1, 6 ; 4, 10 ; 14, 13 ; 32 [39], 17. Cf. H.J. WARNER, dans *JTS* 48 (1947), p. 203.

16. Ainsi B. GAERTNER, p. 129 ; F. FELDMANN ; J.A.F. GREGG ; P. HEINISCH, p. 256 ; J.M. REESE, p. 56.

sage des Septante [17], l'idée n'est pas étrangère à la Bible. Le ciel,
les astres et la terre sont l'œuvre des mains de Dieu (Ps. 8, 4 ;
19, 2 ; 95, 5 ; 102, 26 ; Is. 45, 12), de même l'arc-en-ciel (Sir. 43,
12). Yahweh pose la charpente de sa demeure céleste (Ps. 104,
3). Il est le père et le potier d'Israël (Is. 64, 7 ; cf. Is. 29, 16 ;
43, 1 ; 45, 9-11 ; Jér. 18, 4-6 ; Sir. 33, 13), comme de l'humanité
(Gen. 2, 7). Il a bâti la femme (Gen. 2, 22). Il tisse et brode
l'enfant dans le sein de sa mère (Ps. 139, 13-15 ; LXX a supprimé
l'image ; cf. Job 10, 9-11 ; 2 Mac. 7, 22). Il a orné les hautes
œuvres de sa sagesse (Sir. 42, 21). Dans plusieurs de ces textes
perce l'admiration pour la beauté réalisée par l'artiste divin. Le
Sage a donné une expression plus générale et abstraite à la
pensée qui inspirait ses prédécesseurs. C'est probablement son
contact avec la culture grecque qui l'y a poussé. De même il a
traduit une autre idée biblique par un mot nouveau « providence » (14, 3).

« *Mais c'est le feu, le vent, l'air agile ou le cercle des astres,
ou l'eau impétueuse ou les luminaires du ciel, régents du monde,
qu'ils ont tenus pour des dieux* » (13, 2).

Cette divinisation des éléments, des forces cosmiques s'exerçant
sur la terre, et surtout des astres est une aberration religieuse
bien connue de l'Ancien Testament. Avant l'exil l'adoration du
soleil, de la lune et de l'armée des cieux, à l'imitation des peuples
étrangers a été la tentation d'Israël et souvent son péché (Deut. 4,
19 ; 17, 3 ; 2 Rois 17, 16 ; 21, 5 ; Jér. 8, 2 ; 19, 13 ; Sop. 1, 5 ;
Job 31, 26 ; etc.). Chez les païens ce culte pervers persistait toujours. Chez les Egyptiens ou les Grecs différents dieux étaient
la personnification des astres, des éléments ou des forces agissant
dans le monde. La philosophie stoïcienne avait tenté d'interpréter
rationnellement les légendes mythologiques comme des allégories
contenant un enseignement sur la constitution de l'univers. La
religion populaire en Egypte versait dans l'astrologie.

Le Sage fait allusion de manière générale à ces différents courants. Mais il évite les termes philosophiques trop précis, comme
le feu *technicon* [18].

Peut-être des données bibliques se mêlent-elles à ce qu'il sait

---

17. Cf. J.M. REESE, p. 54 ; M. GILBERT, p. 6.
18. Cf. M. GILBERT, p. 36.

des théories philosophico-religieuses de ses contemporains. Le
Sage mentionne « l'eau impétueuse » parmi les faux dieux, nés de
la vanité des hommes. Se rappelle-t-il le mythe babylonien qui
faisait de la mer primordiale une divinité (Tiamat) vaincue ensuite
par le jeune dieu Marduk ? ou le mythe d'Ugarit sur la lutte
entre Baal et Yam (la mer) ? Un écho de plus en plus assourdi
s'en fait entendre dans la Bible, et les croyants israélites les ont
démythisés en faisant de la mer une force tumultueuse, mais
pleinement contrôlée par Yahweh (Ps. 74, 13-14 ; 89, 10-11 ; 104,
6-9 ; Prov. 8, 28-29 ; Job 9, 13 ; 26, 12-13 ; 38, 8-11 ; Is. 51, 9-10 ;
Jér. 5, 22 ; Sir. 43, 23) [19]. Finalement dans le récit de la création
la mer n'est plus que l'amas des eaux, où foisonnent des monstres géants, créés par Dieu (Gen. 1, 10.21). Parallèlement le feu
et le vent, mentionnés par le Sage dans son énumération, sont
représentés comme les serviteurs qui précèdent ou accompagnent
Yahweh (1 Rois 19, 11-12 ; Ps. 18, 9-13 ; 50, 3 ; 97, 3 ; 104, 3-4 ;
Bar. 6, 60-61).

Assurément ces textes bibliques ne suffiraient pas par eux-
mêmes à faire reconnaître l'origine païenne des thèmes qu'ils
exploitent. Ils semblent au lecteur non averti ne contenir que de
simples métaphores poétiques, tout au plus une cosmogonie prise
à la lettre. Mais peut-être le Sage pouvait-il connaître les mythes
païens et la correction fondamentale que leur avaient fait subir
les auteurs bibliques, quand ils avaient fait des divinités du chaos
les serviteurs obéissants du seul Seigneur. Des écrivains plus ou
moins récents avaient donné pour le public grec un exposé de
la cosmogonie babylonienne ou de la mythologie phénicienne.
Bérose, au troisième siècle avant notre ère, avait résumé assez
exactement le combat de Bel, dieu babylonien, contre Tiamat,
et la formation du ciel et de la terre avec les deux parties du
monstre coupé par le milieu. Un énigmatique Sanchouniaton
avait rassemblé diverses données des traditions phéniciennes,
qui ont été authentiquées par les découvertes modernes de Ras
Shamra (Ugarit). Elles nous sont parvenues par l'intermédiaire
d'Eusèbe de Césarée, mêlées maintenant à beaucoup d'emprunts
faits à la mythologie grecque.

—————

19. Voir O. KAISER, *Die mythische Bedeutung des Meeres in Aegypten,
Ugarit und Israel* (Beihefte für die Altt. Wiss., 78), 1959 et ma recension
dans *RSPT* 44 (1960), pp. 123-124.

Ce n'est pas le lieu ici d'entreprendre un triage et une évaluation de ces vestiges confus [20]. Il suffisait d'y faire une rapide allusion pour comprendre que le Sage n'était pas limité à ce qu'il pouvait connaître des spéculations stoïciennes, qu'il pouvait avoir quelque idée d'autres conceptions religieuses païennes et s'orienter à leur égard grâce aux correctifs déjà apportés par les écrivains bibliques.

Une énumération de forces naturelles, très proche de Sag. 13, 2, se trouve dans la Lettre de Jérémie (Bar. 6) [21]. Cet écrit polémique contre l'idolâtrie et non contre la divinisation des éléments. Mais il présente plusieurs rencontres de termes, ou d'idées [22], avec la péricope où le Sage critique à son tour le culte des idoles et, déjà, avec celle où il critique les conceptions de la religion cosmique [23]. Le soleil, la lune, les étoiles, l'éclair, le vent, les nuées,

---

20. On pourra s'orienter rapidement sur ces questions et trouver des références bibliographiques dans *Religion in Geschichte und Gegenwart* [3], art. « Berosus » par W. von Soden, t. I, 1957, col. 1069 ; art. « Philo Byblius » et « Sanchuniaton » par O. Eissfeldt, t. V, 1961, col. 346 et 1361. Ces textes de l'Antiquité nous sont parvenus à travers de multiples intermédiaires avant ou après Eusèbe. Ceux de Sanchouniaton ont été traduits par Philon de Byblos (premier et second siècles de notre ère), mais probablement déjà amplifiés par des adaptateurs. Il n'est pas nécessaire de discuter ici dans quelle mesure les échos bibliques de ces conceptions païennes dépendent plus d'Ugarit ou de Babylone. Voir O. Kaiser (cf. note précédente), pp. 140-152. D'après R. du Mesnil du Buisson, Philon de Byblos aurait utilisé non moins de dix textes anciens et récents pour composer son tableau : *Etudes sur les dieux phéniciens hérités par l'empire romain*, 1970, pp. 53-54. Le livre de la Sagesse ne présente pas de ressemblance particulière avec Bérose ou Philon de Byblos : ceux-ci ne sont mentionnés qu'à titre d'exemples de la curiosité antique pour les religions étrangères.

21. Ce livret n'est conservé que dans les Septante, mais il a probablement un original hébraïque. Il doit dater du deuxième siècle avant notre ère.

22. Ces ressemblances sont notées épisodiquement par M. Gilbert, pp. 77, 84, 93, mais non dans les pages consacrées à l'étude de Sag. 13, 1-9.

23. W. Jaeger, *Die Theologie der frühen griechischen Denker*, 1953, pp. 301-302, n. 68 et 69 (trad. fr. *Présocratiques*, p. 266, n. 68 et 69), signale que le terme *nomizô* n'a pas une valeur de pensée purement individuelle ou rationnelle. Il se rapporte à ce que la loi (*nomos*) établissait dans le culte de la cité ou à la convention admise par l'opinion commune. Il y a probablement cette nuance également dans

le feu sont des serviteurs obéissants de Dieu (Bar. 6, 59-61) ;
c'est une autre manière de dire que Dieu est leur Maître (cf.
Sag. 13, 3). Ces êtres sont brillants et beaux à voir ; ils surpassent
les idoles par leur aspect et leur puissance (Bar. 6, 62 ; cf. Sag. 13,
3-4).

Même si le Sage a disposé de bonnes informations sur les courants religieux du paganisme contemporain, des écrits bibliques
ou non pouvaient aussi attirer son attention sur des déviations
religieuses comparables, mais plus anciennes, et inspirer le choix
des données énumérées [24].

DE LA CRÉATION A SON AUTEUR

« *Si c'est charmés de leur beauté qu'ils les prenaient pour des
dieux, qu'ils sachent combien le maître leur est préférable ; car
c'est le premier principe de la beauté, qui les créa. Et si c'est par
admiration de leur puissance et de leur activité, qu'ils comprennent par eux combien celui qui les a disposés est plus puissant* »
(13, 3-4).

La beauté et la puissance des êtres visibles sont pour le Sage
le moyen de connaître le Créateur qui l'emporte de beaucoup
sur eux en excellence. La louange de la puissance divine est fréquente dans la Bible et il est inutile de s'arrêter longtemps à le
montrer. On attribue parfois à l'influence grecque la mention de
la beauté faite aux vv. 3-5 [25]. En fait les anciens livres narratifs

---

la Lettre de Jérémie (Bar. 6, 39.44.56.63 ; cf. 2 Mac. 2, 2-3), malgré
l'effort de raisonnement objectif. La nuance est moins nette dans
Sag. 13, 2.

24. Alors que les sarcasmes contre les idoles fabriquées sont anciens,
la polémique explicite contre le culte des forces naturelles est quelque
chose de nouveau dans la Bible, comme M. GILBERT l'a noté, p. 11.
Mais il y avait eu auparavant rejet tranchant (pour l'armée du ciel)
ou démythologisation tacite (pour la mer, le feu et le vent). Aussi
ne peut-on accepter avec une entière certitude la conclusion de M. Gilbert que « ceux qui adorent ces éléments ne semblent donc pas être
entrés depuis longtemps en rapport avec le milieu juif ».

25. Ainsi F. FELDMANN ; T. FINAN, p. 37 ; J. FICHTNER, *Stellung*,
p. 128 ; J.A.F. GREGG, C.L.W. GRIMM, p. 239 ; S. HOLMES ; J.M. REESE,
p. 56 ; G. ZIENER, pp. 132-135. Toutefois M. GILBERT, pp. 10-11 fait
une légère réserve.

de la Bible mentionnent volontiers la beauté des personnes (Gen. 24, 16 ; 1 Sam. 16, 12 ; etc. ; cf. Ps. 45, 3). Le Cantique des Cantiques célèbre la beauté des deux amants et contient des descriptions charmantes de la nature (2, 12-13 ; 7, 12-14). Le thème est repris dans le Ps. 104 ou dans des poèmes de Ben Sirah (Si. 24, 13-17 ; 43, 1-18) en vue de la louange de Dieu. La Lettre de Jérémie offre quelques traits de ce genre (Bar. 6, 59-62). Même le poème de Job, plein de la puissance et du mystère de Dieu, dont il vise à inculquer la transcendance infinie, fait sentir parfois la beauté des astres (31, 26). On peut donc conclure [26] que la pensée du Sage correspond bien à la pensée de l'ancien Israël, mais que l'esprit philosophique grec a contribué à lui donner une formule plus abstraite.

Le mouvement par lequel l'intelligence passe de la constatation d'une qualité dans les êtres visibles à l'affirmation d'une qualité semblable ou supérieure dans leur Créateur se trouve fréquemment dans la Bible [27]. Il est étrange que ce point soit parfois méconnu par les commentateurs du livre de la Sagesse [28]. La stabilité des cycles du jour et de l'année permet de concevoir

---

26. Avec G. VON RAD, *Theologie des Alten Testaments*, I, 1957, p. 362, n. 20 ; trad. fr. I, 1963, p. 344, n. 1.

27. Voir plus haut, première partie, ch. 1, pp. 40-46 et M. GILBERT, p. 12.

28. Dire avec F. RICKEN : « Une connaissance de Dieu tirée de la création grâce au moyen intellectuel de l'analogie ne se trouve pas ailleurs dans l'Ancien Testament » (Ein Erkennen Gottes aus der Schöpfung mit Hilfe des Denksmittel der Analogie kennt das A. T. an anderen Stellen nicht), p. 58, n'est possible qu'en se bornant artificiellement à ne considérer que l'usage d'un mot technique et en méconnaissant un mouvement de pensée qui peut s'accomplir sans réfléchir expressément sur soi. Un exégète juif, J. Reider, signale avec raison (p. 159) que l'argument passant des choses créées au caractère de leur Créateur se rencontre dans la Bible, il note la ressemblance entre Sag. 13, 1-9 et Is. 42, 5 ; Ps. 19, 1 ; Job 36, 22ss. Mais étrangement il semble limiter plus loin la portée de son observation (p. 161) : le raisonnement de Sag. 13, 4 prouve seulement le pouvoir et la beauté du Créateur, mais sa justice et son amour doivent être révélés. Il est exact que Sag. 13, 4 mentionne seulement la puissance et la beauté, mais le mouvement de pensée qui va de la créature au Créateur peut s'appliquer à l'amour paternel-maternel (Ps. 103, 13, etc.) ou à la passion conjugale (Os. 1-3, etc.). M. Gilbert rappelle à bon droit que l'Ancien Testament avait apporté quelque lumière avant Sag. 13 (pp. 12-13).

la stabilité des desseins divins envers Israël (Jér. 31, 35-36 ; 33, 20-21 ; Sop. 3, 5). Si la mer bruyante est admirable, Yahweh l'est bien plus encore (Ps. 93, 4). L'immensité des cieux fait prendre conscience de l'immensité de la sagesse divine (Is. 55, 8-9 ; Job 11, 8-9 ; Sir. 1, 3). Les cieux semblent immuables ; ils disparaîtront néanmoins et Dieu subsistera (Ps. 102, 27). L'abondance innombrable du sable de la mer est dépassée par celle des pensées divines (Ps. 139, 17-18). Les pensées du cœur de l'homme sont impossibles à déchiffrer : combien plus celles de Dieu (Judt. 8, 14 ; cf. Prov. 25, 2-3 ; 1 Cor. 2, 12). L'amour de Dieu pour son peuple est semblable à celui d'un père pour son fils (Deut. 8, 5 ; Ps. 103, 13). Il est encore plus inlassable que celui d'une mère (Is. 49, 15), d'une fermeté plus inébranlable que celle des montagnes (Is. 54, 10), d'une élévation puissante comme celle du ciel (Ps. 103, 11).

Ces différents textes offrent plus qu'une comparaison momentanée permettant de parler d'une réalité invisible. Ils expriment un véritable approfondissement de l'idée qu'on se faisait de Dieu, une fois admis qu'il y a un Dieu sage, puissant, bienveillant. Le Sage formule de manière réflexive une démarche de l'esprit accomplie jusqu'ici de manière spontanée.

« *Car d'après la grandeur et la beauté des créatures on juge proportionnellement de leur auteur* » (13, 5).

La formule θεωρεῖν τι ἔκ τινος signifie en grec classique « juger d'une chose d'après une autre » [29]. Un tel sens convient bien ici

---

29. Il y en a plusieurs exemples, tirés d'Eschine et d'Isée, dans les dictionnaires généraux de H. Estienne, de Bailly, de Liddell et Scott. M. Gilbert en a cité quelques-uns (p. 32, n. 151), en remarquant que dans cet emploi le verbe n'a plus toute sa nuance de contemplation. Cette construction est beaucoup plus répandue que ne le feraient supposer les grands dictionnaires. Le *lexicon platonicum* de F. Ast (1835) signale quelques exemples : ceux qui regardent une peinture jugent de l'objet représenté d'après les couleurs et les attitudes ; ceux qui entendent un poème jugent du sujet traité d'après les mots (*République*, X, 601a). Les choses injustes sont considérées comme agréables par l'homme injuste en fonction de son moi injuste et mauvais (*Lois*, II, 663 c 4). L'*index aristotelicus* de H. Bonitz renvoie à une douzaine de cas, outre les passages où le verbe est employé au sens de perception visuelle ou imaginative et où la préposition introduit la source de l'information. Le *Polybios-Lexicon* d'A. Mauersberger (1966) indique les passages suivants des *Histoires* : II, 18, 4 ; III, 104, 1 ; VII, 15, 7 ;

au mouvement général de ces versets. Le Sage, sans l'exclure, n'insiste pas sur la nuance de contemplation que le mot peut exprimer : vue prolongée avec admiration, repos, jouissance provoqués par l'objet contemplé.

Le mot *analogôs* se présente ici dans le texte et suscite la question de son origine philosophique. C'est le premier emploi que l'on en connaisse dans toute la littérature grecque à propos de la connaissance de Dieu. Il n'y en a pas d'autre exemple dans les Septante ou le Nouveau Testament. Au second siècle de notre ère seulement le philosophe Albinus énumère la connaissance de Dieu par analogie à côté d'un procédé par négation et d'un autre par éminence [30]. Mais déjà Platon avait ébauché quelques réflexions sur l'usage des proportions en dehors des mathématiques et il emploie le mot *analogia*, mais sans l'appliquer expressément à la connaissance de Dieu. Il y a des enseignements assez voisins dans Aristote et les stoïciens.

On peut donc conclure avec certitude que le Sage emprunte le terme à la langue profane. Comme il lui donne un sens plus précis qu'un vague « pareillement », ainsi qu'il ressort du contexte, il est probable qu'il a quelque information sur la réflexion philosophique relative à ce procédé intellectuel. Quant au fond de la pensée, il est plus biblique que grec. Mais la philosophie a fourni un instrument pour exprimer de manière plus précise et générale une démarche des auteurs de l'Ancien Testament [31].

XII, 25 c, 2 ; XXX, 4, 2 ; XXXI, 18, 14. Il y a également des emplois avec les adverbes *ekeithen* et *hothen* (Eschine 3, 163 ; 3, 252 ; Isocrate, Ev. 29, 3) : « juger à partir de là ». Dans les Septante *theôreïn* peut se rapporter à la vue ordinaire, au songe, à une vision prophétique, à l'expérience des œuvres de Dieu dans la destinée humaine, à une contemplation religieuse de la nature (Sir. 42, 26). Mais la construction grammaticale de Sag. 13, 5 est unique dans la Bible grecque. Je conserve donc la traduction « juger proportionnellement d'après... » proposée déjà dans A.M. DUBARLE, *Les sages d'Israël*, 1946, p. 226.

30. ALBINUS, *Didaskalikos*, 10. Voir le texte traduit et commenté dans A.J. FESTUGIÈRE, *La révélation d'Hermès Trismégiste*, IV : *Le Dieu inconnu et la gnose*, 1954, pp. 99-100 et 314.

31. A.S. PEASE, « Caeli enarrant », dans *Harvard Th. Rev.* 34 (1941), pp. 164-200. Voir p. 191 : le verset de Sag. 13, 5 exprime logiquement ce que le cantique Benedicite omnia opera (Dan. 3) ou l'hymne du livre XIII du Corpus hermétique expriment sous une forme lyrique. — Un parallèle philosophique très proche de Sag. 13, 5 se trouve dans le traité faussement attribué à Aristote, *De mundo*, qui date des environs du début de notre ère : « Dieu qui est le plus puissant quant à la

Il sera donc préférable de traduire en français par « proportionnellement ». Le mot évoque expressément l'opération mentale par laquelle on passe de la créature au Créateur. Il est donc plus parlant pour le lecteur moyen que les mots « par analogie », qui risqueraient d'être vagues, d'équivaloir dans l'esprit au simple « pareillement » ou, au contraire, de faire un effet trop savant, mais obscur, ou d'évoquer pour celui qui connaît les problèmes philosophiques la réflexion théorique faite sur une méthode de connaissance [32].

L'ERREUR EST-ELLE COUPABLE ?

« *Mais cependant chez ceux-ci il n'y a que peu à blâmer. Car ils s'égarent peut-être en cherchant Dieu et en voulant le trouver. Car tout adonnés à ses œuvres, ils les explorent avec soin, et ils se fient à l'apparence, car ce qu'ils voient est beau* » (13, 6-7).

Sans montrer que les êtres visibles ne sont pas des dieux, le Sage, tout au contraire, présente une suggestion sur ce qui a pu

---

force, le plus noble d'aspect quant à la beauté, immortel quant à la vie, le plus excellent quant à la vertu, tout en demeurant invisible à toute nature mortelle, est contemplé à partir de ses œuvres » (ἀπ᾽ αὐτῶν τῶν ἔργων θεωρεῖται) 399 b 20-22 ; trad. A.J. Festugière, légèrement retouchée : *La révélation d'Hermès Trismégiste*, II : *Le Dieu cosmique*, 1949, p. 473.

32. L'article de S. George sur le sens d'*analogos* dans Sag. 13, 5 est décevant. L'auteur y parle du débat entre théistes et athées, entre ceux qui affirment Dieu et ceux qui le nient, de la preuve de l'existence de Dieu, alors que le débat se déroule entre les fidèles d'un Dieu créateur et transcendant et les adorateurs des forces naturelles divinisées, alors que la question n'est pas de savoir si Dieu ou des dieux existent, mais quelle est leur nature. S. George a cité plusieurs textes philosophiques parallèles, mais un peu hors de propos, car ils concernent les raisons d'affirmer l'existence de Dieu. Par contre, il a bien analysé le processus de la connaissance de Dieu par analogie, qui suppose ressemblance, supériorité et proportion. Mais il ne s'est pas demandé si un tel processus pourrait se trouver effectivement mis en œuvre dans l'Ecriture en dehors de l'unique passage où se rencontre le mot avec le retour de l'esprit sur ses actes qu'il exprime. M. Gilbert a heureusement complété les données rassemblées par S. George en relevant un certain nombre d'emplois du mot et en résumant les premiers essais de réflexion théorique sur le procédé intellectuel chez Platon, Aristote et les stoïciens.

conduire certains païens à regarder comme des dieux ce qui n'était qu'une créature : la beauté et la puissance attirent l'admiration ; dans l'hommage rendu à des forces qui les dépassent, il y a quelque chose de religieux, une « recherche » de Dieu, selon le terme de l'Ancien Testament. Le mot s'appliquait d'abord au fidèle qui voulait mieux connaître la volonté de Dieu, en consultant un oracle ou un prophète, par exemple, puis à celui qui s'efforçait de la pratiquer consciencieusement. Les adorateurs des éléments et des astres étaient dans la bonne direction.

Est-ce une objection réelle que le Sage s'est faite sérieusement à lui-même dans le va-et-vient de ses réflexions ? Est-ce une interruption fictive par un interlocuteur supposé, introduite pour provoquer une affirmation plus forte de la conviction déjà exposée [33] ? Toujours est-il que la pensée ne s'arrête pas au motif d'excuse allégué.

« D'autre part, eux non plus ne sont pas excusables. Car s'ils ont été capables d'en connaître assez pour pouvoir conjecturer le cours éternel des choses, comment n'en ont-ils pas trouvé plus tôt le maître ? » (13, 8-9).

Le Sage exprime sa pensée finale dans une interrogation qui nous laisse un peu dans l'embarras. On reviendra plus loin sur ce problème.

Il faut d'abord se demander quel est cet *aïôn*, qui vient d'être traduit par « le cours éternel des choses » (avec TOB) et que les investigateurs des êtres visibles ont été capables de découvrir par conjecture. On y a vu une allusion au dieu Aïôn de l'époque hellénistique, un dieu cosmique identifié à l'ensemble des êtres existants dans la durée totale [34]. Mais il est difficile d'admettre une désignation aussi précise dans un livre qui semble vouloir éviter les noms propres, qui ne parle des patriarches bibliques et de Moïse, d'Israël et des Egyptiens, de Salomon, que par des périphrases, qui n'a pas reproduit les termes techniques stoïciens pour énumérer les éléments divinisés. Ce dieu Aïôn n'était peut-être pas très familier aux lecteurs du Sage, tandis que le nom commun *aïôn* désigne dans son livre le monde et en particulier

---

33. Comme le pense J.M. REESE, pp. 51-52.
34. Cette interprétation a été proposée par J. Smith et adoptée par J.M. Reese et M. Gilbert.

l'humanité qui l'habite (Sag. 14, 6 ; 18, 4). Le mot a une nuance de longue durée.

Un parallèle tiré de Philon d'Alexandrie [35] offre un ensemble de ressemblances avec Sag. 13, 1-9 et invite à conserver le sens de « monde » au v. 9. Dans le *De somniis* le philosophe juif compare l'univers à une broderie de grande beauté, qui lui fait admirer l'artiste brodeur. De cet immense ouvrage il ne voit qu'une petite partie, si même il peut dire qu'il la voit. Néanmoins à partir de ce détail qui lui apparaît il « devine l'ensemble avec exactitude grâce à une conjecture d'analogie » (1, 204). Les mots ne sont pas les mêmes de part et d'autre : *eïkazô* et *elpis* chez Philon ; *stochasthaï* chez le Sage ; mais dans les deux cas c'est la notion de conjecture qui est exprimée. La science du monde visible est une science difficile (cf. Sag. 9, 16). Bien que portant sur ce qui s'offre à la vue, elle ne se limite pas à un recueil d'observations. Elle comporte une part de raisonnement, qui permet de dépasser la constatation immédiate. Les deux penseurs avec des mots différents suggèrent qu'il y a une part d'incertitude dans ces raisonnements. Le Sage regrette que les ingénieux investigateurs de l'œuvre divine n'aient pas abouti, avec la vigueur intellectuelle qui était la leur, à connaître l'auteur et le maître de toutes ces beautés.

Une seconde question est soulevée par ce qu'on est tenté de juger un oubli surprenant et décevant : comment le Sage n'a-t-il pas même esquissé à l'égard des forces cosmiques l'argument dont il usera largement contre les idoles fabriquées ? ces images prétendues divines sont des êtres morts, qui ne peuvent secourir

---

35. Ce passage de Philon est signalé par C. LARCHER, *Etudes...*, p. 166, n. 1, qui renonce pourtant à l'utiliser pour éclairer Sag. 13, 9. A ses yeux *aiôn* désigne ici l'éternité, l'une des conquêtes de l'astronomie. Mais peut-on supposer un tel sens technique précis pour un mot si fréquent dans les Septante au sens vague de durée illimitée dans le passé et surtout dans l'avenir (cf. Sag. 4, 2 ; 5, 15) ? Le texte de Philon : ἀκριβῶς τὸ ὅλον εἰκάζων ἀναλογίας ἐλπίδι est traduit par Larcher « conjecturer le tout avec précision en recourant à l'analogie », et par P. Savinel : « Je reconstitue l'ensemble pièce à pièce en me fiant à l'analogie » (Oeuvres de Philon d'Alexandrie, t. 19, 1962). On remarquera l'emploi de l'analogie par Philon, dans un sens d'ailleurs imprécis. Mais il s'agit d'un raisonnement relatif au monde, non pas à Dieu, ce qui est différent de Sag. 13, 5.

leurs adorateurs [36]. Des objets matériels et inanimés ne peuvent
exercer à l'égard de l'homme cette action tutélaire qui caracté-
rise ce qu'on honore sous le nom de dieu. Ce raisonnement, qui
nous semble si obvie à une époque où l'homme a marché sur la
lune, simple amas de matière aride, était loin de pouvoir se proposer avec évidence dans le milieu culturel du judaïsme
alexandrin.

Pour les anciens poètes d'Israël les astres étaient des êtres vivants et capables d'initiatives (Jug. 5, 20.31 ; Ps. 19, 6 ; 104, 19 ;
Job 38, 7 ; Néh. 9, 6 ; Sir. 43, 1-5.10 ; Bar. 3, 34). Les forces
cosmiques sont conçues comme des serviteurs qui s'acquittent
de la tâche fixée par le Créateur [37]. Dans Ps. 148, 2-8 on retrouve
à peu près tous les éléments de l'énumération faite par Sag. 13,
2 : armée des cieux, soleil, lune, étoiles, eaux célestes, océan, feu,
vent de tempête, tous exécutent la parole divine ; les Septante
ont mis au pluriel le verbe singulier du texte hébreu, qui se rapporte grammaticalement à « vent de tempête » ; mais c'est une
simple explication de la pensée, non un gauchissement réel. Dans
Sir. 39, 28-31, il n'est plus question des astres, mais les vents,
le feu, la grêle, les épidémies, les famines, les bêtes féroces sont
indistinctement les serviteurs qui remplissent exactement leur
emploi contre les pécheurs. Dans Is. 40, 26 et Sir. 16, 26 les astres
obéissent ponctuellement aux ordres divins. Les éclairs (Job 38,
35) et les étoiles (Bar. 3, 35) répondent : « nous voici ». Le Sage
à l'occasion s'exprime de manière analogue (Sag. 5, 17-21 ; 16,
21-25 ; 19, 6). Le ciel et la terre sont les témoins des lois pro-
mulguées par Yahweh et de ses réquisitoires (Deut. 4, 26 ; 30, 10 ;
31, 28 ; 32, 1 ; Is. 1, 2 ; Mic. 6, 1-2 ; Ps. 50, 4).

---

36. G. ZIENER, pp. 33-34 a brièvement constaté l'absence d'un
argument de ce genre contre les éléments divinisés dans l'Ancien
Testament. L'essai pour le retrouver sous-entendu dans Sag. 13, 1-9, tel
que je l'ai développé dans Les sages d'Israël, p. 228, me paraît donc
aller bien au-delà non seulement des réflexions faites par le Sage, mais
encore de celles qu'il aurait pu faire avec la mentalité qui était la
sienne. La pensée dans cette péricope sur la religion cosmique s'inspire
du Deutéro-Isaïe, pour les idées, mais non pour les mots, comme l'a
signalé F. Ricken, p. 59 ; cela n'exclut pas une influence du stoïcisme
populaire, qui a déterminé à traiter le sujet.

37. Peut-être y a-t-il une antithèse sous-entendue entre les forces
naturelles et les idoles, quand celles-ci sont qualifiées de « mortes » au
début de la grande section qui en traite (Sag. 13, 10) ; cf. M. GILBERT,
p. 79.

L'armée du ciel est évidemment l'ensemble des astres, mais elle est aussi une cour qui se tient devant Dieu, comme une troupe de serviteurs avec qui il délibère et chez qui il cherche des exécutants de ses desseins (1 R. 22, 19 ; 2 Chr. 18, 18). Elle adore Dieu (Néh. 9, 6 ; cf. Prière de Manassé 15), tout comme les étoiles chantaient et que les fils de Dieu (LXX : les anges) acclamaient lors de la création (Job 38, 7 ; cf. Bar. 3, 34). L'armée des cieux est passible du jugement vengeur de Dieu, tout comme les rois de la terre, le soleil et la lune (Is. 24, 21-23 : LXX omet le soleil et la lune ; cf. Is. 34, 5). Les saints et les cieux sont impurs devant Dieu (Job 15, 15 ; cf. Sir. 17, 32).

Or Dieu a donné l'armée des cieux comme objet de culte aux peuples étrangers, tandis qu'Israël est son peuple particulier (Deut. 4, 19 ; cf. Jér. 10, 16 ; Ps. 74, 1 ; 79, 6.13 ; 95, 7 ; 100, 3). Comme on peut le comprendre à partir de Deut. 32, 8, chacun des membres de la cour divine, les fils de Dieu (LXX : les anges de Dieu), est le patron d'un peuple déterminé, alors qu'Israël a le privilège unique d'être allié sans médiateur au Souverain Maître (cf. Sir. 17, 14) [38].

Ces textes rapidement évoqués nous font entrevoir d'anciennes conceptions plus ou moins mythologiques, où les astres et les forces naturelles sont mal distingués d'êtres personnels, serviteurs fidèles de Dieu ou même rebelles réduits à la sujétion. La foi d'Israël ne s'est pas souciée de rationaliser systématiquement ces données traditionnelles. On ne distingue pas toujours dans des textes principalement poétiques ce qui est recours conventionnel à un langage imagé, dont l'antiquité a du charme, et ce qui est expression d'une conception encore actuelle d'un monde, où tout est vivant. L'important pour les auteurs bibliques a été d'affirmer que rien au ciel et sur la terre ne peut être comparé à Yahweh, ni lui opposer une résistance efficace, non de distinguer nettement ce qui est animé et ce qui ne l'est pas.

---

38. Pour ceci voir N. LOHFINK, *Höre Israel. Auslegung von Texten aus dem Buch Deuteronomium*, 1965, pp. 108-109. Faut-il aussi rapprocher Dan. 10, 20-21 : les princes de Perse et de Iawan ?

RAPPORTER AU VRAI DIEU LA SCIENCE DU MONDE VISIBLE

Le Sage ne s'est donc pas davantage efforcé de rationaliser les représentations confuses qu'il trouvait dans les Ecritures sacrées lui servant de maîtres et de modèles et dont les religions païennes qu'il pouvait observer directement lui offraient l'équivalent approximatif, sans toutefois le correctif d'un monothéisme intransigeant. Ce qui lui importe, c'est de rapporter au vrai Dieu la science du monde visible. C'est une science difficile, demandant une longue application (Sag. 9, 16), mais ce n'est pas une science qu'il dédaigne. Il la revendique dans toute son étendue et ses ramifications (7, 17-20). Mais il estime que seule la sagesse donnée par Dieu peut en assurer la vérité plénière, la préserver de l'erreur (7, 17 : une science sans mensonge). Et l'erreur la plus pernicieuse serait, en s'attachant à l'étude des choses visibles, d'oublier le but suprême de la vie humaine, l'amitié divine (7, 14.27).

La critique de la religion cosmique se tient donc dans la perspective des antécédents bibliques. Elle n'essaie pas d'étendre aux forces naturelles l'argument qui sera longuement développé contre les idoles faites de main d'homme, selon la tradition prophétique (Sag. 13, 11-19 ; 15, 7-12 ; cf. Is. 44, 9-20). Sans trancher de la nature, vivante ou non, des astres ou des éléments, le Sage indique simplement le but religieux auquel doit aboutir la considération des biens visibles : concevoir par l'esprit la beauté et la puissance encore supérieures du Dieu créateur.

Tel est le contenu de ce passage, quand on se borne à ce qu'il dit positivement, sans chercher à le compléter à l'aide d'une spéculation apparentée, mais dont il ne reproduit pas les éléments caractéristiques. La source principale de la pensée du Sage est l'Ancien Testament. S'il montre sa familiarité avec le vocabulaire de la philosophie grecque par l'emploi de plusieurs termes techniques, il use d'un langage qui, globalement pris, n'est pas celui de la philosophie de son temps et dénote une recherche poétique [39]. Il n'a pas cherché à évoquer les doctrines stoïciennes en reprenant les expressions classiques telles que *pur technicon*. Il n'a pas commencé par reproduire la démarche première de

---

39. Voir plus haut, p. 131, n. 9.

cette philosophie à propos de Dieu (des dieux) : démontrer leur existence à partir de l'ordre et de la régularité du monde visible. Il n'y a pas chez lui la présence simultanée d'une doctrine et d'une terminologie stoïciennes, qui feraient conclure avec fermeté à une influence privilégiée de cette école philosophique.

Sans ignorer totalement les problèmes que se posait la pensée grecque, le Sage s'est contenté de la certitude spontanée qui est celle de l'Ecriture. Il n'entreprend pas de donner une démonstration positive de l'existence de Dieu, pour laquelle il ne trouvait aucun modèle dans la tradition de son peuple. Il se comporte en croyant qui, au nom des certitudes de sa foi juive, émet un jugement sur d'autres formes de religion et expose comment il réagit lui-même au spectacle des êtres visibles divinisés par certains cultes étrangers. Au début de son livre il n'a pas prouvé, il a simplement proclamé son message de l'immortalité bienheureuse face au scepticisme négateur des jouisseurs (2, 1 — 5,23). Faisant l'éloge d'Abraham, il met en relief sa justice et sa fidélité dans l'épreuve lors du sacrifice d'Isaac (Sag. 10, 5). A la différence des *Jubilés*, il ne dit rien des raisonnements qu'aurait faits le grand ancêtre pour se convaincre que les idoles ne sont pas des dieux ; à la différence de Philon et de Josèphe, il ne lui attribue pas de réflexions démontrant qu'il doit exister une cause au cours régulier des astres [40]. De même ici il affirme comme allant de soi que le Dieu de son peuple, Celui qui est, est le créateur de toutes les forces cosmiques et qu'il est manifesté par ses œuvres.

Le discours religieux, quand il est profondément imprégné d'adoration, se propose facilement sans preuves, comme si le simple énoncé d'une doctrine allait entraîner l'adhésion des auditeurs [41]. Le Sage présente son monothéisme comme si les païens,

---

40. *Jubilés* 12, 1-5. PHILON, *De Abrahamo*, 74 : Il est impossible que ton esprit (*nous*) commande à ton corps et qu'il n'y ait pas de roi gouvernant l'univers. JOSÈPHE, *Antiq. Jud.* 1, 7 : Sans Dieu toutes choses tomberaient dans le désordre sur terre, dans la mer et dans les astres.

41. R. OTTO a noté ce trait qu'on peut appliquer facilement au Sage. Il suggère la comparaison entre l'adhésion spontanée à une doctrine religieuse qui se présente sans appareil de preuves et la maturation spontanée du goût artistique, quand le sujet entre en contact avec une œuvre d'art de qualité supérieure, en musique notamment. *Das Heilige*, 1917 ; 23 éd., 1936, ch. XII, pp. 93-94 ; ch. XIX, pp. 166-169 ; trad. fr. *Le sacré*, 1929, ch. XIII, pp. 112-113 ; ch. XX, pp. 187-188.

qui peuvent se trouver mêlés à ses disciples juifs, devaient en sentir immédiatement la supériorité sur leurs propres conceptions, sans avoir besoin d'entendre réfuter celles-ci.

Son interrogation finale, qui semble partagée entre la surprise, la compassion et la condamnation rappelle la question beaucoup plus assurée du Deutéro-Isaïe : « Ne savez-vous pas ? n'avez-vous pas appris ? ne vous a-t-on pas informés dès le commencement ? n'avez-vous pas compris les fondements de la terre ? » (Is. 40, 21 ; cf. 40, 26). L'ancienne foi d'Israël en Yahweh, le Dieu irrésistible, pouvant employer les forces de la nature pour réaliser ses desseins sur son peuple et briser toute opposition, d'une part, et, d'autre part, la doctrine, que nul n'avait encore formulée aussi explicitement, du Créateur des cieux et de la terre, disposant souverainement de toutes leurs énergies, se présentent au prophète avec une cohérence profonde si évidente, que ces deux croyances n'en font qu'une à ses yeux et qu'il lui semble qu'il en a toujours été ainsi. Les fils de son peuple, ses auditeurs, devraient le savoir comme une donnée élémentaire de l'enseignement religieux qu'ils ont reçu [42]. De même pour le Sage il y a un lien si étroit entre la connaissance du vrai Dieu, Celui qui est, et celle du monde visible, qu'il a peine à comprendre comment il n'en va pas ainsi pour des esprits perspicaces, qui ont l'idée du divin [43].

Dénonce-t-il une faute de raisonnement, une sottise, une pensée inconsistante [44] ? Il ne se préoccupe pas d'indiquer où gît l'er-

---

42. C.R. NORTH, *The Second Isaiah*, 1964, p. 13, a relevé avec justesse que ce passage est une suite de questions rhétoriques et d'affirmations beaucoup plus qu'une argumentation cosmologique (signalé par M. GILBERT, p. 12). E. BEAUCAMP, *La Bible et le sens religieux de l'univers* (Lectio divina, 25), 1959, pp. 69-70, montre comment la formulation décisive du Second Isaïe est due à la croissance d'un germe initial : dès les origines de la foi d'Israël Yahweh possède une puissance cosmique sans aucune spécialisation.

43. Aussi la question finale du v. 9 est-elle souvent comprise comme l'équivalent oratoire d'une affirmation : ces hommes auraient pu et dû trouver plus rapidement le Maître. Ainsi R. CORNÉLY, pp. 463-464 ; H. EISING, p. 400 ; J. GEYER, p. 48 ; J.A.F. GREGG ; C.L.W. GRIMM ; J.M. REESE, pp. 52 et 57-58 ; G. ZIENER, pp. 24-25 et 29.

44. Comme le pense H. DUESBERG, II, pp. 549-550 : « Connaissance... si obtuse, si courte ». De même E. OSTY : « Ils n'ont fait de leur intelligence qu'un usage superficiel ».

reur, à l'inverse de ce qu'il fait si soigneusement pour le sculpteur d'une statue (13, 17-19 ; 14, 1 ; 15, 16-17). L'interrogation finale de ce paragraphe exprime donc plutôt sa perplexité devant un disparate spirituel, qui laisse si démunis religieusement des savants entrés avec succès dans la connaissance du monde visible, un peu comme l'auteur de Job décrit, sans interrogation oratoire, l'autruche, si pauvre de prévoyance, malgré son plumage gracieux et sa course rapide (Job 39, 13-18) [45].

Ces païens ont-ils été coupables de ne pas demander la Sagesse que le pseudo-Salomon a obtenue par la prière (7, 7) ? Y a-t-il une faute morale d'orgueil à l'origine de leur manque de sagesse ? C'est ce que pensent plusieurs commentateurs [46]. Mais une telle interprétation suppose toute une argumentation partant de textes dispersés dans le livre et les reliant par un présupposé non explicité. On peut obtenir la Sagesse par la prière (7, 7 ; 8, 21). La Sagesse prévient ceux qui la désirent (6, 12-13). Mais il faudrait ajouter que c'est déjà un premier don de la prudence que de savoir d'où vient la grâce de la sagesse (8, 21). Or il n'est pas évident qu'aux yeux du Sage cette prudence initiale soit donnée aux païens de la même manière qu'à Israël. Ce qu'il dit des prévenances de la Sagesse, allant au-devant de ceux qui la désirent (6, 12-16), peut très bien être réservé au peuple élu [47].

Les conceptions religieuses des adorateurs des astres ne sont pas entièrement dignes d'approbation, bien qu'il puisse s'y cacher une certaine recherche de Dieu. Si elles n'ont pas atteint la vérité totale, ce peut être incapacité irrémédiable, faute d'avoir

---

45. Ce passage manque dans les Septante originels, tels que les lisait le Sage. Il est cité ici non comme une source de la pensée du Sage, mais pour illustrer le commentaire qui en est fait. — S. Holmes suggère que la question de Sag. 13, 9 exprime l'étonnement, puis mentionne l'interprétation par une faute, mais ne choisit pas nettement. J. GEYER, p. 47, parle aussi d'étonnement, et ajoute que le Créateur n'est pas révélé par un monde déchu, ni accessible à un homme pécheur — considération dont la première partie est étrangère au Sage et frapperait d'insignifiance bien des pages bibliques.

46. Ainsi J.A.F. GREGG ; W. GRIMM ; C. LARCHER, Connaissance naturelle, p. 58 ; J.M. REESE, p. 58 ; G. ZIENER, p. 29.

47. Selon A. Guillaumont, l'indulgence du Sage « envers les hommes qui n'ont pas pu découvrir Dieu dans ses œuvres s'explique parce que, pour lui, il est difficile de connaître Dieu sans le secours de la Sagesse » (cf. Sag. 9, 13-17).

été prévenues par Dieu de la même manière qu'Israël. Le Sage, auteur d'une condamnation si rigoureuse du fabricant d'idoles, auquel il reproche non pas seulement sa sottise, mais sa perversité (14, 8-11 ; 15, 10-13), se serait vraisemblablement exprimé plus nettement, s'il avait attribué aussi fermement une faute coupable à la religion cosmique.

Porte-t-il une appréciation claire à son sujet ? Il a certainement dépassé la tolérance tacite de Deut. 4, 19. Mais il est difficile de préciser de combien. Le Deutéronome accepte avec sérénité que les peuples étrangers soient bornés au culte des forces cosmiques. Il n'a pas dépassé la notion d'une élection d'Israël exclusive des autres peuples. Mais pour le Sage la nation sainte des fils de Dieu était destinée à transmettre au monde la lumière incorruptible de la Loi (Sag. 18, 4) et l'aveuglement des païens est davantage pour lui un scandale, objet d'un étonnement douloureux, à tout le moins quelque chose d'anormal, sur lequel on s'interroge.

Finalement ce passage ne prétend pas que les païens auraient pu et dû connaître Dieu à partir du monde visible. L'étonnement suscité par le contraste entre l'ardeur et la perspicacité déployées dans l'étude de ce monde et l'incapacité à en découvrir le Maître est peut-être plus rhétorique que profond, car les hommes qui ignorent Dieu sont naturellement vains, comme il est dit sans ambages dès le début de ce texte sur le culte des forces cosmiques (13, 1). L'esprit humain, embarrassé par sa condition corporelle, a peine à découvrir ce qui est sur la terre, et il ne peut pénétrer les mystères divins sans le don de la Sagesse, que Dieu dispense (9, 14-17). Faute de cette Sagesse l'homme le plus parfait sera compté pour rien (9, 6).

Il faudrait donc, dans la perspective du Sage, que Dieu se fasse connaître des païens, qu'il dissipe par le don de la Sagesse l'ignorance de Dieu qui laisse dans une vanité native. Alors le spectacle de la nature visible permettrait de mieux comprendre la perfection supérieure du Créateur. Sur la réalité d'une telle manifestation le livre reflète l'hésitation ou l'incertitude que l'on observe dans l'Ancien Testament. D'une part, Deut. 4, 19 regarde les païens comme fixés dans le culte de l'armée des cieux et des dieux inférieurs qui lui sont attachés, et Israël comme ayant seul le privilège de connaître Yahweh. D'autre part, les psaumes 65 et 67 montrent Dieu se révélant à la terre entière dans l'expérience de la fécondité agricole. Jérémie suggère que le spectacle grandiose de l'orage peut faire comprendre aux idolâtres la vanité de leurs images (Jér. 10, 12-15 ; 51, 15-18). Le Sage n'a pas tranché nettement entre les deux hypothèses : connaissance possible de Dieu pour les païens ou ignorance inévitable jusqu'au temps où Israël leur communiquerait sa lumière (18, 4).

Conclusion

Il est temps de résumer brièvement les résultats de cette enquête. Le Sage s'intéresse aux diverses formes de religion qu'il peut rencontrer. Ce n'est pas curiosité purement théorique. Il veut déceler des erreurs et par contraste faire briller une vérité attirante. Chemin faisant il sait reconnaître les valeurs culturelles des Grecs : leurs succès dans l'investigation du monde visible (13, 7-9), l'art des sculpteurs et des peintres cherchant la beauté (14, 18-20).

Relativement à la connaissance de Dieu par les créatures, l'apport du texte de Sag. 13, 1-9 consiste à formuler de manière réflexive ce qui avait été le procédé spontané de la foi biblique : s'élever du monde visible à Dieu, en attribuant au Créateur, mais dans une mesure incomparablement plus grande, les qualités découvertes dans son œuvre. En reprenant les termes utilisés par la philosophie grecque, le Sage indique implicitement l'utilité que peut trouver la foi religieuse à se confronter avec une pensée rationnelle et à s'approfondir dans ce dialogue.

Mais un second problème reste en dehors de la perspective : les païens ont-ils effectivement connu le vrai Dieu ? Le fait d'avoir dénoncé vigoureusement des erreurs n'équivaut pas à soutenir qu'il n'y a eu que des erreurs dans l'humanité en dehors du peuple élu. Il y a eu parmi les païens une certaine recherche de Dieu (13, 6). Si elle n'a abouti qu'à des erreurs chez certains, il se pourrait qu'elle ait réussi en d'autres cas. Mais le Sage n'a pas envisagé cette question.

BIBLIOGRAPHIE

Seuls sont indiqués les ouvrages réellement consultés. On trouvera une bibliographie beaucoup plus ample dans l'ouvrage fondamental de M. Gilbert (cf. plus bas).

I. COMMENTAIRES

R. CORNÉLY, *Commentarius in librum Sapientiae* (Cursus Scr. Sacrae), 1910.

J. DROUET, *Le livre de la Sagesse,* traduction nouvelle et commentaire (Paroles de vie, 5), 1966.

F. FELDMANN, *Das Buch des Weisheit* (Die Heilige Schrift des A. T., VI, 4), 1926.

J. FICHTNER, *Weisheit Salomos* (HAT, 2, 6), 1938.

J. FISCHER, *Das Buch der Weisheit* (Echter-Bibel), 1950.

J. GEYER, *The Wisdom of Solomon* (The Torch Bible Commentaries, Apocrypha), 1963.

J.A.F. GREGG, *The Wisdom of Solomon* (Cambridge Bible for Schools), 1909.

C.L.W. GRIMM, *Das Buch der Weisheit,* 1860.

A. GUILLAUMONT, *La Sagesse de Salomon* (Bible de la Pléiade), 1959.

P. HEINISCH, *Das Buch der Weisheit* (Exeget. Handbuch zum A. T., 24), 1912.

S. HOLMES, *The Wisdom of Solomon* (The Apocrypha and Pseudopigraphica of the O. T., in englisch), éd. T. H. Charles, 1913.

E. OSTY, *Le livre de la Sagesse* (Bible de Jérusalem), 1950.

G. PEREZ RODRIGUEZ, *Sabiduria* (Biblia comentada, Profesores de Salamanca, IV Libros sapienciales), 1962.

J. REIDER, *The Book of Wisdom* (Jewish Apocryphal Literature), 1957.

K. SIEGFRIED, *Die Weisheit Salomos* (Die Apocryphen und Pseudepigraphen des A. T., éd. E. Kautsch), 1900.

J. WEBER, *Le livre de la Sagesse traduit et commenté* (Bible de Pirot-Clamer), (1939), 1943.

II. Etudes et Articles

H. Bois, *Essai sur les origines de la philosophie judéo-alexandrine,* 1890.

G.R. Castellino, « Il paganesimo di Romani I, Sapienza 13-14 e la storia delle religioni », dans *Studiorum Paulinorum Congressus Internationalis Catholicus 1961* (Analecta Biblica), 1963, t. II, pp. 255-263.

F. Ceuppens, *Theologia biblica;* I : *De Deo uno,* ²1949.

J. Corluy, *Spicilegium dogmatico-biblicum, seu commentarii in selecta S. S. loca,* I, 1884, pp. 75-96.

P. Dalbert, *Die Theologie der hellenistischen-judischen Missions-Literatur unter Auschluss von Philo und Josephus,* 1954, pp. 70-92.

A.M. Dubarle, *Les sages d'Israël,* Paris, Cerf (Lectio divina, 1), 1946. — Id., « Une rencontre entre monothéisme biblique et culture grecque. Sur un livre de M. Gilbert », dans RSPT 58 (1974), pp. 253-257.

H. Duesberg, *Les scribes inspirés,* II, 1939.

H. Eising, « Der Weisheitslehrer und die Götterbilder » dans *Bib* 40 (1959), pp. 393-408.

J. Fichtner, « Die Stellung der Sapientia Salomonis in der Literatur- und Geistesgeschichte ihrer Zeit », dans *ZNW* 36 (1937), pp. 113-132.

T. Finan, « Hellenistic Humanism in the Book of Wisdom », dans *Irish Theological Quartely,* 27 (1960), pp. 30-48.

B. Gaertner, *The Areopagus Speech and Natural Revelation,* 1955.

S. George, « Der Begriff *analogos* im Buch der Weisheit », dans *Parusia* (Festschrift J. Hirschberger), éd. K. Flasch, 1965.

M. Gilbert, *La critique des dieux dans le livre de la Sagesse* (Sg. 13-15), (Analecta Bib. 53), 1973.

C. Larcher, « De la nature à son auteur d'après le livre de la Sagesse (13, 1-9) » dans *Lumière et Vie* 14 (1954), pp. 197-206. — Id., *Etudes sur le livre de la Sagesse* (Etudes bib.), 1969.

E. Norden, *Agnostos Theos. Untersuchungen zur Formgeschichte religiöser Rede,* 1912, pp. 129-143 ; 4ᵉ éd. 1956.

G. von Rad, *Weisheit in Israel,* 1970 ; trad. fr. *Israël et la sagesse,* 1971.

J.M. Reese, *Hellenistic Influence on the Book of Wisdom and its Consequences* (Analecta Bib. 41), 1970.

F. Ricken, « Gab es eine hellenistische Vorlage für Weish. 1, 13-15 ? », dans *Bib.* 49 (1968), pp. 54-86.

J. Smith, « De interpretatione Sap 13, 9 », dans *VD* 27 (1949), pp. 287-290.

G. Ziener, *Die theologische Begriffssprache im Buche der Weisheit* (Bonner Bibl. Beiträge), 1956.

CHAPITRE II

LE DISCOURS A L'ARÉOPAGE
(Act. 17, 22-31)
ET SON ARRIÈRE-PLAN BIBLIQUE

D'après le livre des Actes, Paul s'est adressé à des philosophes épicuriens et stoïciens devant l'Aréopage [1]. Nouveau venu dans la cité, qui était encore le centre intellectuel de la Grèce et par là du monde civilisé, il avait eu sur l'agora l'occasion d'entrer en contact avec des philosophes et de discuter avec eux. Dans cette foule avide de nouveautés, sa prédication avait fait l'impression d'annoncer des divinités étrangères. On voulut savoir plus exactement ce qu'était cette doctrine nouvelle. Ce n'était probablement pas encore un interrogatoire dans un procès en règle, mais une enquête préliminaire pour reconnaître un culte susceptible de troubler le culte de la religion officielle.

Le récit de Luc a pu évoquer la figure de Socrate pour le lecteur cultivé. Paul lui aussi s'adresse à tout venant sur la place publique et prêche Jésus et la résurrection. Il pourrait comme Socrate être accusé de mépriser les dieux de la cité. On s'enquiert donc de ses doctrines et il se tire habilement de la situation en louant le zèle religieux des Athéniens et en prétendant annoncer non pas une divinité étrangère, mais un Dieu qu'ils vénèrent déjà avec le sentiment de ne pas le connaître.

Dans le plan des Actes le discours de Paul doit montrer la rencontre entre la sagesse grecque et le message chrétien. Il est placé à Athènes, capitale de la plus haute culture, bien que Paul n'y ait séjourné que peu de temps, n'y ait pas fondé de commu-

---

1. Ce chapitre, déjà publié dans RSPT 57 (1973), pp. 576-610, est reproduit avec quelques additions. On trouvera à la fin une liste des commentaires et des études que j'ai utilisés.

nauté, l'ait quittée pour se rendre à Corinthe dans des sentiments de crainte et d'abattement (1 Cor. 2, 3). On a plus d'une fois conclu de l'usage que les historiens anciens faisaient de discours destinés à exposer une situation plutôt qu'à rapporter exactement les paroles prononcées dans une circonstance précise, que ce discours à l'Aréopage n'était pas de Paul, bien plus, qu'il n'exprimait pas la pensée de l'Apôtre, qu'il était même en opposition avec l'enseignement de l'épître aux Romains (1, 18-32).

En fait le discours se rencontre assez bien avec plusieurs passages des épîtres aux Thessaloniciens. Paul avait prêché avec succès à Thessalonique avant de venir à Athènes (Act. 17, 1-9). Il avait provoqué la conversion de prosélytes et de Grecs. Leur écrivant, il leur rappelle comment ils se sont « convertis à Dieu, abandonnant les idoles pour servir le Dieu vivant et véritable, dans l'attente de son Fils qui viendra des cieux, qu'il a ressuscité des morts, Jésus, qui nous délivre de la colère qui vient » (1 Th. 1, 9-10). Le rejet des idoles, le jugement prochain, la résurrection sont des traits qui se retrouvent dans le discours à l'Aréopage. Les païens sont ceux qui ne connaissent pas Dieu (1 Th. 4, 5 ; 2 Th. 1, 8 ; cf. Jér. 10, 25 ; Ps. 79, 6 ; Gal. 4, 8) et les Athéniens reconnaissent eux-mêmes leur ignorance en dédiant un autel « au dieu inconnu ». Dieu doit juger les hommes avec justice (2 Th. 1, 5-6 ; Act. 17, 31 ; cf. Ps. 9, 9 ; 96, 13 ; 98, 9). Il a même déjà fixé le jour où il va juger (Act. 17, 31). Les Thessaloniciens ont dû entendre une expression de ce genre et en être émus, car la communauté spécule sur la proximité de ce jour ; certains l'estiment imminent et Paul doit intervenir pour calmer les esprits et rappeler son enseignement (1 Th. 5, 1-3 ; 2 Th. 2, 1-3).

Il est donc bien probable que le discours à l'Aréopage reflète la pensée de Paul à ce moment de sa carrière apostolique. Luc est intervenu sans aucun doute pour affiner encore la présentation littéraire ; il a fait de ce discours l'expression typique d'une première prise de contact entre la foi chrétienne et la sagesse profane. Il n'a pas créé de toutes pièces cet exposé.

Les oppositions que l'on a parfois découvertes entre cette page des Actes et le jugement sévère de Rom. 1, 18-32 sont plus verbales que profondes. Il y a quelques années, on s'est renvoyé la balle avec un humour britannique, pour décider si les églises en Angleterre, le jour du dimanche, étaient à moitié vides ou à moitié pleines. Malgré l'opposition contradictoire du « vide » et

du « plein », les deux expressions peuvent décrire la même réalité, vue de deux points de vue différents selon des jugements
de valeur différents. Il serait assez explicable d'après les circonstances que Paul devant son auditoire de l'Aréopage, tout en reje-
tant le culte des images divines, mette en relief ce qu'il peut y
avoir de recherche sincère de Dieu dans la religion païenne et
qu'écrivant à des convertis il en découvre les déficiences et la
culpabilité.

Il est inutile de s'étendre dès maintenant sur cette question
d'authenticité paulinienne, qui sera examinée plus en détail à
la fin de ce chapitre. Ce qui importe pour l'instant c'est l'autorité
de ce témoignage biblique sur le point de la connaissance « naturelle » de Dieu [2]. S'il était absolument avéré que Luc n'a fait
que transcrire un enregistrement rigoureusement exact du discours
prononcé effectivement ou un résumé rédigé par Paul lui-même,
on pourrait se demander dans quelle mesure il approuve les idées
rapportées. Il est clair qu'il ne prend pas à son compte toutes
les paroles de Gamaliel (Act. 5, 35-39), du chancelier d'Ephèse
(19, 35-40), de l'avocat Tertullus (24, 2-8), ou du gouverneur Fes-
tus (25, 24-27). On pourrait donc se demander si Luc ne parta-
geait pas le sentiment de Paul après son expérience d'Athènes,
tel du moins qu'on le conclut d'une lettre postérieure de plusieurs
années (1 Co. 2, 1-5). Paul aurait reconnu qu'il était inutile de
s'appuyer sur la sagesse des Grecs et qu'il valait mieux prêcher
sans détours le scandale de la croix. Il aurait signalé et plus ou
moins désavoué une erreur de tactique.

Dès lors qu'on admet une certaine part de l'auteur des Actes
dans la formulation du discours, une certaine initiative de sa
part pour mettre sous les yeux des philosophes d'Athènes une
présentation du message chrétien en des termes qui leur fussent
accessibles, il faut également admettre qu'il ne l'a pas fait pour

---

2. Faute de mieux, la connaissance « naturelle » de Dieu signifie ici
une connaissance tirée de la nature visible et non pas des œuvres de
Dieu dans l'histoire du peuple élu, une connaissance possédée par Israël,
mais qui ne lui est pas réservée exclusivement et à laquelle les païens
peuvent avoir une certaine part, une connaissance indépendante en droit
de la révélation judéo-chrétienne. L'emploi du mot « naturel » fait ici
abstraction de toute systématisation théologique sur nature et grâce
surnaturelle.

dénigrer Paul, ou retracer son évolution psychologique, mais bien pour donner un exemple de la manière d'aborder un auditoire païen. Il n'a pas simplement l'intention de relater une expérience qu'il était inévitable de tenter, mais qui s'est révélée finalement vaine et infructueuse. L'insuccès de la prédication à l'Aréopage n'est pas une preuve qu'il faut renoncer à chercher des convergences avec la sagesse profane, pas plus que l'insuccès de la prédication aux Juifs n'est une preuve qu'il faut renoncer à l'argument des prophéties. Luc, en rapportant ce discours, a l'intention de donner un modèle légitime, mais non pas nécessairement le modèle unique, d'une prédication adaptée aux païens cultivés.

Le discours est-il grec ou biblique ?

Ce discours a été considéré par des exégètes de valeur comme presque uniquement grec ; c'est d'après eux une succession de thèmes empruntés à la philosophie stoïcienne vulgarisée. Seule la conclusion serait chrétienne. La résonance grecque de ce texte ne peut être contestée. Trop d'excellents hellénistes l'ont sentie et ont pu signaler de nombreux parallèles [3]. Sans nier la justesse de leurs observations, il est nécessaire de tenir compte des plaidoyers en sens contraire présentés par des biblistes plus sensibles aux réminiscences bibliques de toute sorte que l'on peut découvrir dans cette page [4].

Il y a lieu de prendre une voie moyenne. L'orateur (le mot évite d'avoir à préciser sans cesse la part de Paul et celle de Luc) choisit habilement des termes familiers à son public : ainsi dès le début il parle du « cosmos », du monde, au lieu de dire « le ciel et la terre » à la manière de l'Ecriture. Il cite l'inscription

---

3. Ainsi E. Norden, H. Hommel, M. Dibelius, M. Pohlenz, E. des Places et d'autres.

4. Avant tout, B. Gaertner, puis W. Eltester, G. Sthaelin (p. 240), E. Fascher (p. 299) et d'autres. En particulier un brillant helléniste, A.D. Nock, dans une recension de M. Dibelius, tout en reconnaissant un élément hellénistique important dans le discours, estime que l'élément biblique est plus qu'un vernis et constitue la charpente même de l'exposé (*Gnomon* 25, 1953, pp. 497-506 ; voir p. 506 ; reproduit dans *Essays on Religion and the Ancient World*, 1972, pp. 821-832).

d'un autel ou un vers d'Aratus. Il s'attache aux thèmes où il pouvait plus facilement y avoir une convergence entre la foi juive et les doctrines des philosophes. Il vise à mettre en lumière les harmonies plus que les contrastes, sans toutefois masquer totalement ces derniers.

Le commentaire qui va suivre s'attache essentiellement à noter les parallèles bibliques plus complètement que les rencontres avec les auteurs païens, et cela pour deux raisons préalables. D'une part, il est certain que tous les textes bibliques ont passé sous les yeux de l'orateur à un moment ou l'autre de son existence et plutôt deux fois qu'une. Ils ont tous contribué à former un trésor d'idées et d'expressions d'où il pouvait tirer à l'instant opportun ce qui était nécessaire à son propos, sans même en avoir une conscience réflexe. D'autre part, il est également certain que, même s'il a reçu une culture profane et philosophique, l'orateur ne saurait rivaliser avec des hellénistes modernes tels que E. Norden, H. Hommel ou E. des Places. Il n'a pas lu tout ce qu'ils ont lu. Il a pu se familiariser avec une mentalité et un vocabulaire par des entretiens avec des philosophes vivants, discerner chez eux ce qui s'accordait avec sa foi chrétienne et lui adapter son langage. Il suffira donc ici de citer quelques-uns des textes profanes les plus remarquables et de renvoyer aux spécialistes pour une plus ample comparaison.

Puisque ce discours se présente comme une réponse secourable à un aveu d'ignorance, il est plus naturel de le comprendre d'abord comme tel, et non pas d'en faire un simple résumé de philosophie stoïcienne, offrant aux auditeurs ce qu'ils savent déjà. L'orateur proclame sa foi, annonce une bonne nouvelle, mais en cherchant toujours les points de contact avec la pensée et le langage de ses interlocuteurs. S'il en vient à rejeter nettement les images divines, il se garde de donner libre cours à l'indignation qui avait saisi Paul (Act. 17, 16), quand il parcourait une ville pleine d'idoles et déjà célèbre pour cela dans l'Antiquité.

L'INSCRIPTION « AU DIEU INCONNU »

L'orateur loue le zèle religieux des Athéniens, un zèle scrupuleux, qui va jusqu'à dédier un autel « à un dieu inconnu ». En fait, on n'a pas retrouvé jusqu'à présent d'inscriptions portant une dédicace au singulier. On a retrouvé des inscriptions frag-

mentaires « aux dieux in... » qu'il faut très probablement reconstituer « aux dieux inconnus ». Des récits d'historiens anciens
mentionnent également des inscriptions au pluriel. Et S. Jérôme
rapporte que le libellé d'Athènes portait « aux dieux d'Asie,
d'Europe, d'Afrique, aux dieux inconnus et étrangers ». De telles
dédicaces témoignaient donc non pas d'un monothéisme conscient de son ignorance, mais de la crainte d'avoir négligé quelques dieux parmi tous ceux qui pouvaient revendiquer un hommage. Pour éviter leur ressentiment on réparait ainsi l'omission
involontaire. Le passage du pluriel au singulier modifiait la portée
de la dédicace. L'orateur ne visait pas à une exactitude philolo-
gique rigoureuse : il visait à transformer les conceptions religieuses de son auditoire sans le heurter brutalement dès le début.
Il était légitime dans cette situation d'infléchir légèrement le sens
d'un aveu d'ignorance. Celui qui ignore ne sait pas toujours les
dimensions de son ignorance, ni la manière de les formuler
exactement.

Déjà l'Ancien Testament avait parlé des « nations qui ne
connaissent pas Dieu » (Jér. 10, 25 ; Ps. 79, 6 ; repris par 1 Th. 4,
5 ; cf. Gal. 4, 8). Le Second-Isaïe l'avait appliqué spécialement
aux serviteurs des idoles (Is. 44, 9 ; 45, 20) et le livre de la Sagesse
(13, 1) à ceux qui rendent un culte aux forces de la nature.

L'orateur s'empare de l'aveu d'ignorance des Athéniens, mais
en lui donnant beaucoup plus de profondeur qu'il n'en avait vraisemblablement. C'est un procédé que l'on trouve dans l'Evangile : Jésus ou le narrateur reprennent les paroles d'un interlocuteur, mais en leur donnant un sens nouveau, ou en y trou-
vant l'occasion de passer à un plan spirituel ou de donner un
avis pratique au lieu de l'information objective que l'on deman-
dait (Luc 11, 27 ; 13, 23 ; 17, 5-6 ; Jn 4, 7-14 ; 4, 17-18 ; 11, 50-
52 ; 18, 33-37 ; 19, 10-11). Ceux qui ont conscience de ne pas
connaître avec certitude les dieux nombreux ou le Dieu unique
peuvent écouter avec curiosité et bienveillance la prédication
d'une nouvelle doctrine.

LES SOURCES BIBLIQUES DU DISCOURS

Une fois l'attention attirée par W. Eltester, par B. Gärtner, sur
l'arrière-plan biblique du discours, il est facile à un familier
de l'Ancien Testament de reconnaître tout au long de cette

page non seulement les quelques réminiscences textuelles signalées par les références en marge des éditions, mais encore de nombreux parallèles de fond et d'expression. Le lecteur en trouvera le détail plus loin. Qu'il veuille bien regarder cette liste un peu longue non pas comme un contrepoison des interprétations insistant sur les sources grecques du discours, mais comme leur contrepoint. L'orateur a su faire chanter dans sa composition une merveilleuse harmonie entre la recherche des Grecs et la découverte accordée à Israël [5]. Parfois les modulations de l'une à l'autre peuvent laisser une impression d'ambiguïté ; qui se fait entendre ? est-ce Yahweh par l'organe de ses prophètes ? est-ce Athéna par la voix de ses philosophes ?

La détermination des parallèles bibliques a fait apparaître tout d'abord comme une mosaïque, utilisant des pièces prises de tous côtés [6]. Peu à peu s'est dégagée la fréquence des emprunts au chapitre 45 d'Isaïe. Finalement une comparaison systématique a reconnu que l'adresse à l'Aréopage suit de bout en bout cette apostrophe à Cyrus et aux nations païennes. Le tableau synoptique qui suit fera ressortir ce parallélisme assez imprévu et les quelques endroits où il s'interrompt. Ce résultat final ne doit pas obnubiler les acquisitions antérieures, qui gardent toute leur valeur. Le contenu d'Act. 17, 22-31 n'est pas une simple transposition d'Is. 45 en langage de philosophie grecque. Il offre une synthèse heureuse de bien d'autres thèmes de l'Ancien Testament. Mais l'ordre des idées suit remarquablement l'ordre des versets du modèle, à une ou deux irrégularités près, indiquées par le sigle cf. Parfois c'est la suggestion d'un mot (« chercher », par exemple) qui provoque un développement plus ample.

----

5. Harnack admirait beaucoup la richesse et la concision magistrale des thèmes du discours et leur convergence avec la pensée stoïcienne (pp. 23-25).

6. Les textes bibliques seront cités ordinairement ici d'après leur teneur hébraïque. La comparaison avec la traduction des Septante (LXX) a été toujours faite, puisque c'est sous cette forme que l'Ecriture a été utilisée par Paul et Luc, au moins le plus souvent. Mais seules les différences touchant au sujet traité ici ont été signalées, en négligeant des variations secondaires comme l'alternance de Dieu et de Seigneur.

Isaïe 45, 4-25   *Actes 17, 22-31*

22. Athéniens, je vois que vous êtes à tous égards excessivement scrupuleux en matière religieuse.

23. Parcourant en effet votre ville et considérant vos monuments sacrés,

4. et tu ne m'as pas connu.
5. et tu ne m'as pas connu.
15 LXX. tu es Dieu et nous ne le savions pas.

j'ai trouvé jusqu'à un autel avec l'inscription : à un dieu inconnu.

Eh bien ! ce que vous honorez sans le connaître,
je viens, moi, vous l'annoncer.

6. pour qu'on sache qu'il n'y en a pas en dehors de moi.
12. J'ai fait la terre et l'homme sur elle ; mes mains ont étendu les cieux.
18. Yahweh, le créateur des cieux, qui a façonné la terre et l'a faite,

24. Le Dieu qui a fait le monde et tout ce qui s'y trouve, étant le Seigneur du ciel et de la terre,

n'habite pas dans des temples faits de main d'hommes.

Cf. Is. 43, 24 LXX.

25. Il n'est pas non plus servi par des mains humaines, comme s'il avait besoin de rien,
lui qui donne à tous vie, souffle et toutes choses.

Cf. Is. 42, 5.

18. Il l'a fixée ; il ne l'a pas créée chaotique : il l'a façonnée pour être habitable.

26. Il a fait à partir d'un seul toute nation humaine pour habiter sur toute la face de la terre,

18 LXX. Il l'a divisée διώρισεν
TM : il l'a fixée.

ayant déterminé ὁρίσας les périodes qui leur étaient départies et les limites de leur habitat,

Isaïe 45, 4-25   *Actes 17, 22-31*

19. je n'ai pas dit à la race de Jacob : cherchez-moi dans le chaos (LXX : cherchez une chose vaine, — c'est-à-dire une idole).

27. pour chercher Dieu, au cas où ils l'atteindraient à tâtons et le trouveraient ;

20. approchez-vous tous ensemble survivants des nations.

aussi bien n'est-il pas loin de chacun de nous.

28. C'est en lui en effet que nous avons la vie, le mouvement et l'être. Ainsi d'ailleurs l'ont dit certains de vos poètes :

Cf. Is. 45, 11. mes fils (LXX : et mes filles).

« car nous sommes aussi de sa race ».

20. ils ne savent pas...

29. Si nous sommes de la race de Dieu, nous ne devons pas penser que la divinité soit semblable à de l'or, de l'argent ou de la pierre, travaillés par l'art et le génie de l'homme.

20. ceux qui portent leur idole de bois...

Cf. Is. 44, 9-17.

21. qui avait annoncé cela d'avance et l'avait dès lors fait connaître ?

30. Or voici que, fermant les yeux sur les temps de l'ignorance,

22. Tournez-vous vers moi pour être sauvés, tous les lointains de la terre.

Dieu fait maintenant savoir aux hommes d'avoir tous et partout à se convertir,

23. la justice sort de ma bouche.

24. Par Yahweh seul la justice et la force.

31. parce qu'il a fixé un jour où il va juger la terre avec justice,

25. Par Yahweh sera justifiée et glorieuse toute la race d'Israël.

Cf. 45, 5-6. je te fais prendre les armes, pour qu'on sache du levant jusqu'au couchant que tout est néant sauf moi.

par un homme qu'il y a destiné, offrant à tous une garantie en le ressuscitant des morts.

Or, fait surprenant et inattendu, le développement du discours
à l'Aréopage, en suivant pas à pas le texte d'Is. 45, tout en
insérant bon nombre d'expressions bibliques nettement reconnaissables, correspond à l'une des techniques du sermon juif à la
synagogue, le sermon *proem*[7]. Le prédicateur devait commenter
une *haftarah*, ou péricope tirée des prophètes, en la mettant en
rapport avec un *séder*, ou passage de la Loi ; il partait ordinairement d'un *proem* (προοίμιον, exorde), choisi à son gré et apte à
relier *séder* et *haftarah*, comportant un mot commun avec cette
dernière, puis il suivait le texte prophétique sans le citer explicitement, tout en formant comme un collier de perles (*harûzim*)
à l'aide de citations bibliques recueillies d'un peu partout.

Le discours à l'Aréopage s'adapte remarquablement à des
règles formulées sans penser à lui. Le *séder* est fourni par Deut.
30, 11-20 : la Loi n'est pas loin de nous et peut donc être saisie
et connue[8]. Son observation garantit l'habitation sur la terre que
Yahweh a donnée à son peuple, ce par quoi on rejoint le thème
d'Act. 17, 26. Le *proem* est emprunté, devant un auditoire païen,
non aux Ecritures juives, mais à l'inscription d'un autel. De même
les perles du collier sont constituées en majorité par des allusions bibliques mais en partie également par la citation explicite
d'un poète grec et par des expressions qui sonnaient familière-
ment aux oreilles des philosophes athéniens.

---

7. Je me réfère ici aux informations données par J.W. Bowker,
« Speeches in Acts : A Study in Proem and Yelammdenu Form », dans
NTST 14 (1967-1968), pp. 96-111. Cet article m'est tombé entre les
mains après avoir remarqué tout l'arrière-plan biblique d'Act. 17, 22-31.
Le sermon de forme *Yelammdenu* n'a pas à être considéré ici. J. B. ne
donne pas lui-même Act. 17 comme exemple de la forme *Proem*.
Pour de plus amples développements sur cette technique oratoire il
renvoie à J. Mann, *The Bible as Read and Preached in the Old
Synagogue*, 1940 (réédité en 1971), pp. 11-12. L'auteur insiste sur le
fait que l'homéliste a constamment son texte à l'esprit, même s'il omet
un verset. — Voir encore P. Billerbeck, « Ein Synagogengottesdienst
in Jesu Tagen », dans *ZNW* 55 (1964), pp. 143-161, surtout pp. 157-160.
  8. Paul a utilisé ce même texte de Deut. 30, 11-15 dans Rom. 10, 6-10,
pour donner un enseignement sur la justice venue de la foi. Il a recouru
à des procédés d'exégèse juive et probablement même s'est appuyé sur
un Targum, au moins oral. Voir S. Lyonnet, « Saint Paul et l'exégèse
juive de son temps. A propos de Rom. 10, 6-8 », dans *Mélanges bibliques
rédigés en l'honneur de André Robert*, 1957, pp. 494-506.

Même si la correspondance des péricopes tirées de la Loi ou des prophètes dans la lecture synagogale n'était pas encore fixée comme elle le sera plus tard, même si les règles de l'homélie n'avaient pas encore été formulées explicitement, l'orateur de l'Aréopage a pu se conformer à un usage qui commençait à s'établir et l'adapter à un cas particulier.

La mise en évidence de ce schéma qui préside à l'ordonnance du discours devant l'Aréopage a plusieurs conséquences. Elle confirme d'abord l'inspiration foncièrement biblique de cet exposé adressé à des auditeurs païens. Paul, qui s'est attribué sur un mode secondaire les fonctions du Serviteur de Dieu [9], pouvait très naturellement chercher le thème de sa prédication aux païens dans cette seconde partie du livre d'Isaïe.

La découverte de cette source écarte ensuite les hypothèses sur le caractère incomplet du discours rapporté dans Act. 17. Quelle que soit la teneur des paroles prononcées en fait par Paul, Luc n'a pas voulu suggérer qu'il avait développé d'autres thèmes ou qu'il avait été interrompu avant d'avoir achevé ce qu'il se proposait de dire. Enfin, sont pareillement écartées les hypothèses essayant de découvrir le modèle, la *Vorlage* hellénistique utilisée par Luc pour composer le discours. Ces hypothèses avaient conduit à des résultats variés : une conférence d'Apollonius de Tyane, selon E. Norden ; un texte platonisant de Posidonius, retouché déjà par un juif hellénisant avant de l'être par Luc, selon H. Hommel ; un exposé d'apologétique juive remanié dans l'esprit de la culture hellénistique, selon W. Nauck ; un texte d'inspiration aristotélicienne, se rattachant aux écrits de jeunesse encore imprégnés de platonisme, selon M. Zepf [10] ; un florilège de poèmes païens, destiné à corroborer par des témoignages extérieurs le message de la propagande juive et contenant successivement le *Testament d'Orphée* déjà interpolé et le début des *Phénomènes* d'Aratos, dont Act. 17, 28 cite le v. 5, d'après J.C. Lebram [11].

---

9. L. CERFAUX, « S. Paul et le "Serviteur de Dieu" d'Isaïe », dans *Miscellanea Biblica... A. Miller* (Studia Anselmiana, 27-28), 1951, pp. 351-365. Je n'ai pu consulter B. MARIANI, « San Paolo ed il "servo di Jahve" negli Atti e nelle epistole paoline », dans *Riv. Bibl. Ital.* 4 (1956), pp. 330-356.

10. L'hypothèse est signalée comme encore inédite par H. HOMMEL, *Platonisches*, p. 194, n. 3.

11. Le rapprochement avait déjà été fait par E. SCHUERER, *Geschichte des jüdischen Volkes im Zeitalter Jesu Christi*, III[4] (1909), p. 596.

Toutes ces hypothèses sauf la dernière renvoient à un texte qu'il faut conjecturer ou reconstituer laborieusement à l'aide de données dispersées. Seul J.C. Lebram a pu désigner un texte déjà possédé dans les documents de l'antiquité qui nous sont parvenus : un extrait du philosophe juif Aristobule, conservé par Eusèbe de Césarée dans sa *Préparation évangélique* (XIII, 12). Il note d'ailleurs que seul un schéma général, un ordre des thèmes, qui se retrouve aussi dans d'autres textes (Sag. 6—7 ; Sir. 17 ; Jn 1), est commun à Luc et Aristobule, mais que la manière de les développer diffère.

Le nombre des convergences portant à la fois sur les idées et sur les mots d'Is. 45 rend invraisemblable que l'orateur d'Act. 17 se soit rencontré fortuitement avec l'oracle prophétique. Mais l'usage qu'il a fait de son guide n'a rien de servile ou de mécanique. Il garde la maîtrise de son vocabulaire et s'adapte avec aisance à son auditoire. Il omet l'argument tiré de la prophétie, sous-entendu dans la question rhétorique d'Is. 45, 21 et n'en retient que l'ignorance des dieux païens et de leurs serviteurs. Mais il conserve toutefois l'idée que la foi peut s'appuyer sur des arguments préalables et il présente la résurrection comme la garantie du rôle de juge dévolu à Jésus [12].

Le texte d'Is. 45 était spécialement apte à servir d'appui à la prédication, juive ou chrétienne, du monothéisme aux païens. Cette seconde partie du livre d'Isaïe insiste fortement sur la divinité de Yahweh, exclusive de tout autre dieu (Is. 41, 24 ; 43, 10 ; 44, 6 ; 46, 9 ; 48, 12), sur sa puissance créatrice (40, 26 ; 44, 24). Elle annonce la conversion des païens, mais à la différence de certains prophètes qui prédisent le pèlerinage des étrangers à Jérusalem (Is. 2, 3); Sop. 3, 10 ; Ps. 68, 30-32), elle dépeint le Serviteur de Yahweh portant la lumière de la loi aux nations lointaines (Is. 42, 1-6 ; 49, 6). D'autre part, le chap. 45 ne s'appesantit pas sur une satire méprisante des idoles, abondamment développée précédemment (41, 6-7 ; 44, 9-20). Cette réserve convenait à un orateur qui voulait aborder son auditoire avec bienveillance, en louant d'abord ce qu'il avait de bon, plutôt que l'accabler

---

12. Une parenté générale d'Act. 17 avec le Deutéro-Isaïe a été signalée par P. Schubert, p. 261.

sous des reproches, peut-être abstraitement justifiés, mais peu pédagogiques.

Il est possible que l'orateur n'ait eu qu'un contact médiat avec Is. 45, à travers une première adaptation faite par des missionnaires juifs. Il y a eu, en effet, une activité littéraire, dont nous gardons différents témoignages, visant à adapter la foi juive à la pensée païenne. On a pu signaler plusieurs ressemblances d'Act. 17 avec Philon, Josèphe ou d'autres. Pour l'instant il s'agit de points de détail et non d'un parallèle continu comme pour Is. 45. L'orateur a connu certainement les textes bibliques. Il est incertain ou improbable, suivant les cas, qu'il ait connu les textes de la propagande juive.

Quant aux passages de l'Ecriture qui vont être énumérés maintenant dans un commentaire continu du discours, il n'est pas nécessaire, ni même plausible que chacun ait été évoqué consciemment par l'orateur. Il suffisait que son esprit fût nourri de ces textes pour que spontanément il pût s'exprimer en accord avec eux, ou en réaliser une sorte de synthèse.

Le monothéisme biblique exposé aux Athéniens

Le discours annonce un Dieu unique et provident, qu'on ne peut honorer ni par des temples, ni par des sacrifices, ni par des représentations figurées, mais qui adresse aux hommes un appel à se convertir avant le jour de son jugement. Tout à la fin est mentionnée la résurrection de Jésus, qui n'est pas désigné par son nom, mais l'avait été dans des entretiens antérieurs (Act. 17, 18). Il est caractérisé comme le juge désigné par Dieu. Le rejet des temples et des sacrifices est plus dans la ligne du christianisme paulinien que de l'Ancien Testament pris globalement ; il s'accordait bien à certaines orientations de la pensée philosophique grecque, moins radicalement opposée par ailleurs aux représentations figurées des dieux.

« *Je vois que vous êtes à tous égards excessivement scrupuleux en matière religieuse* » (17, 22).

Les mots « excessivement scrupuleux », originairement péjoratifs, peuvent prendre la nuance favorable « extrêmement soigneux et consciencieux ». L'évolution sémantique a été en sens inverse de celle du mot grec *dèïsidaïmôn*, d'abord « religieux », puis « superstitieux ». L'essentiel est de faire sentir, si possible, l'ambiguïté sur laquelle joue l'orateur. L'éloge de la religiosité païenne n'est pas étranger à l'Ancien Testament. « Tous les peuples marchent chacun au nom de son dieu ; mais nous, nous marchons au nom de Yahweh, notre Dieu » (Mic. 4, 5). « Une nation change-t-elle ses dieux ? - or ce ne sont pas même des dieux » (Jér. 2, 11 ; cf. 18, 13). En cas de désastre et d'invasion les païens s'efforcent de sauver leurs idoles (Is. 46, 1).

« *J'ai trouvé jusqu'à un autel avec l'inscription : à un dieu inconnu* » *(17, 23).*

On trouve dans l'Ancien Testament quelques aveux d'ignorance de la part des païens. « Nos pères n'ont eu en partage que mensonge, vanité et impuissance » (Jér. 16, 19). « Tu es Dieu et nous ne le savions pas » (Is. 45, 15 LXX). De là vient le désir de s'instruire auprès d'Israël. « Montons à la montagne de Yahweh... pour qu'il nous enseigne ses voies » (Mic. 4, 2 = Is. 2, 3). « Nous voulons aller avec vous, car nous avons appris que Dieu est avec vous » (Zac. 8, 23). Le souvenir de textes pareils pouvait amener l'orateur à donner un sens très positif à l'inscription de l'autel et à se proposer en docteur de la connaissance de Dieu. « Ce que vous honorez sans le connaître, je viens, moi, vous l'annoncer » (17, 23).

« *Le Dieu qui a fait le monde et tout ce qui s'y trouve* » *(17, 24).*

Le « monde » est une expression grecque pour remplacer une énumération de deux ou trois termes. On ne la trouve pas dans les Septante pour les livres traduits de l'hébreu (elle y est remplacée par le mot *oïkoumènè*,) mais *kosmos* se lit seulement dans la Sagesse et 2 Maccabées, plus proches de la culture grecque. L'orateur choisit donc à dessein un langage familier à son auditoire pour exprimer la foi biblique. « Yahweh a fait le ciel, la terre, la mer et tout ce qui s'y trouve » (Ex. 20, 11 ; Ps. 146, 6). Gen. 1, 1-31 décrivait cette œuvre en détail.

« *Etant le Seigneur du ciel et de la terre* » *(17, 24)*.

Ce titre se lit déjà dans Tob. 7, 17 ; Mat. 11, 25 ; Luc 10, 21, et avec la substitution de *déspota* à *Kyrie* dans Judt. 9, 12. Le livre de Tobie, avec le rôle prééminent joué par l'ange Raphaël, devait plaire à Luc, qui a multiplié les interventions angéliques dans ses deux écrits. « Dieu du ciel » se lit dans Esd. 5, 11 ; 6, 9 ; 7, 21 ; « Seigneur de toute la terre » dans Jos. 3, 11.13 ; Mic. 4, 13 ; Zac. 4, 14 ; 6, 5 ; Ps. 97, 5.

« *Il n'habite pas dans des temples faits de main d'homme* » *(17, 24)*.

La phrase est déjà sur les lèvres d'Etienne (Act. 7, 48), à ceci près que le mot « temple » fait défaut. On en supplée l'idée d'après le contexte, où se présente immédiatement la citation d'Is. 66, 1 : « Le ciel est mon trône, et la terre l'escabeau de mes pieds ; quelle maison me bâtirez-vous ? » Une pensée voisine se lit déjà dans 1 Rois 8, 27 ou 2 Ch. 6, 18. Le mot *cheiropoïètos* s'applique ordinairement dans les Septante aux idoles, mais une fois il traduit le mot *miqdash*, sanctuaire (Is. 16, 12) : Moab entre dans ses sanctuaires pour prier ; c'est en vain.

Les chrétiens étaient prêts à accepter la disparition du temple de Jérusalem (cf. Jn 2, 19-21 ; 4, 21). On remarquera dans ce dernier texte la suite qui fournit un parallèle à l'exorde du discours devant l'Aréopage : « Vous adorez ce que vous ne connaissez pas » (Jn 4, 22). Certains philosophes grecs interdisaient les temples. Ainsi Zénon de Citium : « On ne bâtira pas de temples, car aucun temple n'est chose précieuse ou sainte ; nulle œuvre de maçon ou d'ouvrier n'est chose précieuse. » On peut aussi bien adorer Dieu (les dieux) à ciel ouvert, en contemplant les astres. « L'idée d'un dieu qui n'habitait pas un temple fait de main d'homme ne devait donc pas déconcerter les auditeurs de Paul à l'Aréopage » (E. des Places, p. 340).

« *Il n'est pas non plus servi par des mains humaines, comme s'il avait besoin de quoi que ce soit* » *(17, 25)*.

Cette phrase est plus proche des termes de la pensée grecque que de l'Ecriture. On peut citer entre plusieurs autres textes un vers d'Euripide (*Héraclès,* 1345-46) : « un dieu, s'il est réellement Dieu, n'a besoin de rien », ou une phrase de Xénophon (*Mémorables,* I, 4, 10) : « je crois la divinité (*daïmonion*) trop magnifique pour avoir besoin de mon culte (*thérapéia*) ». La Bible s'est approchée progressivement de cette conception [13]. La Loi prescrivait de ne pas se présenter devant Dieu les mains vides (Ex. 23, 15 ; 34, 20 ; Deut. 16, 16). On précisera ensuite que ces offrandes revenaient au prêtre (Lév. 23, 20). Les prophètes expriment souvent le dégoût de Dieu pour le culte religieux, en y englobant les prières et les chants tout comme les victimes animales (Am. 4, 4-5 ; 5, 21-25 ; Os. 6, 6 ; 8, 13 ; Is. 1, 11-16 ; Mic. 6, 5-8 ; Jér. 6, 20 ; 7, 21-22 ; Ps. 40, 7-8 ; 51, 18-19 ; 69, 31-32). Il s'agit pour eux de demander une piété sincère, se traduisant par la pratique de la justice, non de condamner le culte en lui-même. C'est dans Ps. 50, 8-14 que ce rejet des sacrifices approche le plus de l'idée que Dieu n'a besoin de rien. Encore s'agit-il de dire que Dieu n'a pas besoin, pour s'en nourrir, des bêtes immolées par les hommes. Y a-t-il déjà, présente à l'arrière-plan, la conviction que Dieu n'a besoin d'absolument rien ? Il est difficile de l'assurer comme de le nier.

Jérémie, dans un long discours (7, 1-28), blâme la conduite de ses compatriotes, déclare que ni le temple, ni les sacrifices ne garantissent par eux-mêmes le salut du peuple et, à propos du culte rendu à des dieux étrangers, fait demander par Yahweh : « Est-ce bien moi qu'ils blessent, n'est-ce pas plutôt eux-mêmes, pour leur propre confusion ? » (Jér. 7, 19). La perspective d'un culte inspiré par le désir d'apporter quelque avantage à Dieu est complètement retournée : prestations matérielles ou adoration, tout cela ne profite qu'au fidèle et non à Dieu, qui apparaît comme pure générosité désintéressée. Ps. 16, 2, obscur en hébreu, est traduit dans les Septante : « tu n'as pas besoin de mes biens ». De

---

13. Pour ce qui suit il n'y a pas beaucoup de bibliographie à indiquer. On trouve parfois, allégués dans les commentaires ou les articles, quelques textes de l'Ancien Testament. La plupart des sondages faits dans des « théologies de l'Ancien Testament » sont restés stériles. Seul P. van Imschoot offre quelques textes sur l'absolue indépendance de Dieu : *Théologie de l'Ancien Testament. I. Dieu*, 1954, pp. 56-57 ; cf. *RSPT* 40 (1956), pp. 116-117. — H. Greeven, art. *prosdéomaï*, dans *Theol. Wört. N. T.* de Kittel, II, 1935, pp. 41-42, se borne à relever les railleries adressées aux idoles, qui ont besoin d'aide (Is. 40, 20 ; 41, 7 ; 46, 7 ; Sag. 13, 16), puis cite Philon. Ce silence presque complet s'explique en partie par le fait que l'absence de besoin en Dieu n'est pas un enseignement direct des auteurs bibliques, à la différence de la miséricorde ou de la toute-puissance divines. Elle apparaît plus tardivement et de manière marginale, mais certaine.

même Is. 43, 24, est traduit en grec : « je n'ai pas désiré la graisse de tes sacrifices », afin d'éviter un anthropomorphisme de l'hébreu. Une prière attribuée à David reconnaît que tous les dons offerts à Dieu par les fidèles viennent de lui (1 Chr. 29, 14-16).

Le Second Isaïe s'enquiert ironiquement du conseiller de Dieu et n'attend bien évidemment qu'une réponse négative (Is. 40, 13-14 ; cité par Rom. 11, 34). Il continue en déclarant les plus riches sacrifices disproportionnés à la majesté divine (Is. 40, 16 ; cf. Judt. 16, 16).

Le livre de Job répète qu'on ne peut donner de leçons à Dieu (Job 21, 22 ; 36, 23 ; mal traduit dans LXX), et soutient que le juste n'apporte aucun profit à Dieu par sa conduite intègre (Job 22, 3 ; 35, 7 ; cela évoque Luc 17, 10 : « serviteurs inutiles »). Une faute de copie, vraisemblablement, a donné dans le texte hébreu : « Qui m'a prévenu et je lui rendrai ? ce qui est sous tous les cieux est à moi » (Job 41, 3). La pensée détonne au milieu d'une description du crocodile ou Léviathan. Les LXX, sans être parfaitement satisfaisants, donnent un autre sens et mettent sur la voie d'une reconstitution plausible du texte hébreu primitif. Mais l'idée théologique n'était pas perdue et se retrouve, mise à la troisième personne : « Qui lui a donné le premier et il lui sera rendu ? » dans Rom. 11, 34, où elle fait suite à la citation d'Is. 40, 13. Peut-être s'agit-il d'une révision précoce des LXX pour les rapprocher du texte hébreu.

Ben Sirah, ou l'Ecclésiastique, se montre à la fois le disciple de la Loi, en invitant à offrir les sacrifices qu'elle prescrit, et des prophètes, en inculquant que l'important est d'observer la justice (34, 18 — 35, 10) et il glisse la conclusion : « donne au Très-Haut comme il t'a donné » (35, 9), écho de 1 Chr. 29, 14-16, déjà signalé. Le même sage, entreprenant de le glorifier dans la création visible, déclare que le Seigneur n'a besoin d'aucun conseiller (Sir. 42, 21 ; cf. Is. 40, 13) avec le même verbe *prosdéomaï* qui se retrouve dans Act. 17, 25. Enfin, dans des livres composés en grec on lit : « Toi, Seigneur de toutes choses, bien qu'étant sans besoin, tu as voulu que le temple où tu habites se trouve parmi nous » (2 Mac. 14, 3 ; 3 Mac. 2, 9). C'est une explicitation d'Is. 66, 1, que citera Etienne (Act. 7, 49). Le mot *aprosdéès* résume et généralise ce qui s'est peu à peu formulé au hasard des circonstances : Dieu n'a besoin ni de bêtes immolées, ni de temple, ni de conseiller, ni de la justice de ses fidèles. Le culte des hommes ne fait que lui rendre les dons reçus de lui.

L'orateur a pu emprunter à un modèle profane l'élégante opposition : il n'a besoin de rien, mais il donne tout. Entre autres exemples on peut citer ce passage de Sénèque : « Dieu ne cherche pas des serviteurs. Comment ? C'est lui-même qui sert le genre humain. Il est à sa disposition partout et pour tous » (*Lettre à Lucilius* 95, 47). Mais déjà le patrimoine biblique offrait de nombreuses suggestions qui allaient à la rencontre des spéculations philosophiques. Il fallait insister longuement en raison d'une méconnaissance trop largement répandue de ce point. Il est assez fréquent de lire à propos d'Act. 17, 25 des considérations sommaires, cédant au besoin de classifier de manière rigide, en négligeant les expressions plus floues et plus souples d'une idée. On oppose ainsi artificiellement la pensée grecque et la piété biblique. R. Bultmann écrit : « Le motif de l'absence de besoin en Dieu est du bon stoïcisme, mais il est étranger à l'Ancien Testament, qui ne connaît pas une doctrine des propriétés divines qu'il faudrait inférer par voie de négation [14]. » Un exégète qui était plus familier avec l'Ancien Testament, M. J. Lagrange, écrivait dans un compte rendu d'E. Norden, *Agnostos Theos* : « l'idée est courante dans la Bible » (d'un Dieu qui ne manque de rien) [15]. Il ne donnait aucune référence, tant la chose lui paraissait claire. Il reste, bien sûr, que la pensée n'est pas systématisée dans l'Ancien Testament, encore moins coordonnée avec une autre qui peut apparaître antithétique, celle du désir passionné de Yahweh d'être aimé en retour par son

---

14. R. BULTMANN, « Anknüpfung... », p. 410. Sur la voie négative on peut tout de même signaler non-homme (Nomb. 23, 19 ; 1 Sam. 15, 29 ; Is. 31, 8 ; Os. 11, 9), non-bois (Is. 10, 15), sans compter d'innombrables passages où la négation s'exprime de façon moins concise. Des idées voisines de celles de R. Bultmann sont exprimées par exemple par M. Dibelius, pp. 42-44 ; W. Nauck, p. 54, n. 2, d'autres encore que cite B. Gärtner, p. 216, n. 1, pour les discuter. Il serait bon de se souvenir des critiques formulées, contre une théologie biblique trop exclusivement centrée autour de certains mots déterminés, par J. BARR, *Semantics of Biblical Language*, 1961 ; cf. *RSPT* 48 (1964), pp. 49-51 ; trad. fr. *Sémantique du langage biblique*, 1971.

15. M.J. LAGRANGE, dans *RB*, 1914, pp. 442-448 ; voir p. 446.

peuple [16]. Mais tout ceci relève du mode d'expression, moins rationnel que poétique, propre à l'Ecriture [17].

Avant de passer plus loin, signalons le parallèle de Jn 4, 22-24 : « vous adorez ce que vous ne connaissez pas... Dieu est esprit et ceux qui adorent doivent adorer en esprit et en vérité ».

« Lui qui donne à tous vie, souffle et toutes choses » (17, 25).

Outre Gen. 2, 7 : « un souffle de vie », ce membre de phrase rappelle de près Is. 42, 5 : « qui a donné le souffle (*pnoè*) au peuple qui l'habite et l'haleine (*pneuma*) à ceux qui s'y meuvent », ou encore 2 Mac. 7, 22-23 : « donner (rendre) l'esprit (*pneuma*) et la vie ». Dans ce dernier contexte il est question de l'origine de toutes choses (7, 23), de la race des hommes (7, 28) et du juste jugement de Dieu (7, 36-38), ce qui représente bon nombre de rencontres avec Act. 17. Sir. 17, 6 est plus lointain ; au milieu d'une énumération de tout ce que le Créateur a fait pour les hommes, il mentionne : « il leur a donné la délibération, une

---

16. Seule la réflexion chrétienne sur la révélation trinitaire du Nouveau Testament permettra de surmonter cette tension et d'affirmer sans restriction l'absolue suffisance de Dieu à lui-même. « En dehors de la pluralité des personnes à l'intérieur de la divinité, Dieu ne peut pas aimer. Il n'aurait personne à aimer, sauf un être créé. Et ceci reviendrait à ce que Dieu soit dépendant d'une créature pour l'expression de sa nature essentielle », B.F.C. ATKINSON, *The Christian's Use of the Old Testament*, 1952, pp. 22-23. Ceci nous entraînerait hors du thème précis du discours à l'Aréopage.

17. D'après M. Dibelius, p. 45 et W. Nauck, p. 54, n. 2, l'absence de besoin en Dieu est une idée étrangère au Nouveau Testament avec la seule exception d'Act. 17, 25. Cependant Paul, avec la question de 1 Cor. 4, 7 : « Qu'as-tu que tu n'aies pas reçu ? » et celle de Rom. 11, 34-35 : « Qui lui a donné le premier ? », inculque l'absolue dépendance de l'homme à l'égard des dons divins et l'absolue indépendance de Dieu à l'égard des dons de la créature. Luc 17, 10 parle de « serviteurs inutiles », même quand ils ont accompli tout ce qui leur était commandé et Luc 6, 32-35 insiste, plus encore que le passage parallèle de Mat. 5, 45-47, sur une attitude de générosité pure n'attendant aucun retour de la part d'autrui, comme le moyen de ressembler au Père céleste. Voir encore Luc 14, 12-14 et Act. 20, 35, où manque la référence explicite à l'imitation de Dieu. La formule d'Act. 17, 25 est intéressante, parce qu'elle montre ce que le mode de penser philosophique apporte à la foi biblique : non pas une donnée vraiment nouvelle, mais la possibilité d'exprimer de manière plus incisive ce qui reste d'ordinaire implicite et sous-entendu, comme allant de soi.

langue, des yeux, des oreilles et un cœur pour penser ». Dieu
donne toutes choses (*ta panta*), neutre pluriel avec l'article.
Après avoir créé l'homme, il lui avait donné pour nourriture
toute céréale et tout fruit (Gen. 1, 29 ; cf. 2, 16). D'après Ps. 8, 7
il a tout mis sous les pieds de l'homme. La traduction des LXX
porte ici *panta* sans l'article, mais quand Paul commente ce
texte après l'avoir cité exactement, il ajoute l'article (1 Cor. 15,
27-28 ; Eph. 1, 22-23 ; Phil. 3, 21, où il n'y a qu'allusion sans
citation ; cf. Héb. 2, 7). L'Ancien Testament offre plusieurs formules généralisatrices : Dieu fait tout (Gen. 1, 31 ; Is. 44, 24 ; 45,
7), modèle *le* tout (Jér. 10, 16 ; 51, 19), peut tout (Job 42, 2),
domine tout (Ps. 103, 19 ; 1 Chr. 29, 12), vivifie tout (Néh. 9, 6).
L'énumération tripartite rappelle d'autres textes anthropologiques : Dieu a modelé l'homme, a soufflé en lui une âme agissante,
insufflé un esprit vital (Sag. 15, 11), « votre être tout entier, l'esprit, l'âme et le corps » (1 Th. 5, 23). Job 10, 12 est plus lointain : vie, miséricorde, esprit sont répartis entre deux stiques parallèles et non énumérés à la suite. On trouve d'assez nombreuses formules ternaires dans 1 et 2 Thes., les épîtres les plus proches chronologiquement du séjour de Paul à Athènes. La foi,
la charité et l'espérance (1 Th. 1, 3 ; 5, 8). Ni de l'erreur, ni de
l'impureté, ni dans la ruse (1 Th. 2, 3). D'une manière sainte,
juste, irréprochable (1 Th. 2, 10). Exhortant, encourageant, adju-
rant (1 Th. 2, 12). Ni par un esprit, ni par une parole, ni par une
lettre venant de nous (2 Th. 2, 2). L'homme d'injustice, le fils de
perdition, celui qui s'oppose et s'élève (2 Th. 2, 3-4).

« *Il a fait à partir d'un seul tout le peuple des hommes pour
habiter sur toute la face de la terre... pour chercher Dieu* » (17,
26-27) [18].

---

18. Une alternative portant plus sur la grammaire que sur le fond
de la pensée se pose pour la traduction de ce verset : « tout le peuple
des hommes » (M. Dibelius, W. Nauck, etc.) ou « toute nation humaine »
(G. Schrenk ; A.D. Nock penche pour cette traduction, sans repousser
entièrement la possibilité de la première). Ultérieurement faut-il traduire : « il a fait habiter les hommes sur la terre... pour chercher
Dieu » (M. Pohlenz), ou « il a fait (créé) les hommes pour habiter
sur la terre... pour chercher Dieu » (M. Dibelius, E. Haenchen) ? On
se reportera aux commentaires pour la discussion de ces points.

Les idées de ces versets : création, habitation de la terre, recherche de Dieu, ignorance, appel à la conversion, perspective du jugement futur, se rencontrent de manière assez remarquable dans Is. 45, 11-12 et 18-19. Yahweh vient de parler de ses fils (Is. 45, 11 ; Act. 17, 28 : nous sommes de sa race) et il poursuit : « j'ai fait la terre, j'ai créé (ce mot est omis dans les LXX) l'homme sur elle » et plus loin : « celui qui a fait la terre, lui-même l'a divisée par des limites ; il ne l'a pas faite en pure perte mais pour être habitée... je n'ai pas dit à la race de Jacob : cherchez-moi en vain » (Is. 45, 18-19). Les Septante ont traduit par deux mots différents le même mot hébreu chaos (*tohû*) ; la seconde fois on peut même se demander si le traducteur n'a pas voulu suggérer l'idée : « cherchez la chose vaine (l'idole) » en employant l'adjectif neutre *mataïon* et non pas l'adverbe *matèn*.

Le complexe d'idées présenté simultanément par Act. 17, 25-26 et Is. 45 se retrouve, mais avec moins de coïncidences verbales, dans Gen. 1-2. Dieu fait le ciel et la terre, rend celle-ci habitable, fait l'homme pour remplir la terre. Les Septante ne distinguent pas entre « créer » et « faire », à la différence de l'hébreu. Mais, outre la destination terrestre de l'homme, le texte insinue, sans insister, un rapport religieux de l'homme à Dieu. Le septième jour est béni et sanctifié. Il n'est rien dit d'un précepte de chômage. Tout reste indéterminé. Mais on peut rappeler que dans Is. 58 le prophète, après avoir critiqué une mauvaise manière de chercher Dieu, propose comme moyen de le trouver l'observation pieuse du sabbat. L'orateur de l'Aréopage tire de la Loi sa conception de l'homme et de sa destination. C'est ce que montre de surcroît le détail de ces versets. La race humaine provient d'un seul ancêtre [19]. Elle habite sur toute la face de la terre. L'expression reproduit Gen. 2, 6 ; 8, 9 ; 11, 6 ; 1 Sam. 30, 16 ; Judt. 2, 7.19 ; 7, 18 ; ou encore sans « toute » Ez. 38, 20 ; 39, 14 [20].

---

19. Cf. Luc 3, 38.

20. Signalons au passage un petit fait manifestant le souci qu'a Luc de se conformer au style des Septante. Le texte de 1 Sam. 30, 16 (TM et LXX) porte « sur la face de toute la terre », ce qui est une inversion par rapport aux autres exemples de l'expression. Il s'agit des Amalécites qui, après une razzia fructueuse, mangent, boivent et festoient et sont alors surpris par David qui les massacre. Or Luc 21, 35 emploie le même ordre des mots à propos des hommes se livrant aux excès de boisson et à l'ivresse et surpris par le dernier jour.

« *Ayant déterminé les périodes qui leur étaient départies et les limites de leur habitat* » *(17, 26).*

Cette phrase fait l'objet de discussions entre exégètes. S'agit-il d'affirmer la providence historique de Dieu sur la vie des peuples, de faire allusion à leur différenciation progressive à partir de l'unité primitive ? ou de suggérer (un développement plus ample n'étant pas à sa place dans ce résumé très dense) que l'ordre de la nature est une manifestation de Dieu, ou même une preuve de son existence et du soin qu'il prend de ses créatures ? Dans l'une et l'autre interprétation le discours ferait écho à des théories philosophiques d'alors [21].

Avant de décider, il est utile de passer en revue les parallèles offerts par l'Ancien Testament, afin de ne pas être ébloui à l'excès par les textes profanes allégués avec beaucoup d'érudition.

En faveur de la première interprétation, qui voit une allusion à l'histoire du genre humain, on peut faire valoir d'abord la structure générale du discours. Entre le début de l'humanité à partir d'un seul et le moment actuel où il faut se préparer au jugement final, se placerait bien la mention des temps où Dieu règle la vie de chaque peuple. C'est là une pensée familière aux Ecritures. A plusieurs reprises la durée de tel ou tel événement est annoncée à l'avance. Quatre cents ans pour le séjour des Israélites en Egypte et le paroxysme de la perversion des Cananéens avant leur dépossession (Gen. 15, 13-16). Sept ans pour une famine en Egypte (Gen. 41, 25-32). Trois ans avant une catastrophe qui doit frapper Moab (Is. 16, 14). Soixante-dix ans avant une restauration de Tyr (Is. 23, 17). Quarante ans avant un retour d'exil des Egyptiens (Ez. 29, 13). Soixante-dix ans pour la suprématie de Nabuchodonosor (Jér. 25, 12 ; 29, 10 ; cf. Esd. 1, 1 ; Zac. 1, 12 ; Dan. 9, 1). Soixante-dix semaines avant le temps du salut (Dan. 9, 24). Le livre de Daniel exalte Dieu « qui fait alterner périodes et temps, qui fait tomber les rois, qui établit les rois » (Dan. 2, 21) et il contient plusieurs tableaux prophétiques de la succession des empires (Dan. 2 ; 7 ; 8 ; 10-11). Luc, qui s'intéresse aux « périodes des nations » (Luc 21, 24), aurait très

21. La première interprétation (historique) est soutenue par M. Pohlenz, qui y voit un rappel de la preuve de Dieu par le consentement universel, la seconde par M. Dibelius (et moyennant une correction de détail par W. Eltester) : c'est une preuve cosmologique de la Providence.

bien pu résumer en deux mots la conception biblique d'une providence réglant l'histoire des peuples.

Parallèlement l'action de Dieu pour répartir la terre entre les diverses nations n'est pas seulement affirmée de manière générale dans Deut. 32, 8, pour faire ressortir le privilège d'Israël, mais précisée dans le détail, par la bénédiction de Noé, puis la table des peuples (Gen. 9, 26-27 ; 10, 1-32). Dieu a donné leur part d'héritage à Edom, Moab et Ammon (Deut. 2, 5.9.19). C'est lui qui chasse un peuple devant un nouvel occupant (Deut. 2, 21 ; Jos. 13, 6), qui a suscité les migrations des Araméens et des Philistins (Am. 9, 7), qui donne la terre à qui Il veut (Jér. 27, 5). Luc, qui s'intéresse à la répartition géographique des peuples (Luc 3, 1 ; Act. 2, 9-11), aurait très bien pu résumer d'un mot cette conception biblique d'une détermination par Dieu des frontières politiques. Il aurait proclamé sa foi en une Providence face à la philosophie épicurienne, pour laquelle les dieux ne s'occupent pas des hommes.

Une autre interprétation d'Act 17, 26 y voit le thème d'un argument familier à la philosophie stoïcienne : l'ordre du monde manifeste le soin que la divinité prend des hommes. Déjà dans le discours de Lystres, les pluies et les périodes de fructification, c'est-à-dire les saisons, sont présentées comme un témoignage que Dieu nous donne de sa bienfaisance (Act. 14, 17). Dans le discours à l'Aréopage les expressions sont plus vagues, mais il s'agirait également des saisons, d'une part, et des régions propices à l'établissement des hommes, d'autre part : soit les zones tempérées, à l'exclusion des zones glaciale et torride, d'après M. Dibelius, soit la terre ferme protégée contre l'invasion de la mer, d'après W. Eltester. Ce dernier a pu en faveur de son exégèse accumuler un bon nombre de passages bibliques, où le Dieu créateur est représenté victorieux du chaos et imposant une limite à la mer (Jér. 5, 22 ; Ps. 74, 12-14 ; 89, 9-11 ; 104, 9 ; Job 38, 8-11 ; Prov. 8, 28-29 ; Sir. 43, 23 ; Prière de Manassé 3). Dans Gen. 8, 21-22 et Jér. 5, 22 le contrôle de Dieu sur les eaux est lié à l'idée d'une providence réglant l'ordre des saisons et rendant possible l'agriculture. Noé (Gen. 8) était le père de toute l'humanité et non seulement d'Israël. Aussi des psaumes invitent explicitement tous les peuples à craindre Dieu et à se réjouir des bienfaits de la moisson (Ps. 65, 8-14 ; 67, 2-8). Cette note universaliste manque dans Is. 28, 23-29 ; Jér. 5, 22-25.

On peut donc derrière Act. 17, 26 faire apparaître un fond biblique déjà diversifié. Il ne s'impose pas de choisir entre une interprétation historique et une interprétation recourant à la considération des phénomènes réguliers de la nature. L'orateur, familier avec la Bible, peut fort bien englober dans une même expression indéterminée ce que nous répartissons entre ces deux catégories. Dans Is. 51, 9-10, le prophète contemple simultanément comme dans une surimpression la victoire de Dieu sur Rahab, le monstre du chaos, et la traversée de la mer par Israël. La mention de Rahab (du dragon) a été omise dans les Septante primitifs et rétablie dans les Hexaples. Dans un texte de Qumrân, il est question des divisions de la terre :

qui a créé la terre et les décrets de ses séparations en désert et terre aride et toutes ses productions avec leurs fruits ; (c'est Lui) qui a fait le cercle des mers et les réservoirs des rivières ; (c'est Lui) qui a fait éclore les abîmes (en) œuvres de vie et (en) êtres ailés, la figuration de l'homme ; (c'est Lui) qui a séparé tous les impies de la confusion des langues ; (c'est Lui) qui a divisé les peuples (pour) la résidence des clans et (pour) la possession des pays ; (c'est Lui) qui a fixé les temps de sainteté, les déroulements des années, les époques de l'avenir [22].

On voit que dans ce texte sont réunis les éléments que nous sommes portés à séparer : fêtes instituées et saisons naturelles, zones géographiques et territoires nationaux.

Ce qui vient encore compliquer la situation, c'est qu'on peut signaler une troisième piste, ouverte par un texte de Qohéleth ou Ecclésiaste [23]. « Il y a un temps pour toute chose sous le ciel, un temps pour enfanter et un temps pour mourir.... un temps

---

22. Traduction de J. CARMIGNAC, dans *Les textes de Qumrân traduits et annotés*, I, 1961. Le texte a été signalé d'abord par F. MUSSNER, *Parallelen*, p. 129.

23. Un certain nombre de rencontres entre Qohéleth et les passages propres à l'Evangile de Luc suggèrent l'intérêt porté au premier par le second : Qoh. 6, 2 et Luc 12, 20, le riche insensé. — Qoh. 8 et 9 ; Luc 13, 1-5, la même chose arrive aux justes et aux pécheurs. — Qoh. 9, 14 ; Luc 19, 43, le siège d'une ville. — Qoh. 9, 12 ; Luc 21, 34, le moment du malheur (le jour du jugement) tombe (survient) à l'improviste comme un filet. — Qoh., *passim ;* Luc 10, 41, la multitude des soucis inutiles.

pour chercher et un temps pour perdre... » Le mot employé est
kairos le moment propice, l'instant favorable, qui se retrouve
dans Ac. 17, 26. Après avoir énuméré quatorze paires d'actions
contraires, l'Ecclésiaste poursuit : Dieu a tout fait bon en son
temps, mais il a mis la durée dans leur cœur (des hommes), pour
que l'homme ne trouve pas l'œuvre que Dieu a faite depuis le
début jusqu'à la fin » (3, 1-11). L'homme a l'idée de la durée ;
son esprit n'est pas rivé à l'instant présent ; il peut embrasser
une suite plus ou moins longue d'instants. Mais il est incapable
néanmoins de découvrir le but que Dieu s'est proposé. Le sage
cherche et ne trouve pas ; l'aveu se répète dans le livre (Qoh. 7,
24.28 ; 8, 17). Il y a là une dissonance par rapport aux autres
écrits bibliques, qui promettent à ceux qui cherchent Dieu de
le trouver. Mais il y a aussi une rencontre avec Act. 17, 27, où
la recherche de Dieu apparaît comme une entreprise hasardeuse,
dont les résultats restent incertains et qui comporte des tâton-
nements.

En conclusion, les termes de Act. 17, 26 sont trop généraux
pour que l'on puisse préciser en excluant l'une ou l'autre des
interprétations possibles. L'orateur envisage toutes les périodes
de la durée, celles des cycles naturels, réguliers ou non, celles
de la destinée humaine, individuelle ou collective, les divisions
de la terre, naturelles ou politiques. Tout cela est dirigé par
l'action de Dieu, ce qui ne signifie pas que l'esprit humain puisse
la saisir très manifestement. Il s'agit ici d'une affirmation de
la foi plus que de l'énoncé rapide d'une preuve.

« ...*pour chercher Dieu, au cas où ils l'atteindraient à tâtons
et le trouveraient* » *(17, 27)* [24].

Malgré l'absence de toute coïncidence de vocabulaire, le texte
de Gen. 1, 26 — 2, 3 mérite d'être rappelé. Dieu a fait à son
image l'homme qui est donc son fils (cf. Luc 3, 38). Il l'a destiné non seulement à remplir la terre, mais à entretenir des rap-

---

24. Sur le thème de la recherche de Dieu, voir G. TURBESSI, « Quaerere Deum. Il tema della "ricerca di Dio" nella S. Scrittura », dans
Riv. Bib. Ital. 10 (1962), pp. 282-296 ; « Quaerere Deum. Il tema della
"ricerca di Dio" nelle ambiente ellenistico e giudaico, contemporaneo
del N. T. », dans *Studiorum paulinorum congressus,* 1963, II, pp. 383-
398. Je n'ai pu consulter O. GARCIA DE LA FUENTE, *La busqueda de
Dios en el Antiguo Testamento,* 1971.

ports religieux avec son créateur ; la bénédiction accordée au septième jour insinue l'existence d'un devoir envers Dieu, sans promulguer pourtant la règle du repos sabbatique (à la différence du passage parallèle dans le livre des *Jubilés*).

Qohéleth ou l'Ecclésiaste, après avoir énuméré les différentes périodes qui remplissent l'existence de l'homme, ajoute « Dieu a mis la durée entière dans leur cœur (des hommes), pour que l'homme ne trouve pas l'œuvre que Dieu a faite depuis le début jusqu'à la fin » (3, 11). A l'encontre du ton optimiste de la plupart des textes bibliques contenant le couple chercher-trouver, Qohéleth parle d'une recherche condamnée à l'échec (cf. Qoh. 7, 24.28 ; 8, 17). L'objet immédiat en est non pas Dieu lui-même, mais ce qui se fait sous le soleil, considéré dans son ensemble, dans sa durée totale. Mais notre sage n'exclut pas Dieu de sa vision du monde et il avoue n'avoir pas découvert le but poursuivi par le Créateur. Le malheureux Job se plaint de ne discerner Dieu nulle part, bien qu'il se soit tourné de tous côtés (23, 8-9). Le livre de la Sagesse parle des païens qui s'égarent en cherchant Dieu et en voulant le trouver, mais qui l'identifient aux forces de la nature (13, 6).

Dans ces textes qui viennent d'être cités il s'agit des hommes en général et même expressément des païens dans Sag. 13, 6. Quand les auteurs bibliques parlent d'Israël, ils promettent que la recherche sincère de Dieu amènera à Le trouver (Deut. 4, 29 ; Jér. 29, 13 ; Is. 55, 6 ; 2 Chr. 15, 2-4). La même chose est dite de la Sagesse (Prov. 2, 4-5 ; 8, 17 ; Sir. 3, 11-12 ; 6, 18.27 ; Sag. 1, 1-2 ; 6, 12-14). Une sentence évangélique donne un bref résumé : « Cherchez et vous trouverez » (Mat. 7, 7 ; Luc 11, 9). Si les dispositions du peuple sont mauvaises, il cherchera sans trouver (Am. 8, 12 ; Os. 5, 6 ; Prov. 1, 28). Un réquisitoire prophétique dénonce une manière perverse de chercher Dieu sans pratiquer la justice (Is. 58, 2) et plus loin compare la situation malheureuse des coupables à celle d'aveugles tâtonnant malgré la lumière où ils se trouvent (Is. 59, 10 ; cf. Deut. 28, 29). Dans Job 5, 14 et 12, 25 la condamnation est un peu moins nette. Les analogies de pensée et de vocabulaire de ces textes avec Act. 17, 27 sont manifestes. L'orateur n'attribue pas à l'humanité dans son ensemble ce qui était le privilège d'Israël en cas de fidélité, la certitude de trouver, ni ce qui était le jugement d'Israël en cas de péché, l'impossibilité de trouver. L'issue de la recherche est incertaine et il n'est pas exclu qu'elle aboutisse à demi. Un psalmiste envisageait l'éventualité qu'un grand désastre amène les païens à chercher le nom de Dieu (Ps. 83, 17).

On peut rapprocher de ces pensées du discours à l'Aréopage les doctrines philosophiques païennes qui insistaient sur la difficulté de connaître Dieu en même temps que sur la parenté de l'âme humaine avec Dieu. Platon, par exemple, disait dans le Timée (28 C) : « C'est un travail que de trouver l'auteur et le père de cet univers et, quand on l'a trouvé, il est impossible de le dire à tous. » La connaissance de Dieu était souvent considérée comme innée en vertu même de la parenté avec Dieu. On ne trouve rien de tel explicitement énoncé dans le discours à l'Aréopage. Néanmoins plusieurs commentateurs, enclins à le comprendre en fonction de la philosophie grecque, ont cru pouvoir lire entre les lignes d'Act. 17 cette théorie d'une connaissance innée. Sans prendre position fermement sur ce point, il peut être utile de rassembler quelques versets un peu énigmatiques des Ecritures, pour montrer qu'un lecteur de celle-ci n'avait pas à se défier d'une telle théorie. Dans Prov. 20, 27 on lit : « C'est une lampe de Yahweh que le souffle de l'homme ; elle scrute le tréfonds des entrailles. » Les Septante ont traduit en remplaçant « lampe » par « lumière ». 1 Clem. 21, 2 porte « lampe » ; mais introduit à tort l'Esprit du Seigneur. Cela suffit au propos actuel et dispense de discuter les corrections suggérées par les modernes pour rendre plus clair ce texte un peu obscur. Qohéleth (3, 11) déclare que Dieu a mis la durée dans le cœur de l'homme ; il veut parler d'une connaissance provoquant à des recherches qui restent d'ailleurs infructueuses. D'après Ben Sirah, dans un passage dont on n'a pas retrouvé l'original hébreu, Dieu a fait les hommes à son image (17, 3), leur a donné les sens et l'intelligence ; « Il a mis son œil sur leurs cœurs, pour leur montrer la grandeur de ses œuvres » (17, 8). Il est difficile de préciser beaucoup la portée de ces courtes sentences [25]. On peut y reconnaître la doctrine d'une impulsion donnée par Dieu à la vie mentale de l'homme dans le domaine de la conscience psychologique, de la réflexion sur le monde offert à l'expérience et de la connaissance de Dieu.

---

25. G. VON RAD juge Sir. 17, 8 une phrase « très curieuse ; cela signifie que Dieu a rendu les hommes capables de comprendre correctement ses œuvres », *Weisheit in Israel*, 1970 ; trad. fr. *Israël et la Sagesse*, 1971, p. 298, n. 1. Il avoue son embarras pour Qoh. 3, 11 ; *op. cit.*, p. 268, n. 1.

« *Aussi bien n'est-il pas loin de chacun de nous. C'est en Lui,
en effet, que nous avons la vie, le mouvement et l'être* » *(17,
27-28).*

On trouve plusieurs fois dans l'Ancien Testament l'expression
« non loin » pour exprimer la proximité locale d'un pays, d'un
objet, d'une personne. Dans Deut. 30, 11, l'emploi est métaphori-
que : le commandement le la Loi n'est pas loin, dans le ciel ou
au delà de la mer, c'est-à-dire n'est pas inconnaissable et inaccessible [26]. Tel est le sens dans le discours à l'Aréopage. Dieu n'est
pas inconnaissable. La nuance est plus de l'ordre de la connaissance que de celui de la confiance et de la familiarité avec Dieu.
Plusieurs psalmistes demandent au Seigneur de ne pas s'éloigner
d'eux, c'est-à-dire de leur manifester sa bienveillance et d'exaucer
leurs prières (Ps. 22, 12.20 ; 35, 22 ; 38, 22 ; 40, 12 [du moins
d'après LXX = 39, 12] ; 71, 22). Mais ce n'est pas d'abord cela
que vise ici l'orateur. Ce n'est pas non plus la proximité de Dieu,
au sens de disposition à secourir son fidèle dans le besoin (cf.
Deut. 4, 7 ; Ps. 33, 19, etc.).

On ne peut cependant exclure totalement cette idée d'une providence bienveillante de Dieu à l'égard de ses créatures. Mais
l'orateur n'insiste pas sur une donnée qui n'était pas familière à
ses auditeurs. Josèphe, lui, dans la prière de Salomon lors de la
dédicace du temple, a redoublé les expressions : « Tu ne te tiens
pas au loin... tu ne cesses pas d'être tout proche de tous » (*Ant.
Jud.* VIII, 108). Avec l'expression biblique « dans la main de
Dieu » on passe insensiblement du contrôle du Tout-Puissant sur
ses œuvres à un souci miséricordieux pour ses fidèles. Les extrémités de la terre sont dans la main de Dieu (Ps. 95, 4), comme le
cœur du roi (Prov. 21, 1), l'âme de tout vivant et le souffle de
toute chair d'homme (Job 12, 10 ; Dan. 5, 23), les justes et les
sages et leurs œuvres (Qoh. 9, 1), les temps de la vie du psalmiste
(Ps. 31, 16), tous les hommes (Sir. 33, 13), les âmes des justes
après leur mort (Sag. 3, 1), les sages, leurs discours et leur intelligence (Sag. 7, 16). Dieu a recueilli le vent dans ses poings (Prov.
30, 4) et mesuré la mer dans ses paumes (Is. 40, 12) [27].

---

26. On se rappellera l'étude de S. Lyonnet, signalée plus haut, n. 8.
27. Le texte de Sag. 1, 7 : « l'Esprit du Seigneur soutient (tient unies)
toutes choses » ne signifie pas qu'il contient tout à la manière d'un

C'est en Dieu que le psalmiste a été jeté à la sortie du sein maternel (Ps. 22, 11), en Dieu qu'il a un abri (Ps. 31, 2), le repos, le salut et la gloire (Ps. 62, 2-8 ; cf. 3, 3) ; en ses mains qu'il remet son esprit (Ps. 31, 6). Les fidèles se vantent d'accomplir en Dieu des exploits impossibles autrement. En Dieu ils passent par la brèche d'un rempart (Ps. 18, 30) ; en Dieu ils renversent leurs adversaires et se réjouissent de la victoire (Ps. 44, 6.9), en Dieu ils se réjouissent (1 Sam. 2, 1 ; Hab. 3, 18 ; Ps. 5, 12 ; 9, 3 ; 149, 2) ; en Dieu ils font des prouesses (Ps. 60, 14 ; 108, 14). Jonathan fortifie la main de David en Dieu (1 Sam. 23, 16), lui rend courage.

La formule du discours à l'Aréopage néglige ces harmoniques affectives si puissantes dans bon nombre de textes bibliques et ne retient dans son énumération tripartite que des idées plus abstraites, répondant respectivement à l'énumération précédente : Dieu donne vie, souffle et toutes choses. Le souci de s'adapter à la mentalité philosophique des auditeurs est manifeste. La phrase : « en lui nous vivons, nous nous mouvons et nous sommes » a une résonance panthéiste pour les lecteurs familiers avec la pensée grecque. Il est possible, mais il n'est nullement certain, qu'elle soit une citation d'un auteur profane [28].

---

récipient. Le mot grec *sunéchon* exprime l'idée que l'Esprit « assure l'unité et la cohésion de l'univers » ; C. LARCHER, *Etudes sur le livre de la Sagesse* (Etudes Bibliques), 1969, p. 362 ; cf. p. 366.

28. La formule plurielle : « comme l'ont dit certains de vos poètes » n'indique pas nécessairement qu'il y ait plusieurs citations, ni même plusieurs poètes à exprimer la même pensée. Elle est une simple habitude littéraire des milieux cultivés. On a cru toutefois, sur le témoignage d'Isho'dad, que la phrase : « en lui nous vivons... » était une citation d'Epiménide. M. Pohlenz (pp. 101-104) a montré que la chose était loin d'être sûre. Plus récemment, P. COURCELLE, « Un vers d'Epiménide dans le discours sur l'Aréopage », dans *Rev. Et. Gr.* 76 (1963), pp. 404-413, a essayé de confirmer l'existence de deux citations profanes distinctes dans Act. 17, 28 par le témoignage de saint Augustin. Dans huit passages de son œuvre, allant de 393 à sa vieillesse (426-430), le docteur affirme que « en lui nous vivons... » est une citation d'un auteur païen. — Mais, peut-on objecter, ce peut être une simple déduction faite par lui à partir du pluriel « vos poètes », car à la différence d'Isho'dad, il ne dit pas que les deux citations de Tit. 1, 11 et Act. 17, 28ᵃ proviennent d'un même poème. — On trouvera la biblio-graphie du sujet dans les deux articles cités. Malgré les parallèles rassemblés en particulier par H. Hommel, on ne connaît pas encore

La citation qui suit : « car nous sommes aussi de sa race »,
empruntée aux *Phénomènes* du poète Aratos, confirme l'impression de panthéisme. Evidemment l'orateur chrétien ne mettait
sous ces mots que sa foi biblique en un Dieu qui a créé l'homme
à son image (Gen. 1, 27 ; 5, 1 ; 9, 6) et qui appelle les hommes ses
fils (Is. 45, 11), ses fils et ses filles (Is. 43, 6 ; 45, 11 LXX). D'ailleurs l'Ancien Testament hébreu ne répugne pas rigoureusement
à donner le titre d'*elohim*, « dieu », à des hommes dans plusieurs
passages qui ont été ordinairement adoucis par les Septante (Is. 9,
5 ; Zac. 12, 8 ; Ps. 8, 6). Mais deux textes ont été traduits littéralement en grec : 1 Sam. 29, 13, où il s'agit de Samuel apparaissant
après sa mort (dans LXX « des dieux » au pluriel) et Ps. 82, 6,
où il s'agit primitivement du jugement des dieux subalternes par
le Dieu suprême, mais qui a été appliqué aux hommes par Jn 10,
34. Luc, dans sa généalogie de Jésus, a présenté Adam comme
fils de Dieu (Luc 3, 38). Il choisit dans le patrimoine culturel de
ses auditeurs ce qui pouvait être le plus proche de son propre
message. Mais les deux conceptions ne sont pas identiques. Le
poète païen n'a pas le même sens de la transcendance incomparable du vrai Dieu. On peut dire toutefois qu'il n'était pas loin de
la notion biblique, tout comme le scribe de l'Evangile n'était pas
loin du royaume de Dieu (Marc 12, 34).

On cite volontiers, pour illustrer la parenté d'Act. 17, 27-28
avec la pensée philosophique d'alors, un passage de Dion Chrysostome, de Pruse, qui vivait à la fin du premier siècle et au début
du deuxième siècle de notre ère. S'il est chronologiquement un
peu postérieur à Luc, il exprime des idées qui étaient courantes
parmi les stoïciens. Il s'agit des premiers hommes : « Parce qu'ils
ne vivaient personnellement ni loin ni hors du divin, mais y bai-
gnaient ou plutôt lui étaient connaturels et attachés de toute
manière, ils ne pouvaient davantage rester sans intelligence [29],
alors qu'ils avaient reçu de lui l'intelligence et la raison, éclairés
qu'ils étaient de tous côtés par des signes divins et grands, ceux
du ciel et des astres, et encore du soleil et de la lune. »

---

d'attestation de la triade « vivre, se mouvoir, être » en dehors de
Act. 17, 28. Le parallèle tiré d'Isocrate et proposé par M. Delage est
lointain et peu convaincant.

29. Traduction de E. des Places (p. 257), qui ne poursuit pas plus
loin la citation.

« *Si nous sommes de la race de Dieu, nous ne devons pas penser que la divinité soit semblable à de l'or, de l'argent ou de la pierre, travaillés par l'art et le génie de l'homme* » *(17, 29).*

Ce verset suit exactement la ligne de pensée de l'Ancien Testament, qui ne se préoccupe jamais de distinguer méthodiquement entre la représentation figurée et la divinité honorée par le culte. Des textes nombreux polémiquent contre l'idolâtrie, éventuellement même contre l'image de Yahweh sous la forme d'un taureau (Os. 8, 4-6), simplement en faisant remarquer que l'ouvrage des mains humaines ne peut être un dieu (Ps. 115, 4 ; 135, 15 ; Is. 2, 8 ; 17, 8 ; 31, 7 ; 37, 19). La description satirique de la fabrication sert à bien inculquer cette conviction, à contre-balancer l'impression spontanée de crainte religieuse que pouvait provoquer la pompe des cérémonies païennes (Is. 40, 19-20 ; 41, 7 ; 44, 9-20 ; Jér. 10, 2-5 ; Hab. 2, 18-19 ; Sag. 13, 11-15 ; 15, 7-9 ; Bar. 6, 7.23.45).

A partir de la citation d'Aratos, l'orateur esquisse un argument qui a son analogue dans Ps. 94, 9 : « Lui qui planta l'oreille n'entendrait pas ; s'il a façonné l'œil, il ne verrait pas ? » La cause doit posséder les qualités qu'elle communique à son effet. Si Dieu est le père qui nous a donné naissance, il doit posséder ces facultés humaines que sont la vue et l'ouïe, avec, bien entendu, la capacité de comprendre les choses ainsi perçues (cf. Is. 6, 9). Il ne peut être identique aux idoles des païens, qui ne voient ni n'entendent (Ps. 115, 5-6).

L'orateur utilise donc certaines perceptions des poètes, acceptées par les philosophes, pour combattre des erreurs grossières répandues dans la masse. Il y avait une tentation invincible d'identifier l'image et le dieu qu'on venait implorer. Les auteurs païens l'attestent. « Il ne faut pas élever les yeux vers le ciel, ni prier le gardien du temple de te permettre d'approcher de l'oreille de la statue, comme si cela pouvait avoir pour résultat que le dieu t'entende mieux. Dieu est près de toi, il est avec toi, en toi », écrit Sénèque (*Lettre* 41, 1).

La pensée de ce verset du discours ne s'éloigne pas des modèles trouvés dans l'Ancien Testament. Il est toutefois notable que l'orateur a évité les traits d'une satire un peu grosse, comme on en trouve dans la *lettre de Jérémie* et même dans le Second Isaïe (44, 12-17) ou Jérémie (10, 3-5). Il parle de l'art humain sobrement et on supposerait qu'il est plutôt influencé par la sympathie qu'avait exprimée le livre de la Sagesse (14, 19-20).

« *Or voici que, fermant les yeux sur les temps de l'ignorance,
Dieu fait maintenant savoir aux hommes d'avoir tous et partout
à se convertir, parce qu'il a fixé un jour où il va juger la terre
avec justice* » *(17, 30-31).*

Le verset s'inspire du livre de la Sagesse, d'après lequel Dieu
passe par-dessus (*paroraô*) les péchés des hommes en vue de la
conversion (Sag. 11, 23). Il avertit ceux qui tombent de leurs
péchés, pour qu'ils se détournent de leur malice et croient en lui
(12, 2). Ce Dieu, qui prend soin de tout, montre qu'il ne juge pas
injustement. Il gouverne tout avec justice et considère comme
étranger à sa puissance de condamner celui qui ne doit pas être
châtié (12, 11-15). Les idoles des païens subiront une visite vengeresse et une brusque fin leur est destinée (14, 11-14). Toutefois
l'orateur évite de parler de péché ; il emploie un mot plus ambigu,
« ignorance ». C'est un des termes qui dans les Septante désigne
le péché. « Ferme les yeux sur l'ignorance » (Sir. 28, 7), pardonne
à autrui. Dans Act. 3, 17 le mot tend à excuser dans une certaine
mesure le meurtre de Jésus par les Juifs. Ici il permet d'esquiver
la question de la responsabilité de l'erreur idolâtrique chez les
auditeurs. C'était à la fois plus habile et plus équitable dans ces
premières prises de contact. Le jour fixé par Dieu est le « jour
de Yahweh », fréquemment évoqué par les prophètes (Am. 5,
18 ; etc.), et devenu le « jour du Seigneur » dans le Nouveau Testament (1 Th. 5, 2 ; 2 Th. 2, 2). La formule « juger la terre avec
justice » est répétée trois fois dans les psaumes (Ps. 9, 9 ; 96, 13 ;
98, 9) et une fois encore dans les Septante (Ps. 67/66, 5, ms. S) :
addition par un copiste dans un psaume qui envisage la conversion à Dieu de tous les peuples, ou même, d'après plusieurs exégètes, verset authentique, disparu accidentellement.

Ce qui est déjà proprement chrétien dans ce passage du discours, avant même que soit mentionné le médiateur humain du
jugement, c'est l'annonce que le jour est déjà fixé où vont se
réaliser les prédictions anciennes. Il y a des analogies dans les
prophètes pour un oracle sur Moab (Is. 16, 13-14) et un autre sur
Gog (Ez. 38, 17). Mais surtout Jésus lui-même se présente comme
accomplissant la loi et les prophètes (Mat. 5, 17) et en particulier
une promesse d'Isaïe (Is. 61, 1 ; Luc 4, 18). La formule « Dieu a
fixé un jour » ne présente aucune difficulté pour un croyant pleinement convaincu de la prescience éternelle de Dieu. Mais pour
des esprits mal préparés elle peut facilement être comprise comme

annonçant une décision récente et une exécution prochaine. De fait, à Thessalonique, l'enseignement de Paul sur le juste jugement de Dieu avait produit l'attente inquiète d'un retour prochain du Seigneur (cf. 1 Th. 4, 15-17 ; 2 Th. 2, 1-2).

« *Il va juger la terre avec justice par un homme qu'il a constitué (pour cela), offrant à tous une garantie en le ressuscitant des morts* » *(17, 31)*.

Paul avait déjà parlé de Jésus et de la résurrection aux Athéniens dans les discours adressés à tout venant sur l'agora (Act. 17, 17-18). Il y fait une nouvelle allusion rapide, sans même reprendre le nom de Jésus. Précédemment il avait appris aux Thessaloniciens « à se détourner des idoles pour servir le Dieu vivant et vrai et pour attendre venant des cieux son Fils qu'il a ressuscité des morts » (1 Th. 1, 9-10). Le fait de la résurrection rend croyables et compréhensibles les prérogatives attribuées à Jésus. Pierre, après avoir annoncé à Cornélius, le centurion romain, que Jésus ressuscité avait été vu de plusieurs témoins, poursuit en disant qu'il a été constitué par Dieu juge des vivants et des morts (Act. 10, 42). C'est le même verbe *horizô* que dans le discours à l'Aréopage. De même encore, Paul dans Rom. 1, 4 enseigne que Jésus, né de la race de David selon la chair, a été constitué Fils de Dieu en puissance selon un esprit de sainteté par une résurrection d'entre les morts. Au jour de la Pentecôte, Pierre, après avoir argumenté en faveur de la résurrection, conclut que Dieu a fait Seigneur et Christ ce Jésus crucifié par les Juifs (Act. 2, 36).

Le Nouveau Testament n'annonce pas la résurrection simplement pour dire que le corps de Jésus est sorti vivant de son tombeau, mais toujours pour proclamer à partir de là tel ou tel aspect du salut. Il y a ici un peu plus d'insistance sur la garantie (*pistis*) que représente pour l'intelligence le fait de la résurrection, mais ce n'est guère qu'une réflexion plus explicite et adaptée au caractère des auditeurs sur un mouvement de pensée qui se retrouve ailleurs dans la prédication de la résurrection.

Dans l'Ancien Testament les faits déjà réalisés du salut divin servent de garantie à la foi. Après le passage de la Mer des roseaux et le désastre des Egyptiens, Israël crut en Yahweh et en Moïse, son serviteur (Ex. 14, 31). De même, dans l'oracle prophétique qui sous-tend le discours à l'Aréopage, les victoires de Cyrus aboutissant à la restauration d'Israël feront savoir par toute la terre que Yahweh est le seul Dieu (Is. 45, 6 ; cf. 45, 1-4.13), car Lui seul a prédit cette suite d'événements.

LE DISCOURS A L'ARÉOPAGE ET LA PENSÉE PAULINIENNE

On a plus d'une fois souligné la différence de pensée entre le discours à l'Aréopage avec sa bienveillance pour le monde païen et les épîtres pauliniennes avec leur sévérité. Et souvent on en a conclu que le discours n'avait pu être prononcé par Paul, ni exprimer ses idées.

Une première remarque générale doit inviter à la prudence. On constate chez les auteurs bibliques une certaine indifférence à manifester explicitement la compatibilité logique de leurs assertions successives. Sans remonter à l'Ancien Testament, on peut signaler que Paul dans ses lettres n'échappe pas à cette disposition d'esprit. Ainsi d'après R. Bultmann, il y a chez Paul deux manières non harmonisées de présenter le lien de la mort et du péché : « la conception juridique de la mort comme punition du péché et la représentation de la mort comme son fruit produit par une croissance organique [30] ». A plus forte raison peut-on admettre une certaine tension au plan de l'expression entre un passage des épîtres et un discours auquel Luc aurait donné sa forme dernière. La raison n'est pas suffisante pour exclure que les deux exposés remontent à l'esprit du même Paul.

Si l'on s'en tient à des phrases isolées, on peut trouver une opposition complète entre Rom. 1, 21, d'après lequel les païens, ayant connu Dieu, ne lui ont rendu ni gloire, ni actions de grâces, et Act. 17, 23, d'après lequel les Athéniens vénèrent ce qu'ils ne connaissent pas. Mais plus loin l'orateur de l'Aréopage cite la pensée d'un poète grec et en approuve la justesse, tandis que Rom. 1, 22 poursuit en disant que les païens sont devenus vains dans leurs pensées et que leur cœur inintelligent s'est rempli de ténèbres. Ainsi l'ignorance des Athéniens n'est qu'une demi-igno-

---

30. R. BULTMANN, *Theologie des Neuen Testaments*, 1948, p. 244. H.J. HOLTZMANN, *Lehrbuch der neutestamentlichen Theologie*[2], 1911, II, p. 56, découvrait encore une autre antinomie dans le même sujet de la mort. Voir les remarques faites à ce propos dans A.M. DUBARLE, *Le péché originel dans l'Ecriture*, 1958, p. 154.

rance et la connaissance de Dieu par les païens n'est qu'une demi-connaissance. Il n'y a pas encore là de contradiction radicale. Quant au culte rendu par les Athéniens à la divinité, il est loin de s'attirer l'approbation totale de l'orateur. Il est bien plutôt critiqué nettement, bien qu'avec ménagement dans la forme.

D'après R. Bultmann, « la pensée paulinienne caractéristique, selon laquelle la connaissance que les païens ont de Dieu fonde leur péché, est absente (dans Act. 17), comme par ailleurs la pensée d'une parenté entre Dieu et l'homme est étrangère à Paul [31] ». Ceci n'est pas entièrement exact. Car pour Act. 17, 28-29 l'idolâtrie, qui multiplie les images du divin et l'assimile à ses représentations, est condamnée par l'idée exprimée par certains poètes : « nous sommes de sa race ». Une connaissance, qui à vrai dire est le lot, non de tous, mais d'une élite, aurait dû prévenir la pratique commune. Cette faute, inconsciente chez la plupart, explique l'appel général à la conversion. Paul dans Rom. 1, 19-23 ne distingue pas aussi nettement entre la foule et quelques penseurs plus profonds, mais il envisage le paganisme comme un tout, sans entrer dans la conscience responsable des individus.

La seconde partie de l'opposition notée par R. Bultmann n'est pas plus solide. Dans Gal. 4, 1-7 Paul compare la condition de l'humanité avant la foi chrétienne à celle d'un fils héritier, qui pendant sa minorité n'a pas encore la libre disposition d'un héritage dont il est cependant le possesseur. Il y a donc une parenté de l'homme avec Dieu, pouvant ne pas déclencher immédiatement toutes les conséquences effectives qu'elle doit entraîner finalement selon le plan providentiel. Paul ajoute bientôt que, durant ce temps qui a précédé l'entrée en jouissance de l'héritage, les païens ignoraient Dieu et servaient des dieux qui n'en sont pas en réalité. Il a donc été capable de faire momentanément abstraction des péchés du monde païen, pour le considérer de manière neutre et même positive comme composé d'enfants de Dieu, attendant encore de bénéficier des biens découlant de cette qualité.

Ce texte de Gal. 4, 1-7 fournirait les éléments d'une solution à la difficulté soulevée par H. Hommel [32], à savoir que Paul, pro-

---

31. R. BULTMANN, « Anknüpfung... », p. 411 ; trad. fr. « Rattachement et opposition... », p. 510.

32. H. HOMMEL, *Forschungen*, pp. 171-172, qui résume des arguments de M. Dibelius et de R. Bultmann.

fondément pénétré par la conviction que l'homme est devenu étranger à Dieu, attribue la filiation divine à la grâce du Christ et non à une condition naturelle. Mais Paul a distingué une condition fondamentale et la réalisation de ses virtualités par la grâce du Christ [33].

H. Hommel poursuit en notant que d'après Rom. 1, 20 ceux qui ont bénéficié de la théologie naturelle (stoïcienne) sont tombés dans la vanité et l'idolâtrie, alors que d'après Act. 17, 29 cette même théologie naturelle est en mesure d'empêcher l'idolâtrie. Mais, d'après Rom., la théologie naturelle, loin de produire directement l'idolâtrie, la condamne et la rend inexcusable ; et d'après Act. elle n'a pas en fait empêché l'idolâtrie comme elle l'aurait dû.

Toujours d'après H. Hommel l'opposition décisive est que, selon Gal. 3, 26, la foi est ce par quoi nous devenons fils de Dieu ; alors que, selon Act. 17, 31, la foi (ce mot paulinien caractéristique) est seulement une attestation faisant foi, rendant croyable la qualité de juge universel. Sans aucun doute le mot lui-même n'a pas exactement le même sens dans les épîtres pauliniennes et dans le discours à l'Aréopage. Mais une variation de nuance dans le vocabulaire ne suffit pas à établir une incompatibilité d'esprit supposant deux hommes distincts. Dans 1 Cor. 15, 12-23 Paul argumente à propos de la résurrection. Si le Christ n'est pas ressuscité, il y a illusion pure et simple dans les biens promis par la foi aux chrétiens, qui sont les plus malheureux des hommes. La résurrection du Christ nous donne l'assurance que nous aussi nous ressusciterons, que le Christ va régner et se soumettre tous ses ennemis. La résurrection du Christ joue le même rôle dans 1 Cor. 15, 12-23 et Act. 17, 31, pour garantir à l'intelligence la fonction salvatrice du Christ. Seule la charge sémantique du mot *pistis* varie et encore on peut se demander si Luc ne joue pas un peu

---

33. Aux yeux de Paul, il y a plusieurs étapes dans la dignité de fils de Dieu (*huiothésia :* filiation-adoption). Les Israélites, compatriotes non encore convertis de Paul, possèdent déjà l'adoption (Rom. 9, 4). Mais ce sont les chrétiens qui, avec l'Esprit, ont reçu l'adoption (Rom. 8, 15). Et pourtant, ces chrétiens, ayant reçu les prémices de l'Esprit, attendent encore l'adoption avec la rédemption de leur corps (8, 23). Il y a des antécédents à une telle conception dans l'Ancien Testament. D'après Is. 50, 1, Jérusalem n'est pas répudiée, ni les Israélites abandonnés de Yahweh, bien que leurs péchés aient entraîné un état extérieurement semblable. Yahweh est comme une mère qui ne peut oublier son enfant (Is. 49, 15-16 ; cf. Jér. 31, 20).

sur les divers sens possibles. Dieu donne un signe décisif et un gage à l'esprit ; il donne aussi la foi, qui est un don divin (Rom. 12, 3 ; 1 Cor. 12, 9 ; Eph. 2, 8 ; Phil. 1, 29).

Il serait fastidieux de reconsidérer une à une toutes les oppositions d'ordre doctrinal que l'on a cru déceler entre Paul et l'orateur de l'Aréopage. Ce qui vient d'être dit suffit à montrer entre les épîtres et le discours une harmonie de pensée très suffisante pour que l'ensemble puisse remonter au même esprit. Mais on ne parle pas de la même façon à des interlocuteurs qu'il s'agit de mettre en confiance et de gagner et à des disciples qui reconnaissent déjà fondamentalement l'autorité d'un maître. Paul, qui savait se faire tout à tous, juif avec les juifs, dépourvu de loi avec ceux qui en étaient dépourvus, faible avec les faibles, pour en gagner au moins quelques-uns [34], a su adapter son langage et sa pensée aux auditeurs qu'il visait, des philosophes dans le cas présent.

Le Serviteur de Yahweh ne devait pas éteindre la mèche vacillante (LXX : fumante ; Is 42, 3) et Paul, qui a compris son ministère comme un accomplissement ou une imitation de la mission du Serviteur [35], ne devait pas se montrer prompt à condamner dès le premier contact les lueurs incertaines du paganisme. Il leur donne plutôt une valeur dépassant leur portée première, tout comme en disant : « Crois-tu aux prophéties, roi Agrippa ? je sais que tu y crois » (Act. 26, 27), il force probablement la note à l'égard d'un homme qui n'était pas un renégat de la foi juive, mais ne devait pas être un croyant bien fervent.

Le discours à l'Aréopage n'a donc rien dans son contenu qui s'oppose à son attribution à Paul, dès lors qu'on le comprend avec

---

34. 1 Cor. 9, 19-22. Ce texte est souvent cité pour montrer qu'il est possible d'attribuer à Paul les idées principales du discours à l'Aréopage et son attitude psychologique à l'égard du paganisme ; E. FASCHER (p. 299) ; C.S.S. WILLIAMS (p. 206) ; M. ZERWICK (p. 321) ; V. TAYLOR, *The Person of Christ in New Testament Teaching*, 1966, ch. XVII, § 4 ; trad. française : *La personne du Christ dans le N. T.*, 1969, p. 235. G. Schrenk fait une allusion tacite : « Athénien pour les Athéniens » (p. 148). A.D. Nock, sans attribuer le discours à Paul, cite 1 Cor. 9, 22 et suggère qu'il aurait pu aller à la rencontre de païens non convertis. On pourrait aussi rappeler Col. 4, 5-6 : « Conduisez-vous avec sagesse envers ceux du dehors... Que votre langage soit toujours aimable, relevé de sel, avec l'art de répondre à chacun comme il faut. »

35. Plus haut, note 9.

une certaine souplesse psychologique, au lieu de transformer immédiatement chaque phrase en une thèse de théologie systématique. La technique exégétique et oratoire détectée plus haut, avec l'appui allusif pris sur le texte d'Is. 45, doit être attribuée à un maître en Ecritures, formé selon les méthodes juives (cf. Act. 22, 3), plutôt qu'à un étranger d'origine, même très familier avec les Septante, à Paul donc plutôt qu'à Luc.

Il n'est nullement exclu toutefois, il est même très positivement probable que Luc a particulièrement soigné la formulation littéraire de ce morceau, en lui donnant un cachet attique et philosophique, tout en lui laissant un caractère biblique. Il était un bon connaisseur de la version des Septante et savait en imiter le style ou y puiser les expressions aptes à traduire sa pensée [36].

LA PORTÉE DOCTRINALE DU DISCOURS A L'ARÉOPAGE

Le discours à l'Aréopage ne met pas en œuvre la considération du monde matériel pour développer ou exprimer la connaissance de Dieu. Mais il va à la rencontre des conceptions que possèdent les païens. Il ne s'agit pas de leur emprunter des données qui auraient manqué à la foi juive ou chrétienne, mais de se comporter envers eux avec sympathie, comme envers des hommes qui cherchent Dieu, qui ne sont pas dans l'erreur totale, bien que la plupart d'entre eux et même tous aient besoin d'une conversion, d'un changement de mentalité pour échapper à un jugement divin.

A la différence du discours de Lystres (Act. 14, 15-17), il n'y a pas ici d'argumentation pour démontrer l'existence de Dieu ou du moins illustrer sa Providence. L'orateur procède par affirmations. Il propose de manière claire et substantielle l'enseignement qui a excité la curiosité de ses auditeurs de l'agora. Dieu est créateur de toutes choses. Il gouverne le monde et l'humanité ; il a fixé les limites et les temps de l'habitation des peuples sur la terre. La recherche de Dieu n'est pas condamnée à l'insuccès total, car l'homme est de la race de Dieu. L'orateur semble compter sur l'attrait qu'une pensée plus haute et plus ferme peut exercer sur un auditeur pour qui elle n'est pas complètement étrangère, ni complètement familière.

---

36. Plus haut, note 20.

Le seul point où un raisonnement s'esquisse est celui où la citation d'Aratos amène à rejeter les représentations plastiques du divin. C'est l'homme qui ressemble à Dieu, puisqu'il est de sa race, pour parler avec le poète païen, et qu'il est marqué à son image, pour reprendre l'expression biblique (Gen. 1, 27), présente à l'esprit de l'orateur. Ce n'est donc pas une matière inerte, travaillée avec art, qui peut offrir une figuration appropriée. La pensée d'une élite permet de s'élever au-dessus de l'erreur de la foule.

Nous avons donc ici un jugement implicite sur la religion païenne. Ce n'est pas une condamnation aussi dure que dans Rom. 1, 18-32. Les païens recherchent Dieu, car ils sont ses créatures et ses images et ne peuvent se dérober à la destinée que le Créateur a donnée à ses enfants. Ils le cherchent, mais en ayant conscience de ne pas le connaître pleinement, de rester dans l'ignorance et l'orateur approuve ce sentiment, auquel il donne une signification plus haute qu'il n'en avait dans la conscience claire de ses auditeurs.

Les païens recherchent Dieu, mais ils ne sont pas condamnés à une simple quête toujours vaine. Ils tâtonnent dans les ténèbres et non pas dans la lumière du jour. Mais Dieu est proche et il peut être rencontré dans l'obscurité. Des degrés de connaissance existent dans le paganisme. Des sages, des poètes ont compris la parenté de l'homme avec Dieu. Le missionnaire de l'Evangile peut reconnaître ces approches partielles de la vérité et les utiliser pour amener ses auditeurs à recevoir le message divin.

L'orateur de l'Aréopage traite donc avec sympathie la religion des Athéniens. Comme il s'adresse à des philosophes, son langage a des résonances philosophiques. Ce n'est pourtant pas la philosophie qui est par elle-même une préparation à la foi, mais plutôt un sentiment religieux soupçonnant ce qui lui manque. L'orateur réinterprète cette conscience d'une ignorance ; il en fait autre chose que la crainte d'un oubli involontaire de quelque divinité. C'est un pressentiment mêlé de respect.

L'orateur ne contredit pas par son attitude la mise en garde de Col. 2, 8 contre une philosophie, qui serait un vain leurre et une simple tradition humaine. Nourri en profondeur par la pensée biblique, il n'a pas besoin d'éviter anxieusement tout contact de mot ou d'idée avec la mentalité philosophique de ses auditeurs. L'abondance des citations ou allusions à l'Ancien Testament n'a pas été relevée plus haut par une vaine émulation, excitée par l'abondance des parallèles philosophiques mis en lumière dans bien des études érudites. Il s'agissait de manifester clairement la richesse du trésor scripturaire où pouvait puiser l'orateur, sans en avoir toujours un souvenir précis.

Le discours n'est pas un résumé de philosophie populaire. Le théologien ne peut en tirer la recommandation d'une théologie naturelle, antérieure à la révélation et qui serait un préambule adéquat à la foi chrétienne. Mais on ne peut pas non plus voir dans ce discours une tactique habile, ne s'approchant de la pensée païenne que pour mieux la frapper, une insertion dans le monde mental de la philosophie aboutissant à le contredire radicalement, l'appel fait aux dires des poètes préparant seulement une condamnation sévère d'une conduite opposée à la vérité entrevue [37].

Le discours à l'Aréopage a pu favoriser chez des penseurs chrétiens un accueil un peu trop facile de la pensée philosophique païenne. Au cours de l'histoire du christianisme, il a pu y avoir une juxtaposition matérielle de thèmes empruntés à la philosophie du dehors et de doctrines relevant de la foi, les premiers étant considérés comme un soubassement sur lequel reposerait l'édifice des secondes. Une meilleure compréhension du discours doit prévenir un tel comportement.

Mais l'exemple de l'orateur peut et doit être un modèle et une incitation à une attitude ouverte et sympathique à l'égard des grands mouvements spirituels dans le monde, des philosophies ou des religions, non pour en adopter sans discrimination toutes les vues, mais pour y discerner ce qui a pu préparer les cœurs à recevoir la bonne nouvelle et pour y apprendre le langage adapté à telle catégorie d'auditeurs.

Il est vrai que l'on met en doute l'adaptation du discours au but poursuivi, la conversion de l'assistance. Paul n'aurait persuadé qu'un tout petit nombre (Act. 17, 32-34). Il aurait donc échoué dans sa tentative ; il en aurait eu conscience et dès l'étape de Corinthe il aurait modifié le ton de sa prédication. Une telle interprétation des données bibliques n'est pas entièrement convaincante.

---

37. Sans reprendre exactement les expressions de l'un ou de l'autre, je me rapproche ici des vues exprimées par F. MUSSNER, « Anknüpfung... », et m'éloigne de celles de R. BULTMANN, « Anknüpfung... », pp. 406-411 (trad. fr. : « Rattachement et opposition... », pp. 506-513).

Il est de la nature de la parole de Dieu d'être jetée comme une semence dans des terrains très divers et de n'y porter pas toujours le même fruit (Mat. 13, 18-23). La prédication de Paul ne pouvait échapper à cette loi. Il n'a pas réussi intégralement auprès des philosophes d'Athènes. Mais il n'a pas mieux réussi auprès des Juifs, ses frères de race et de foi religieuse. Jésus lui-même l'en avait prévenu dans une vision (Act. 22, 17-21), alors qu'il priait dans le Temple. Paul n'a pas pour autant abandonné sa prédication et les procédés rabbiniques de raisonnement à partir de l'Ecriture (Act. 17, 2), qu'il tenait de son éducation à Jérusalem aux pieds de Gamaliel, un docteur célèbre (Act. 22, 3).

Dans les desseins providentiels l'échec de Paul auprès des Juifs devait l'amener à prêcher aux païens (Act. 13, 46 ; 18, 6 ; 28, 28). En quittant l'Aréopage, après n'y avoir fait que peu d'adhérents, Paul ne s'est pas déterminé à s'abstenir de parler aux païens. Il a continué comme par le passé à entrer en contact avec les Juifs de la synagogue dans chaque ville et par eux avec les païens.

A-t-il dès lors modifié sa manière de les aborder ? On le conclut volontiers de quelques versets de l'épître aux Corinthiens. Aussitôt après avoir quitté Athènes, Paul était arrivé à Corinthe dans des sentiments d'abattement et de crainte (1 Cor. 2, 1-4). Il avait voulu prêcher seulement le mystère de la croix, sans faire appel aux prestiges de la sagesse et de l'éloquence (1 Cor. 1, 17-25). Il aurait donc, pense-t-on, renoncé à présenter son message d'une manière analogue à celle mise en œuvre devant l'Aréopage. Paul fait-il réellement allusion, des années après, à une amère déception, dont il aurait tiré une leçon ? Peut-être ; mais nous ne savons rien de certain. La communauté de Corinthe était composée de petites gens sans culture (1 Cor. 1, 26-29). Ce n'était pas l'assemblée de philosophes devant qui Paul avait parlé à Athènes. Le même souci d'adaptation et de respect de ses auditeurs qui lui avait fait prendre ici un ton philosophique, pouvait le détourner d'éblouir là de modestes travailleurs manuels par des mots qu'ils ne comprenaient pas. Et l'enseignement dispensé à des croyants n'avait pas non plus à ressembler à une prise de contact avec des curieux.

Une prédication peut n'être pas adaptée à son auditoire. Mais réciproquement l'auditoire peut n'être pas adapté à la proposi-

7*

tion qui lui est faite de se convertir et de se renoncer. Qui en jugera avec certitude ?

Luc, qui a voulu présenter le discours d'Athènes comme une rencontre typique de la foi chrétienne et de la sagesse philosophique grecque, n'a guère pu vouloir signaler un échec de Paul ou simplement rapporter le destin varié d'une même parole dans des cœurs diversement préparés. En amenant soigneusement et longuement l'épisode, en donnant une telle élégance à la rédaction de l'allocution, il a plutôt voulu fournir un modèle et montrer comment dans une circonstance mémorable s'était comporté Paul, conscient d'être redevable de l'Evangile aux Grecs aussi bien qu'aux barbares, aux sages aussi bien qu'aux ignorants (Rom. 1, 14).

APPENDICE : LE DISCOURS DE LYSTRES (*Act 14, 15-17*)

En complément au discours à l'Aréopage, il y a lieu de signaler les quelques mots adressés à la population de Lystres. La guérison d'un impotent a excité l'enthousiasme de la foule, qui veut offrir un sacrifice aux apôtres pris pour des dieux. Paul proteste. Fort de l'autorité que lui confère le prodige opéré, il invite ses auditeurs à se détourner des vaines idoles pour adorer le Dieu vivant, Créateur de toutes choses. L'orateur se présente comme un simple homme, semblable à ses auditeurs, mais porte-parole d'une divinité supérieure à celles que ceux-ci vénèrent, ou plutôt de la divinité véritable, éclipsée jusqu'ici par de vaines images. Ce Dieu unique exerce son contrôle sur la conduite des hommes. Dans le passé il a laissé les différentes nations suivre chacune sa voie (cf. Mic. 4, 5). L'apôtre insinue qu'elles ont erré dans de fausses religions et semble admettre que c'était excusable. Le vrai Dieu s'est pourtant rendu témoignage par les biens qu'il a dispensés aux hommes. La pensée s'inspire des Psaumes (65, 6-14 ; 67, 2-8), où les saisons et la fécondité des champs sont un signe de la puissance divine donné aux habitants de la terre entière jusqu'à ses extrémités. Dieu se fait connaître et craindre, mais bien plus dispense la joie à ses créatures. Paul se rencontre avec les développements qu'on peut trouver dans les philosophes païens sur la providence divine qui fournit aux hommes les fruits de la terre et les saisons convenables.

Luc s'est limité ici à un très bref exposé ; il réserve au discours devant l'Aréopage une présentation plus ample de la prédication chrétienne aux païens. Si les deux discours des Actes ont
en commun une certaine indulgence pour l'erreur ou l'ignorance
du paganisme et se distinguent ainsi de Rom. 1, 20 : « inexcusables », l'orateur de Lystres admet avec Rom. 1, 19 que Dieu
se manifeste par ses œuvres dans la nature, au lieu de parler
d'abord de « Dieu inconnu ». C'est un indice qu'il ne faut pas
prendre chaque mot de ces textes avec une rigueur mathéma-
tique, ce qui conduirait à multiplier artificiellement les contra-
dictions.

BIBLIOGRAPHIE

Seuls les ouvrages réellement utilisés sont cités ici. Pour des informations plus amples voir A.J. MATTILL & M. BEDFORD MATTILL, *A Classified Bibliography of Literature on the Acts of the Apostles*, 1966, pp. 430-439 ; J. DUPONT, cf. *infra*. II. ETUDES, *op. cit.*, pp. 50-54 ; 157-160 ; 416-417. — Et, naturellement, les bibliographies périodiques de *Bib* et de l'*Internationale Zeitschriftenschau für Bibelwissenschaft und Grenzgebiete*.

I. COMMENTAIRES

A. BOUDOU. *Les Actes des Apôtres,* (Verbum salutis), 1933.

H. CONZELMANN. *Die Apostelgeschichte* (HNT 7), 1963.

E. HAENCHEN. *Die Apostelgeschichte neu übersetzt und erklärt* (Meyers Kommentar, 3), 1956.

E. JACQUIER. *Les Actes des Apôtres* (Etudes bibliques), 1936.

A. LOISY. *Les Actes des Apôtres,* 1920.

W. LUETHI. *Die Apostelgeschichte ausgelegt für die Gemeinde,* 1958 ; trad. fr. *Les Actes des Apôtres,* 1959.

G. STAHLIN. *Die Apostelgeschichte* (NTD), 1966.

C.S.S. WILLIAMS. *A Commentary on the Acts of the Apostles* (Black's NT Comm.), 1957.

II. ETUDES SUR LE DISCOURS A L'ARÉOPAGE ET LES THÈMES CONNEXES

W. BIEDER. « Zum Problem Religion-christlicher Glaube », dans *TZ* 15 (1959), pp. 431-445.

R. BULTMANN. « Anknüpfung und Widerspruch. Zur Frage nach des Anknüpfung der nt. Verkündigung an die Theologie der Stoa, die hellenistisische Mysterienreligion und die Gnosis », dans *TZ* 2 (1946), pp. 401-416 (trad. fr. : « Rattachement et opposition », dans *Foi et compréhension,* t. I, 1970, pp. 500-516).

H. CONZELMANN. « Die Rede des Paulus auf den Areopag », dans *Gymn. Helv.* 12 (1958), 18-32 (m'est connu indirectement par le commentaire de H. C. et le résumé de E. Grässer, pp. 145-149). — ID., « The Adress of Paul on the Areopagus », dans *Studies in*

Luke-Acts. Essays in honor of P. Schubert, éd. par L.E. Keck et J.L. Martyn, 1968, pp. 217-230.

M. DELAGE. « Résonances grecques dans le discours de saint Paul à Athènes », dans *Bull. Assoc. G. Budé*, 1955, n° 3, pp. 49-69.

M. DIBELIUS. « Paulus auf dem Areopag », 1939 ; reproduit avec d'autres articles sur le même sujet dans *Aufsätze zur Apostelge-schichte*, 1951, pp. 29-70 ; trad. angl. *Studies in the Acts of the Apostles*, 1956, pp. 26-77.

J. DUPONT. *Etudes sur les Actes des Apôtres* (Lectio divina, 45), 1967 ; rassemble différents articles parus précédemment ; voir surtout pp. 50-54 ; 157-160 ; 416-419 pour des orientations bibliographiques sur Act. 17, 22-31.

W. ELTESTER. « Gott und die Natur in der Areopagrede », dans *Neutestamentliche Studien für R. Bultmann*, 1954, pp. 202-227. — « Schöpfungsoffenbarung und natürliche Theologie im frühen Christentum », dans *NTST* 3 (1956-1957), pp. 93-114.

M.S. ENSLIN. « Once again, Luke and Paul », dans *ZNW* 61 (1970), pp. 253-271 (voir p. 258).

E. FASCHER. « Gott und die Götter. Zur Frage von Religions-geschichte und Offenbarung », dans *TLZ* 81 (1956), pp. 279-308.

B. GAERTNER. *The Areopagus Speech and Natural Revelation*, 1955.

E. GRASSER. « Die Apostelgeschichte in der Forschung der Gegen-wart », dans *Th. Rundschau* 26, 1960, pp. 93-167, voir pp. 133-149.

A. VON HARNACK. « Ist die Rede des Paulus in Athen ein ursprüng-licher Bestandteil der Apostelgeschichte ? », dans *Texte und Untersuchungen...*, 39 (1913), I, pp. 1-46.

H. HOMMEL. *Neue Forschungen zur Areopagrede. Acta 17*, dans *ZNW* 46 (1955), pp. 145-178. — « Platonisches bei Lukas. Zu Act. 17, 28a », *ZNW* 48 (1957), pp. 193-200.

J.C. LEBRAM. « Der Aufbau der Areopagrede », dans *ZNW* 55 (1964), pp. 221-243.

F. MUSSNER. « Einige Parallele aus den Qumrân-Texte zur Areopag-rede », dans *BZ* 1 (1957), pp. 125-130. — ID., « Anknüpfung und Kerygma in der Areopagrede (Apg 17,22b-31) », dans *Praesentia salutis. Gesammelte Studien*, 1967, pp. 235-243 (repris de *Trierer Th. Zeitschrift* 67, 1958, pp. 344-354).

W. NAUCK. « Die Tradition und Komposition der Areopagrede. Eine motivgeschichtliche Untersuchung », dans *Zeitschrift für Theologie und Kirche* 53, 1956, pp. 11-52.

E. NORDEN. *Agnostos Theos. Untersuchungen zur Formgeschichte religiöser Rede*, 1912.

H.P. OWEN. « The Scope of Natural Revelation in Rom I and Acts XVII », dans *NTST* 5 (1958-1959), pp. 133-143.

E. DES PLACES. *La religion grecque*, 1969 (reprend, pp. 327-361, des articles parus dans *Bib*, traitant des parallèles grecs à Act 17, 22-31). — Ultérieurement est paru : « Act. 17, 30-31 », dans *Bib.* 52 (1971), pp. 525-534.

M. POHLENZ. « Paulus und die Stoa », dans *ZNW* 42 (1949), pp. 69-104 ; voir surtout pp. 82-98 et 101-104.

Bo Reicke. « Natürliche Theologie nach Paulus », dans *Svensk exeg. Aarsbok* 22-23 (1957-1958), pp. 154-171.

G. Schrenk. « Urchristliche Missionspredigt im 1. Jahrhundert », 1948, reproduit dans *Studien zu Paulus*, 1954, pp. 131-148.

P. Schubert. « The Place of the Areopagus Speech in the Composition of Acts », dans *Transitions in Biblical Scholarship*, éd. J.C. Rylaarsdam, 1968, pp. 235-261.

G. Stonehouse. « The Areopagus Adress », 1949, dans *Paul before the Areopagus and other N.T. Studies*, 1957, pp. 1-40.

M. Zerwick. « Sicut et quidam vestrorum poetarum dixerunt : "Ipsius enim et genus sumus" (Act. 17, 28) », dans *VD* 20 (1940), pp. 307-321.

SAINT PAUL:
L'ÉPITRE AUX ROMAINS

Dans l'épître aux Romains deux passages (1, 18-32 ; 2, 14-16) décèlent chez les païens étrangers à Israël une certaine connaissance de Dieu et de sa loi [1]. Paul reprend et résume des thèmes de l'Ancien Testament, tout en utilisant des idées et des termes courants de la philosophie hellénistique populaire.

LA CONNAISSANCE ET LA MÉCONNAISSANCE DE DIEU DANS ROM. *1, 18,32*

La péricope de Rom. 1, 18-32 vise la situation de l'humanité, plus particulièrement du paganisme, dans son rapport à l'évangile. C'est un tableau partiel ou plutôt un réquisitoire partial, s'attachant seulement aux tares religieuses et morales du paganisme, non un bilan exact qui voudrait évaluer équitablement le bien et le mal du monde contemporain. Et surtout on ne peut appliquer indistinctement à tous les individus les traits de cette description globale de faits collectifs, dont l'influence pernicieuse atteint ou menace chacun, mais de manière très variable.

Paul décrit donc le paganisme et l'injustice qu'il recèle. Son expérience personnelle n'est pas seule en jeu. Il connaît aussi par l'Ecriture l'état de choses pervers qui tombe sous le coup de la colère de Dieu. Si l'Evangile de Dieu au sujet de son Fils (Rom. 1, 2-4), si la justice de Dieu (Rom. 3, 21) ont été promis et attestés d'avance par les Ecritures, à plus forte raison Paul

---

1. Pour la liste des commentaires et ouvrages utilisés, voir à la fin du chapitre, pp. 233-235.

retrouve-t-il dans la Loi et les prophètes la condamnation du péché des hommes et l'affirmation que Dieu s'est manifesté à eux dans ses œuvres [2]. Les textes utilisés sans être cités explicitement, les réminiscences plus ou moins nettes d'un bon nombre sont le signe de cette origine biblique de la constatation et du jugement porté sur l'idolâtrie païenne. Mais Paul, étendant au paganisme la condamnation d'Israël idolâtre, a fort bien pu n'avoir pas toujours le souvenir conscient de chacune des références que l'exégète moderne peut alléguer. Il suffisait que chacun de ces textes concourût à former une conviction profonde et un moyen d'expression, sans remonter à la mémoire claire. Il est vraisemblable aussi qu'une tradition judéo-hellénistique, consignée dans différents écrits voisins dans le temps, a inspiré aussi l'Apôtre [3]. Le commentaire qui suit s'attachera surtout aux antécédents bibliques, sans nier pour autant qu'ils ont pu être relayés par des productions plus récentes. Il s'agit avant tout dans la présente étude de montrer la continuité des Ecritures et leur témoignage global, plutôt que d'analyser les voies suivies par la pensée de tel individu.

Paul décrit la faute religieuse du paganisme. Elle culmine pour lui dans l'idolâtrie. Ce qui en Israël était une violation d'une interdiction rigoureuse de la Loi (Ex. 20, 4 ; etc.), contre laquelle les prophètes avaient continuellement protesté, devient quand on considère le paganisme, le signe manifeste et même le contenu essentiel de son péché contre Dieu. La conséquence de cette déviation a été le désordre dans le domaine sexuel et social.

« *La colère de Dieu se révèle du haut du ciel* » (1, 18). Cette révélation de la colère divine est corrélative de la révélation de la justice divine. La seconde sauve de la première (cf. 1 Th. 1, 10). Cette colère vient du ciel. Dans l'Ancien Testament elle est

---

2. R. BAULÈS (pp. 79-81) pose la question très importante méthodologiquement : comment Paul sait-il ce qu'il affirme des païens et des juifs ? Il répond : ce n'est pas uniquement par l'Evangile, mais déjà par l'Ancien Testament. Le diagnostic sur l'état présent de l'humanité en proie au péché est porté en fonction des normes fournies par la Bible, qui sont sa contribution la plus décisive dans la présente péricope. Les citations ou allusions textuelles ne font que manifester cette inspiration profonde ; elles sont secondaires bien que plus apparentes. L'Ecriture annonçait déjà l'Evangile sur le Christ (Rom. 1, 2).

3. Voir, par exemple, O. KUSS, pp. 31 et 42-44 ; O. MICHEL, pp. 55-56.

parfois décrite comme venant de Jérusalem (cf. Amos. 1, 2) ou d'ailleurs, car il s'agit le plus souvent du sort d'Israël seul. Ici, où c'est la situation de l'humanité entière qui est envisagée, la colère vient du ciel comme dans beaucoup de textes bibliques [4].

Cette révélation de la colère n'est pas une simple proclamation prophétique ; elle consiste dans des événements, qui sont en fait des châtiments, bien que cette signification profonde puisse échapper à ceux qui sont frappés. La bonne nouvelle de l'Evangile sera d'autant mieux accueillie que la parole de l'Apôtre aura manifesté le caractère vengeur de faits que chacun pouvait observer. Cette révélation de la colère a pu déjà commencer dans le passé : un lecteur de la Bible pouvait difficilement en douter. Mais elle prend une virulence et une urgence plus grandes, maintenant que la justice de Dieu est révélée. Le jour de la colère (Rom. 2, 5) achèvera la manifestation actuelle.

« ... *contre toute impiété et injustice des hommes, qui tiennent la vérité captive dans l'injustice* » (1, 18b).

Les deux mots désignent la même réalité, l'injustice primordiale des hommes refusant à Dieu leur adoration et leur reconnaissance. Ils deviennent ainsi indifférents à un progrès dans la connaissance de Dieu (cf. 1, 28). Ce qu'ils connaissent déjà de la vérité de Dieu est retenu captif, ne peut avoir son effet bienfaisant sur l'ensemble de la vie humaine [5]. Paul ne semble pas penser pour l'instant à des injustices sociales, qui maintiennent certains dans la servitude et ne leur permettent pas de lever les yeux au-dessus d'une condition misérable, les empêchant ainsi de trouver dans une communauté humaine juste une image de la juste Providence divine.

Le mot « hommes » ne comporte pas l'article [6] et il est difficile de rendre en français l'exacte nuance de cette construction.

---

4. Gen. 19, 24 (Sodome) ; 1 Sam. 2, 10 ; 1 R. 8, 46-49 ; Mic. 1, 2-4 ; Jér. 25, 30-31 ; Is. 63, 19—64, 1 ; Ps. 2, 4-5 ; 11, 4-6 ; 18, 7-15 ; 33, 13 ; 76, 9 ; 144, 5-6 ; Job 31, 2-3 ; 2 Mac. 15, 23-24. Le mot de « colère » ne se trouve pas toujours dans chacun de ces textes, mais tous parlent de châtiments infligés par Dieu.

5. M. LACKMANN, p. 183, insiste sur l'idée que la vérité n'est pas absente chez les païens. Elle est seulement captive de l'injustice et ne peut produire ses fruits.

6. Remarque de B. WEISS, pp. 76-77. A ses yeux il s'agit donc des païens comme tels, non du genre humain dans sa totalité.

En disant « toute injustice *des* hommes » avec l'article on insinue quelque peu l'universalité du péché responsable, alors que Paul admet ailleurs la possibilité et la réalité d'exceptions (2, 14-15). Dire « de *certains* hommes » serait aller contre le mouvement de cette péricope, qui envisage le monde païen globalement. On ne peut guère éviter l'article ; mais il faut se tenir en garde contre les conséquences tirées inconsciemment de cette tournure. La question devra être examinée plus loin.

« *Car ce qu'on peut connaître de Dieu est pour eux manifeste : Dieu en effet le leur a manifesté* » (1, 19).

Paul se tient ici dans la perspective de l'Ancien Testament, pour lequel une ignorance totale de Dieu n'existe pas. Les païens ont des dieux, bien que ce soient de faux dieux. Après le déluge, Dieu avait conclu avec toute l'humanité, en la personne de Noé, une alliance où il se faisait connaître par le signe de l'arc-en-ciel, donc par la nature visible et où il imposait des devoirs : en s'abstenant de consommer le sang animal et de verser le sang humain, on devait reconnaître que Dieu est le souverain maître de la vie contenue dans le sang (Gen. 9, 1-17). La connaissance de Dieu était dans ce texte rapportée à l'initiative de Dieu, non à celle de l'homme (à la différence des diverses innovations techniques détaillées dans Gen. 4, 17-24). De la sorte elle apparaissait implicitement non pas comme un usage contingent du pouvoir général de connaître conféré à l'homme, mais comme la conséquence d'un dessein providentiel, reprenant les buts de la première création [7]. Les Psaumes 65 et 67 expriment une idée voisine : même les peuples étrangers peuvent louer Dieu pour la fécondité de la terre (cf. Gen. 8, 22 ; Act. 14, 17). Ben Sirah, rappelant l'œuvre de la création, parle ainsi de la connaissance de Dieu :

Il leur donna un cœur pour penser...
Il mit son œil sur leur cœur
pour leur montrer la grandeur de ses œuvres.
Ils loueront son saint nom
en célébrant les grandeurs de ses œuvres (17, 6-10).

---

7. Un texte comme Is. 28, 26, où Yahweh apparaît comme instruisant le cultivateur des méthodes opportunes, n'a évidemment pas la même importance que la conclusion solennelle de l'alliance après le déluge. Il est dans la ligne de maintes expressions bibliques attribuant direc-

Aussi un étranger à la race élue, Melchisédech, bénit le Dieu Très-Haut, qui a créé le ciel et la terre (Gen. 14, 20).

Paul est bien dans la ligne de ces précédents[8]. Il ne parle pas seulement de l'homme comme sujet d'un effort de réflexion partant du visible pour aboutir à Dieu. Il n'envisage pas simplement un pouvoir de connaître Dieu par la raison, pouvoir que l'apôtre chrétien aurait à mettre en activité avant d'appeler à la foi et de proclamer son message révélé. A ses yeux Dieu est l'auteur d'une manifestation de lui-même déjà réalisée et qui (cela reste sous-entendu, mais ne doit pas être oublié) était un appel à l'honorer.

« Car depuis la création du monde ses attributs invisibles, atteints par l'intelligence grâce à ses œuvres, se font voir : son éternelle puissance et sa divinité » (1, 20).

Paul parle des attributs invisibles (littéralement « des choses invisibles » ; l'adjectif est un neutre pluriel) de Dieu. Car Dieu est invisible ; c'est là une doctrine biblique solennellement inculquée dans une circonstance dramatique (Ex. 33, 20-23 ; cf. Jn 1, 18) et qui inspire le comportement d'un bon nombre de personnages[9], bien que la trace de conceptions plus anciennes moins rigoureuses subsistent çà et là[10]. Cette impossibilité de voir Dieu est ce qui explique l'interdiction de l'idolâtrie pour Deut. 4, 15.

---

tement à Dieu des faits particuliers dans le monde, peut-être aussi de traditions assez répandues faisant remonter aux dieux les arts utiles.

8. Il est bon d'y insister. En effet, H. Bietenhard a prétendu exclure d'avance la possibilité que Paul ait attribué aux païens une connaissance naturelle de Dieu, indépendante de la révélation accordée à Israël. Car les écrits du judaïsme hellénisé comme ceux des rabbins palestiniens n'admettent pas cette doctrine. Tout au plus dans un cas exceptionnel un païen pourrait-il se convaincre que les êtres visibles ne sont pas des dieux. — Quoi qu'il en soit de ces écrits tardifs invoqués par H. B., Paul, tout comme son maître (Mat. 15, 3-9 ; Marc 7, 6-13), pouvait remonter d'une tradition récente à la parole de Dieu consignée dans l'Ecriture. Et les nombreuses citations qu'il fait de celle-ci dans ses lettres montrent bien qu'elle était la source principale de sa pensée. Il n'endosse pas immédiatement toutes les doctrines du judaïsme.

9. Gen. 32, 31 ; Ex. 19, 21 ; Jug. 6, 22 ; 13, 22 ; Deut. 5, 23-28 ; 1 R. 19, 13 ; Is. 6, 5.

10. Gen. 18, 1-2 ; Ex. 24, 10 ; Nomb. 12, 8 ; Deut. 34, 10. Certaines lois liturgiques et quelques Psaumes supposent que dans le pèlerinage au Temple ou dans la prière on voit ou on recherche la face de Dieu : par exemple Deut. 31, 11 ; Ps. 17, 15.

Mais il est classique de trouver dans la contemplation des œuvres visibles de la création une manifestation de leur auteur, comme on l'a vu plus haut. Ce qui entre alors en jeu n'est plus le sens de la vue, mais l'intelligence, le cœur pour l'Ancien Testament. Paul unit ici les vocabulaires grec et biblique [11]. A ses yeux cette manifestation de Dieu se réalise depuis la création du monde, qu'il ne sépare pas de la création de l'homme. Il ne suppose pas une alliance particulière avec un individu ou un peuple.

Le processus intellectuel de cette connaissance de Dieu n'est pas analysé de manière détaillée. Il suffit d'une formule concise qui résume les nombreux exemples que l'on peut trouver dans les Ecritures. Ce qui importe c'est d'affirmer le fait de la manifestation de Dieu aux hommes [12].

Les attributs explicitement nommés sont la puissance éternelle et la divinité, ce qui fait la supériorité de Dieu sur sa créature et sous-entend un certain contrôle sur le destin de celle-ci. La bienveillance, la providence ou la miséricorde divines sont passées sous silence, mais supposées tacitement, puisque les hommes auraient dû rendre grâces au Dieu qu'ils avaient connu.

« en sorte qu'ils soient inexcusables, parce qu'ayant connu Dieu ils ne l'ont pas glorifié comme Dieu, ni ne lui ont rendu grâces » (1, 20-21).

La connaissance de Dieu doit entraîner normalement l'adoration, la reconnaissance de sa souveraineté, la gratitude, et ceci de manière pratique dans l'obéissance aux ordres divins. Pour l'Ancien Testament « connaître Dieu » comporte un élément de crainte affectueuse, de respect, d'attachement, finalement d'observation des commandements (Os. 4, 2 ; Jér. 22, 15-16 ; etc.). Chez Paul le mot « connaître » a une nuance plus purement théorique. Mais la nécessité de conséquences pratiques n'est pas sous-estimée pour autant.

---

11. Voir plus haut la note 31 du chapitre sur la Sagesse et plus bas la note 30 du présent chapitre.

12. Par cette connaissance de Dieu Paul ne songe pas exclusivement aux doctrines philosophiques, qui ne font que systématiser ou purifier une manifestation accordée à tous. Il ne songe pas davantage à une démonstration proprement dite. Pour lui il s'agit d'une sorte d'évidence précédant toute réflexion. Voir cependant la fin de la note 13.

La culpabilité des païens consiste dans le fait que la connaissance de Dieu est restée chez eux purement théorique. Ils auraient dû glorifier et remercier Dieu de ses bienfaits. Le mot « glorifier » exprime ordinairement la réaction à un bienfait particulier, une guérison par exemple (Act. 4, 21), ou encore la louange divine qui suit la manifestation du dessein providentiel de salut (Rom. 15, 6-9). L'action de grâces est un sentiment très voisin. Paul, au début de ses lettres, rend souvent grâces pour le progrès spirituel de ses correspondants. Mais on peut rendre grâces également pour la nourriture (1 Cor. 14, 6). Dans le Ps. 67 les nations sont invitées à se réjouir, à louer Dieu pour les moissons qu'a portées la terre. En fait, dans leur ensemble, les païens n'ont pas eu pour Dieu les sentiments qui convenaient et qu'aurait dû susciter la connaissance qu'ils avaient. Ils ont mérité des reproches analogues à ceux que les prophètes adressaient au peuple élu. « Tu ne m'as pas glorifié, Jacob » (Is. 43, 23). « Si je suis père, où est mon honneur ? Si je suis maître, où donc est ma crainte ? » (Mal. 1, 6). Cette première condamnation va être immédiatement appuyée par la description des conséquences de plus en plus visibles qu'a entraînées cette faute intérieure d'indifférence et d'ingratitude.

« *mais ils sont devenus vains dans leurs pensées et leur cœur inintelligent s'est enténébré* » (1, 21b).

Paul se souvient ici de textes bibliques. Un psaume, cité expressément dans 1 Cor. 3, 20, condamnait la folle assurance d'oppresseurs des faibles, qui prétendaient échapper à la vue de Dieu et il leur opposait sa propre conviction : « Yahweh connaît les pensées des hommes, (il sait) qu'elles sont vaines » (Ps. 94, 11). Jérémie donnait à l'idée d'une ressemblance entre les faux dieux et leurs adorateurs la forme suivante : « Ils sont allés derrière les vaines (idoles) et ils sont devenus eux-mêmes vains » (Jér. 2, 5 = 2 R. 17, 15). D'après un nom courant dans l'Ancien Testament les idoles sont des choses vaines : l'homme qui s'y attache devient vain dans son intelligence : « Qu'ils leur deviennent semblables ceux qui les font » (Ps. 115, 8).

La ressemblance verbale avec le Ps. 94, 11 est d'autant plus remarquable que le psalmiste venait d'esquisser le raisonnement par voie de causalité, qui aurait dû permettre aux tyrans orgueilleux, menacés de représailles, de conclure d'une propriété de l'œuvre à une perfection semblable chez son auteur : « Celui qui a planté l'oreille n'entendrait pas ? » [13] Paul ne s'est pas arrêté à expliciter la manière dont la connaissance des créatures conduit à celle de Dieu. Ce qui lui importe ici n'est pas cette question théorique, mais la mise en évidence du péché des hommes.

Le cœur des païens impies est devenu ténébreux, à l'image des dieux détrônés et condamnés par Yahweh. « Ils ne savent pas, ils ne comprennent pas, ils marchent dans les ténèbres » (Ps 82, 5) [14].

« *Prétendant être sages, ils sont devenus fous* » (1, 22).

Dans un oracle Isaïe montre Yahweh pénétrant en Egypte et faisant trembler toutes ses idoles, provoquant même la guerre civile (cf. Rom. 1, 29-31). Les conseillers de Pharaon, eux qui disaient : « je suis fils des sages », sont stupéfaits, stupides et incapables de donner un conseil utile (Is. 19, 1-15). Paul exprime sa pensée avec les mots principaux du verset 19, 11. Peut-être utilise-t-il à nouveau un florilège biblique dépréciant la sagesse humaine [15]. Isaïe 19 met ironiquement en contraste les prétentions des devins égyptiens et leurs capacités réelles.

D'autres textes montrent la conscience de sa propre sagesse au principe d'un orgueil qui amène des souverains à entrer en conflit plus ou moins direct avec Dieu. Le roi d'Assur se vante

---

13. Il est instructif de noter les multiples parallèles entre ce passage de Rom. 1, 18-32 et Ps. 94. Outre le rapprochement verbal entre Rom. 1, 21 et Ps. 94, 11, les pécheurs sont coupables d'orgueil et d'injustice sociale (Ps. 94, 2.4-6.16.21 ; Rom. 1, 29-31) ; vantards (Ps. 94, 3) ou fanfarons (Rom. 1, 30) ; stupides et fous (Ps. 94, 8) ou insensés (Rom. 1, 21) ; ils sont menacés de représailles (*antapodosis*, Ps. 94, 2) ou de rétribution (*antimisthia*, Rom. 1, 27). En outre Rom. 11, 1-2 reprend les termes de Ps. 94, 14, en les faisant passer du futur au passé et en substituant Dieu à Seigneur. 2 Cor. 1, 5 est proche par le mouvement de Ps. 94, 19. 2 Cor. 1, 8-9 évoque Ps. 94, 19 et 22. Rom. 2, 18 semble faire écho à Ps. 94, 12 : l'instruction donnée par la loi. Le Ps. 94 est donc familier à Paul et il y a toute vraisemblance qu'il a présent à la pensée le raisonnement causal qui conduit à la connaissance de Dieu (Ps. 94, 9-10).

14. Pour l'obscurcissement de la raison par le péché, voir encore Ps. 69, 24, cité par Rom. 11, 10 et, en dehors de l'Ecriture, Henoch 99, 8 ; Test. Ruben 3, 8 ; Test. Levi. 14, 4.

15. L. CERFAUX, « Vestiges d'un florilège dans 1 Cor. I, 18-III, 23 » dans RHE 27 (1931), pp. 521-534, repris dans *Recueil L. Cerfaux*, II, 319-332.

de sa sagesse qui lui a permis des conquêtes nombreuses (Is. 10, 22) ; il finira dans un désastre (10, 16-19). Babylone se glorifiait de sa sagesse et c'est cette sagesse qui l'a égarée (Is. 47, 10). Le roi de Tyr, fier de sa sagesse, s'est imaginé être un dieu, il a corrompu sa sagesse (Ez. 28, 2-9.17). Les scribes, qui proclament leur sagesse et leur possession de la Loi, ont changé celle-ci en mensonge (Jér. 8, 8 ; cf. Rom. 1, 25). Par une formule résumant plusieurs passages bibliques, Paul prépare la preuve décisive de la folie des païens, l'idolâtrie, qui avait de plus en plus nettement été prise à partie dans l'Ecriture non seulement comme injure faite à Dieu, mais comme pratique insensée.

« *Ils ont changé la gloire du Dieu incorruptible en la ressemblance d'une image d'homme corruptible, d'oiseaux, de quadrupèdes et de reptiles* » (1, 23).

Paul adapte à l'expression de sa pensée un verset du Ps. 106, 20 : « Ils changèrent sa (leur) gloire en la ressemblance d'un veau, mangeur d'herbe ». On peut aussi noter la ressemblance avec Jér. 2, 11 : « Mon peuple a changé sa gloire contre ce qui ne sert de rien ». L'énumération des différentes formes que représentent les idoles s'inspire de Deut. 4, 16-18, où Moïse, rappelant la théophanie du Sinaï avec son feu sans aucune forme déterminée, adjure le peuple de ne se faire aucune ressemblance sculptée, qui serait l'image d'un homme ou d'une femme, etc. Paul reprend, avec une construction différente, les deux mots *homoiôma* et *eikôn*, puis détaille les quatre catégories d'êtres vivants de son modèle, mais avec des mots et un ordre partiellement différents du texte des Septante. Il omet les poissons. A ces réminiscences s'adjoint aussi une allusion à Gen. 1, 24-27, où sont mentionnées, avec les mots repris par Rom., les grandes catégories d'animaux et la création de l'homme à l'image et à la ressemblance de Dieu [16].

---

16. Ces allusions et réminiscences ont été relevées notamment par N. HYLDAHL, « A reminiscence of the O. T. at Romans 1, 22 », dans NTST 2 (1955/56), pp. 285-288. Dans deux articles Miss M.D. HOOKER a mis en lumière la ressemblance entre le péché décrit par Rom. 1 et le péché d'Adam (Gen. 1-3). Assurément un parallèle peut être retrouvé après coup entre ces deux descriptions typiques du péché. Mais dans le détail du texte de Rom. 1 on ne constate pas assez de ressemblances verbales pour appuyer la thèse d'une influence privilégiée de Gen. 1-3.

Ce qui est alors insinué par tous ces renvois à l'Ecriture, c'est que par l'idolâtrie l'homme renverse l'ordre de la création : il a été fait à l'image de Dieu et il entreprend de se faire un dieu à son image. Paul prélude avec une gravité indignée à l'ironie superficielle de Voltaire : « Si Dieu nous a faits à son image, nous le lui avons bien rendu ».

Le renvoi le plus clair à l'Ecriture concerne Ps. 106, 20. Le verset laisse entendre que la majesté de Yahweh est incomparable et que la représentation sous une forme visible, surtout animale, dégrade et ravale la notion que l'homme peut avoir de cette gloire transcendante. Dans le livre de l'Exode la fabrication du veau d'or au pied même du Sinaï était la première infidélité d'Israël après le don de la Loi, où l'interdiction des idoles avait été très nettement promulguée (Ex. 32, 1 et 20, 4-5). C'était une désobéissance manifeste au commandement divin et cela pouvait suffire pour beaucoup d'esprits. Le récit peut laisser entendre quelque chose de plus précis. Le peuple veut pouvoir disposer à sa guise de la protection divine grâce à l'image que l'on portera en tête de la caravane [17]. Paul a-t-il perçu un tel sous-entendu ? On peut en douter ; ce qui reste certain, c'est que l'idolâtrie est pour lui un péché beaucoup plus grave que ne le serait la violation d'un interdit alimentaire, par exemple. Mais dans quelle mesure a-t-il réfléchi profondément à la culpabilité des images ou s'est-il contenté de l'impression puissante, mais pouvant rester vague, qui résultait de tant de condamnations dispersées dans l'Ecriture ? Il est difficile de le préciser.

En utilisant à propos des païens les mots du psaume qui s'appliquaient d'abord au peuple élu, Paul montre que ce cas du veau d'or a une valeur typique. Le péché d'Israël est aussi celui

---

L'auteur a négligé les rapports du texte avec Ps. 94, 11 et Is. 19, 11, que l'on retrouve exploités par Paul dans 1 Cor. Elle a réduit à peu de chose le rapport avec Deut. 4, 16-18. Voir « Adam in Romans 1 » et « A Further Note on Romans 1 », dans NTST 6 (1959/60), pp. 297-306 et 13 (1966/67), pp. 181-183.

17. Voir S. LYONNET, *Quaestiones*, p. 93, et *Exegesis*, p. 124. D'après lui Paul attribue à l'idolâtrie en général ce que Ex. 32, 1 attribue à l'adoration du veau d'or. Cette exégèse d'Ex. 32,1 est subtile. On hésite à dire « clare elucet » avec l'auteur. Pour le fond de cette interprétation de l'idolâtrie voir ce qui a été dit plus haut (pp. 94-96) sur le motif fondamental de l'interdiction des images : ne pas empiéter sur l'indépendance divine.

qui se répète continuellement dans le paganisme. Et ce n'est pas un manquement par ignorance, car les hommes connaissaient Dieu qui s'était manifesté à eux, même si c'était dans une mesure inférieure à celle accordée à la communauté de l'Alliance.

« *Aussi Dieu les a-t-il livrés dans les convoitises de leurs cœurs à une impureté où ils avilissent eux-mêmes leurs propres corps* » (1, 24).

Il est courant dans l'Ancien Testament que Dieu, en châtiment des fautes commises, livre son peuple à ses ennemis (cf. Ps. 106, 41). Il est plus rare que l'abandon aux convoitises soit regardé comme un châtiment. On peut toutefois citer quelques formules très proches de Paul, bien que les mots soient différents [18]. « Tu nous as livrés aux mains de (Septante : à cause de) nos fautes » (Is. 64, 6). « Je les abandonnai à l'endurcissement (Septante : selon les coutumes) de leurs cœurs ; ils marchaient selon leurs conseils (Septante : leurs coutumes) » (Ps. 81, 13). Telle est la réaction divine au péché d'Israël, qui suit un dieu étranger malgré la défense qui lui a été faite. La Sagesse livre le pécheur « aux mains de sa chute » (Hébreu : aux dévastateurs) (Sir. 4, 19).

Outre ces formules abstraites, divers récits montrent un châtiment ne consistant pas directement dans un désastre matériel : sécheresse, famine, épidémie, défaite, mais dans une disposition psychologique. Israël a rejeté Yahweh pour servir d'autres dieux. Il est laissé à son désir d'avoir un roi et ce roi l'opprimera (1 Sam. 8, 7-9). Après une faute rituelle Saül tombe au pouvoir d'un esprit mauvais venant de Yahweh, qui excite en lui une jalousie haineuse contre David (1 Sam. 16, 14 ; 18, 10 ; 19, 9). A cause de l'idolâtrie de Salomon, Yahweh a décidé d'arracher dix tribus à son royaume ; il réalise son plan moyennant la vanité outrecuidante de son jeune héritier Roboam (1 R. 11, 31-35 ; 12, 13-15). Yahweh met un esprit de mensonge dans les prophètes d'Achab, l'adorateur de Baal, qui est ainsi encouragé dans une guerre où il succombe (1 R. 22, 23). Parce qu'il a recherché les

---

18. Ces parallèles d'Is. 64, 16 et Ps. 81, 13 ont déjà été signalés par L. LIGIER, *Péché d'Adam et péché du monde. Bible, Kippur et Eucharistie*, II, 1961, pp. 187-188.

dieux d'Edom, Yahweh laisse Amasias s'abandonner à la fanfa-
ronnade qui sera sa perte (2 Chr. 25, 20).

Quelques textes bibliques où les infidélités religieuses et l'idolâtrie sont mentionnées au début d'une énumération de crimes
divers peuvent suggérer qu'elles sont la faute initiale et la cause
de l'immoralité que l'on observe chez les païens et en Israël
(Os. 4, 1-2 ; Ez. 18, 6.11.15). Mais c'est surtout la lettre de Jérémie (Bar. 6) qui a montré de manière satirique la liaison entre le
culte des idoles et la pratique du vol, de la prostitution, de la
fraude, de l'égoïsme. La Sagesse a repris l'idée de manière plus
expresse (14, 12-31, spécialement les vv. 12 et 27). Les écrits non
canoniques tardifs ont spécialement relevé l'homosexualité (Let.
d'Aristée 152 ; Test. Lév. 17 ; etc.). Paul continue une tradition.

Par trois fois Paul va manifester par le choix même des mots
la correspondance entre la faute et le châtiment. Il s'inspire ici
de Deut. 32, 21 (cité par Rom. 10, 19) : l'abandon de Yahweh,
rendu sensible par l'adoration apportée par Israël à un dieu qui
n'est pas le sien, a pour peine l'abandon d'Israël, rendu sensible
par la victoire accordée par Yahweh à un peuple qui n'est pas
le sien. Dans l'épître la dégradation de l'idée de Dieu par l'idolâtrie ou l'indifférence est châtiée par la dégradation de l'homme
lui-même par la luxure ou l'injustice [19].

« *Eux qui ont échangé la vérité de Dieu contre le mensonge,
qui ont vénéré et adoré la créature au lieu du Créateur, qui est
béni éternellement. Amen* » (1, 25) [20].

---

19. E. KLOSTERMANN a fait remarquer comment le choix même des
mots soulignait la correspondance étroite entre la faute et son châtiment. Il renvoie pour cette idée à des modèles judéo-hellénistiques
(Sag. 11, 6-7 ; 14-16 ; 18, 14 ; 2 Mac. 5, 9-10 ; 9, 5-7 ; 13, 5-8 ; Philon
Contre Flaccus, 13 et 20). Il s'agit en réalité d'un thème ancien, déjà présent dans Jug. 1, 7 ; 1 Sam. 15, 33 ; 2 Sam. 12, 9-11 : le tort causé à
autrui est châtié par un tort analogue subi par le pécheur. Mais le
rapprochement de ces textes anciens ou tardifs avec Rom. 1, 24-28, où
il s'agit d'une injure faite à Dieu, est moins pertinent que celui de
Deut. 32, 21, ou encore Lév. 26, 15 et 30 (l'âme se dégoûte) ; 2 Chr.
12, 5 ; 15, 2 (abandonner) ; 1 Sam. 15, 26 ; Os. 4, 6 ; Ps. 18, 27, textes
qui concernent les rapports entre Dieu et les hommes, non ceux des
hommes entre eux.

20. On peut remarquer une certaine ressemblance d'expression avec
Jér. 8, 8 : « Le stylet mensonger des scribes en a fait un mensonge »,
où il s'agit de la Loi (la traduction des Septante n'est pas très exacte).

Ces deux membres de phrases parallèles expriment-ils une gradation véritable ou sont-ils pleinement synonymes ? Dans le premier cas, échanger la vérité de Dieu contre le mensonge, c'est commencer à pervertir l'idée de la gloire divine, en la rabaissant au niveau d'un être visible, ou en prétendant contrôler la puissance divine en la localisant dans un support. On s'imagine bien s'adresser au vrai Dieu en fabriquant une idole, comme ce fut le cas d'Israël au Sinaï avec le veau d'or ; mais on est sur la voie qui conduit loin de Lui. D'après Act. 7, 41-42 Dieu pour cette faute livra son peuple au culte des astres, dans lequel ce n'est plus le vrai Dieu qui est adoré.

Dans le cas d'une simple synonymie Paul voudrait dire que dans l'hommage rendu à une idole, un mensonge d'après une formule assez fréquente chez les prophètes (Amos 2, 4 ; Jér. 10, 14 ; 13, 25 ; 16, 19 ; Is. 44, 20), il y a déjà un culte rendu à une créature : ce ne peut être le vrai Dieu qui est représenté par l'idole, mais une vaine imagination. La pensée ne serait pas très évidente pour un esprit habitué à un usage simplement pédagogique de la représentation visible, comme c'est le cas pour la plupart des chrétiens. Mais Paul est dominé par la mentalité de l'Ancien Testament pour lequel l'idole ne peut être qu'une abomination et non un signe renvoyant au Créateur, et le culte rendu à cette image divine un hommage illicite et vain s'adressant à un pur néant, si ce n'est pas à un démon (Ps. 95/96, 5 ; Septante ; 1 Cor. 10, 20).

Peut-être enfin la pensée de ce verset dépasse-t-elle le cas précis de l'idolâtrie proprement dite, du culte rendu à une divinité représentée par une image. D'autres déviations religieuses sont possibles. Dans l'oubli ou la négligence du vrai Dieu certains font leur dieu de leur ventre (Rom. 16, 18 ; Phil. 3, 19), ou bien se livrent à l'avarice et à la cupidité, qui est une idolâtrie (Col. 3, 5 ; Eph. 5, 5). Les valeurs suprêmes consistent pour eux dans l'assouvissement de désirs terrestres (cf. Hab. 1, 11), finalement mensongers, parce que décevants. On vénère aussi les astres et les souverains (1 Cor. 8, 5).

Dans Is. 5, 20 il y a une ressemblance de pensée : « Malheur à ceux qui appellent le mal bien et le bien mal ; qui mettent les ténèbres à la place de la lumière et la lumière à la place des ténèbres ».

« C'est pourquoi Dieu les a livrés à des passions avilissantes »
(1, 26a).

Les cultes païens comportaient fréquemment la licence sexuelle.
Israël en avait fait une première expérience à Baal Péor
(Nomb. 25). La loi de pureté, condamnant divers désordres
sexuels, les attribue aux païens qui ont précédé Israël sur la terre
qu'il occupe maintenant : inceste, adultère, homosexualité (Lév. 18
et 20), concubinage avec l'esclave d'un autre (Lév. 19, 20), prostitution (Lév. 19, 29). Parmi ces différents cas, Paul va s'en
prendre spécialement à l'homosexualité, non seulement à cause
de sa plus grande diffusion dans le monde grec d'alors, mais
parce qu'elle était souvent exaltée comme faisant partie de
l'éducation du jeune homme libre, une initiation au courage viril.
Elle était pratiquée et, bien plus que tolérée, justifiée [21].

Habilement Paul reprend les termes par lesquels certains philosophes avaient blâmé cette pratique. Platon, quelles que soient
les théories développées dans le *Banquet,* déclare dans les *Lois*
que la volupté dans l'union des mâles et des femelles en vue de
la génération est conforme à la nature, mais que l'accouplement
des mâles avec les mâles ou des femelles avec les femelles est
en tout premier lieu au nombre des audaces contre nature et une
intempérance dans l'usage du plaisir. Ce jugement sévère a dû
être transmis dans les écoles et se retrouve avec ses mots caractéristiques (*para phusin, tolmèma*) dans un stoïcien un peu postérieur à Paul, Musonius Rufus, actif vers les années 60 à 80 de
notre ère [22].

---

21. Voir H.I. MARROU, *Histoire de l'éducation dans l'antiquité,* 1948 ;
chapitre III : « De la pédérastie comme éducation », pp. 55-67 et
477-480. Il y avait une survivance des mœurs en usage dans une société
militaire plus ancienne, exclusivement masculine. L'activité éducatrice
de l'aîné à l'égard du plus jeune apparaît comme un dérivatif du désir
d'avoir une descendance.

22. PLATON, *Lois,* livre I, (636b). MUSONIUS RUFUS, περὶἀφροδίσιων
XII, éd. O. Hense, p. 64, 7. Platon ajoute que les Crétois ont inventé
le mythe de Ganymède pour avoir un modèle divin de leurs pratiques.
Plus loin, au livre VIII (836c), il envisage la perspective d'une loi qui
suivrait la nature, d'après le témoignage qu'en donne le comportement
des bêtes, et prohiberait la pédérastie : elle serait contraire à la pratique
de beaucoup de cités et aurait peu de chances d'être acceptée. ARISTOTE
déclare l'amitié de l'homme et de la femme conforme à la nature à la
fois pour la génération et pour les diverses tâches de la vie (*Ethique à
Nicomaque,* VIII, 14 ; 1162, 16-30). Ailleurs il énumère des conduites

« *Car leurs femelles ont échangé l'usage naturel pour un autre contre nature. De même aussi les mâles, abandonnant l'usage naturel de la femelle, ont brûlé de désir les uns pour les autres, commettant l'infamie mâles avec des mâles, et recevant en eux-mêmes le juste salaire de leur égarement* » (1, 26b-27).

Paul flétrit donc l'homosexualité. Mais, à la différence de Platon, il n'invoque pas l'exemple (réel ou supposé) donné par les animaux, qui s'abstiennent de ce comportement. On peut avoir l'impression qu'il se contente de faire écho à la réprobation intransigeante des codes bibliques. Mais, les expressions parallèles décrivant la faute et son châtiment, l'allusion tacite au récit de la création dans la Genèse, enfin un texte tiré d'une autre épître, permettent d'expliciter ce qui est ici tout juste suggéré. Il y a dans ce désordre un talion divin. L'homme a inverti son rapport à son Créateur par l'idolâtrie. Lui, qui était fait à l'image de Dieu, a fait à sa propre image un dieu qui ne peut être que mensonge. Il sera châtié par une perversion de ce qui en lui est une condition fondamentale de sa vie, le rapport entre le mâle et la femelle, mentionné par Gen. 1, 27 aussitôt après la prérogative d'être créé à l'image de Dieu. Paul reprend les mots de « mâle, femelle », qui dans le texte biblique désignaient les deux sexes, tout comme dans les condamnations morales des philosophes. Cette dualité biologique des sexes n'était pas présentée comme ce qu'il y avait de plus noble dans la créature humaine, ce par quoi elle pouvait se glorifier de ressembler à Dieu [23]. Elle

_____

bestiales ou maladives, manger la chair humaine, s'arracher les cheveux, manger de la terre ou du charbon, s'adonner à l'homosexualité, qui peuvent provenir soit du tempérament individuel (*physis*), soit de l'habitude, comme c'est le cas de garçons dont on a abusé dès l'enfance (*Eth. Nic.*, VII, 6 ; 1148b). H.I. MARROU (*op. cit.*. pp. 55 et 478) note que le langage et les lois attestent que l'inversion était considérée comme anormale. Voir encore H. KÖSTER, *art.* φύσις, dans TWNT, IX (1975), pp. 246-271 ; sur Paul p. 267, 2-6. H. LEISEGANG, art. *Physis*, dans Pauly-Wissowa, 20 (1941), pp. 1129-1134, donne une vue d'ensemble qui s'étend au-delà des pratiques sexuelles. L'opposition entre ce qui est conforme ou contraire à la nature est classique en philosophie et s'applique en bien des domaines, depuis les mouvements locaux jusqu'aux actions humaines.

23. On trouve exprimée par bon nombre d'auteurs l'idée que la dualité du masculin et du féminin dans l'espèce humaine est un élément de l'image de Dieu, voire de la Trinité. Le porte-parole le plus éloquent de cette vue est K. BARTH, *Kirchliche Dogmatik*, III, 1954,

était plutôt le signe de sa vie déficiente et corruptible, qui ne
possède pas en chaque individu la totalité de ses moyens, qui
pour survivre a besoin, comme chez les animaux, de la collaboration de plusieurs individus de capacités diverses et qui survit
dans une autre vie suscitée par la rencontre du mâle et de la
femelle, au lieu de durer éternellement comme le Créateur. Pervertissant le rapport du mâle et de la femelle avec sa finalité pro-
créatrice telle qu'elle ressortait de la bénédiction divine, l'homosexualité s'attaque chez l'homme à une condition fondamentale
de sa vie de créature de chair et lui fait perdre cette immortalité par substitution qu'il trouvait dans la génération et qui était
une image lointaine de la puissance éternelle du Dieu incorruptible.

Mais Paul ne se borne pas exclusivement au côté purement
physique de la sexualité. La femme (non plus la femelle) est à
ses yeux la gloire de l'homme (1 Cor. 11, 7-8) ; c'est ce qui
ressortait de Gen. 2, 18-25, où le rapport des sexes n'était plus
envisagé en fonction de la génération, à la différence de Gen. 1,
28, mais en fonction de la société que les époux sont l'un pour
l'autre [24]. Or l'homme s'est détourné de Dieu, ne lui a pas donné
la gloire qui lui convenait. La femme à son tour se détourne
de l'homme et ne lui donne plus par son amour la gloire qui
était dans les intentions du Créateur. Et l'homme se détourne de
la femme et ne cherche plus en elle sa gloire.

---

§ 41, 2 ; trad. fr. *Dogmatique,* fasc. 10. Le respect du maître vénérable
n'a pas empêché J.J. STAMM de lui opposer une critique déterminée.
« Die Imago-Lehre von Karl Barth und die alttestamentliche Wissen-
schaf », dans *Antwort. Karl Barth zum ziebzigsten Geburtstag,* 1956,
pp. 84-98. En Israël les prophètes ont dû lutter contre les cultes païens
et leurs couples divins ; le recueil canonique des Ecritures n'aurait pu
accueillir des livres présentant le couple humain en tant que tel comme
l'image de Yahweh. Inacceptable comme interprétation de Gen. 1, 27,
l'idée peut avoir une certaine légitimité théologique. Une idée peut être
vraie sans être visée par un texte la suggérant après coup.

24. On peut voir sur ce point A. FEUILLET, « L'homme "gloire de
Dieu" et la femme "gloire de l'homme" (I Cor., XI, 7b) », dans RB 81
(1974), pp. 161-182, et « La dignité et le rôle de la femme d'après quelques
textes pauliniens », dans NTST 21 (1974/75), pp. 157-191. — La pensée
paulinienne est déjà esquissée dans Prov. 12, 4 (couronne de son mari) ;
et 11, 16 (LXX : une femme gracieuse obtient la gloire *pour son mari ;*
l'hébreu ne mentionne pas le mari) ; 31, 23 (le mari de la femme forte
est considéré).

Le rapprochement avec les vues anthropologiques de 1 Cor. 11 montre que Paul ne se borne pas à reprendre un lieu commun de la polémique juive contre le paganisme [25], mais que dans sa condamnation de l'homosexualité païenne il veut toucher le plan proprement humain dans ses couches profondes. Il est à la fois original et traditionnel.

« *Et de même qu'ils n'ont pas approuvé le dessein de connaître Dieu, Dieu les a livrés à une intelligence réprouvée pour faire ce qui ne convient pas* » (1, 28).

Dans un cliquetis de mots qui n'est pas loin du calembour en grec et que la traduction française en a encore rapproché, Paul veut montrer la correspondance entre le péché des païens et leur châtiment par Dieu dans toute la vie sociale. Ce n'est plus seulement le rapport individuel de l'homme et de la femme qui est perverti, c'est tout l'ensemble des rapports humains qui est corrompu par l'injustice. A l'injustice envers Dieu, à l'indifférence envers lui [26] font suite l'injustice envers autrui, l'indifférence à ses souffrances et à ses droits.

Dans une suite de vingt et un qualificatifs [27], qu'il est inutile ici d'analyser en détail, Paul fait sentir la gravité du mal. Ce n'est pas l'ignorance qui en est cause. Les païens connaissent

---

25. Un écrit tardif et non canonique, le *Testament de Nephtali*, 3, stigmatise Sodome, qui a changé l'ordre de sa nature. Il est possible que l'horreur pour l'homosexualité ait été renforcée chez les auteurs bibliques par une liaison de fait avec les cultes païens. La réprobation qu'on en trouve dans Lév. 18, 22 et 20, 13 fait partie d'une série où sont énumérées de nombreuses pratiques cultuelles ou divinatoires des Cananéens, bien qu'il s'y trouve aussi des fautes sexuelles non liées au culte, semble-t-il, comme l'inceste ou la bestialité. Les textes historiques mentionnent la présence dans le territoire d'Israël et jusque dans le Temple de prostitués masculins. Le terme de « saint » qui les désigne (1 R. 14, 24 ; 15, 12 ; 22, 47 ; 2 R. 23, 7), à côté de celui de « chien » (Deut. 23, 18), montre qu'il s'agit d'une fonction considérée comme sacrée. Paul a repris un jugement rigoureux, mais sa réflexion a dégagé un rapport plus profond avec l'idolâtrie qu'une liaison contingente.

26. Dans l'Ecriture il y a des antécédents à ce refus de connaître Dieu (Job 21, 14) et au châtiment qui le suit (Job 22, 17 ; Prov. 1, 29-32). Dans ce dernier texte une allusion possible à la pédérastie se trouve dans les LXX (1, 32) : « Parce qu'ils ont fait tort aux jeunes enfants, ils seront mis à mort ».

27. On trouve le même nombre de qualificatifs pour l'Esprit de la Sagesse divine dans Sag. 7, 22-23.

le jugement de Dieu sur tous ces désordres. Et néanmoins ils s'y livrent, ce qui pourrait être l'effet de la passion. Mais, aberration plus profonde, ils approuvent une telle conduite. C'est finalement l'intelligence qui est dépravée par l'accoutumance au mal.

CONSIDÉRATION D'ENSEMBLE

Après avoir expliqué le détail du texte paulinien, il faut prendre un peu de recul et répondre à quelques questions.

a) A qui s'applique cette condamnation sévère ?

Il s'agit ici des païens, bien que le mot ne soit pas prononcé. Au chapitre 2 Paul parlera des juifs et montrera qu'ils sont eux aussi sous le coup de la colère divine.

Mais Paul porte un jugement d'ensemble, qui ne saurait équivaloir à un verdict portant indistinctement sur chacun. Il est accoutumé par les récits bibliques à considérer des châtiments divins collectifs, tombant avec justice sur une déviation collective, sans que tous jusqu'au dernier aient pris part volontairement et coupablement au péché qui a attiré la colère divine. Au contraire, dans les pires situations il y a un reste : « Je me suis réservé sept mille hommes qui n'ont pas fléchi le genou devant Baal » (1 R. 19, 18 ; Rom. 11, 4). Si l'idolâtrie d'Israël peut servir à comprendre celle du monde païen (cf. Rom. 1, 23), la réponse divine à Elie peut suggérer quelque chose sur ses possibilités de bien.

Paul n'a certainement pas attribué à chaque païen sans exception de pratiquer l'homosexualité, encore moins de la justifier. Sa propre réprobation inconditionnelle provient de l'Ecriture (Lév. 18, 22 ; 20, 13), qui ne mentionne même pas l'homosexualité féminine. Mais les expressions de Rom. 1, 26 sont empruntées aux philosophes grecs, comme on l'a vu plus haut.

Paul n'a pas davantage attribué à chaque païen de manquer de tout sentiment de justice et de miséricorde. Dans Rom. 13, 4-6 il considère les magistrats civils, qui sont des païens, comme des ministres de Dieu en vue du bien [28]. Dans Rom. 2, 14-15 il

---

28. Cette bonté des autorités publiques qui gouvernent et servent ainsi Dieu a été relevée par W.D. Davies (pp. 327-328).

envisage le cas des païens qui pratiquent les commandements de la loi, parce que cette loi est inscrite dans leur cœur. Il pouvait ne pas exclure la possibilité que des païens connaissant Dieu lui aient rendu gloire et action de grâces (cf. Jon. 1, 16).

Il y a toutefois une religion officielle, où sont vénérées des images divines. Paul ne peut supposer qu'il y ait un élément de piété authentique dans le culte des idoles. Ce ne sont pas véritablement des dieux (Gal. 4, 5). Par elles-mêmes elles ne sont qu'un pur néant. Mais ce qu'on leur sacrifie est offert aux démons et non à Dieu (1 Cor. 10, 20). Quand on embrasse la foi chrétienne, on se détourne des idoles pour servir le Dieu vivant et vrai (1 Thes. 1, 9). Aussi Paul était-il bouillant d'indignation au spectacle d'Athènes, une ville pleine d'idoles (Act. 17, 16). Les récits mythologiques, les liturgies accomplies en l'honneur des statues sacrées donnent une piètre idée du divin ou la corrompent. Cet ensemble d'institutions et d'enseignements traditionnels, les mœurs courantes influent fatalement sur tous les individus vivant dans le milieu païen (cf. 1 Cor. 15, 33). La réaction de chacun est le secret de Dieu, qui jugera un jour les replis cachés des cœurs et rendra à chacun selon ses œuvres (Rom. 2, 6.16 ; 1 Cor. 4, 5). Mais on peut dès maintenant décrire et apprécier le paganisme comme manifestation collective et objective. Ce n'est pas seulement le comportement d'un grand nombre ; c'est une force séductrice, qui fatalement marque plus ou moins profondément tous ceux qu'elle touche [29]. Aussi Paul peut-il conclure que tous ont péché, sont privés de la gloire de Dieu et sont justifiés gratuitement par la rédemption dans le Christ Jésus (Rom. 3, 23-24).

b) *Quelle connaissance de Dieu Paul attribue-t-il aux païens ?*

Paul affirme que Dieu a manifesté aux hommes, donc aux païens, ce que l'on peut connaître de Lui ; il l'a fait par le spectacle de ses œuvres. Cette manifestation n'a pas été seulement objective ; elle a produit son effet. Les hommes ont réellement connu Dieu. C'est seulement alors qu'a débuté leur manquement

---

29. Pour cette interprétation voir, par exemple, F.J. LEENHARDT, pp. 42-43 : « Personne n'est coupable de tant de fautes ensemble, mais personne n'en est tout à fait innocent et nul ne peut dire que ce qui est dit là ne le concerne pas ». L. Cerfaux, p. 163 ou 423 ; H. Ridderbos, § 19 ; tr. all., p. 94 ; Sanday-Headlam, p. 50.

coupable, quand ils n'ont pas rendu gloire au Dieu qu'ils avaient connu (Rom. 1, 21). Le grief de Paul n'est donc pas exactement le même que celui formulé par le judaïsme, quand il reprochait aux nations étrangères de n'avoir pas voulu recevoir la promulgation de la loi.

Paul n'a guère détaillé positivement ce que les païens ont connu de Dieu. Il s'inspire de l'Ecriture pour affirmer la manifestation de Dieu dans ses créatures, comme le commentaire ci-dessus l'a mis en lumière. Toutefois le style du verset 20 est grec par l'opposition entre ce qui est vu et ce qui est atteint par l'intelligence, comme par le rapprochement rhétorique entre invisible et vu (indirectement). Les hellénistes y ont décelé une ressemblance avec des expressions de Platon et du Pseudo-Aristote [30]. Paul a donc eu une certaine connaissance des spéculations religieuses de la philosophie. Il y a trouvé des moyens d'expression. Il a pu leur emprunter à l'occasion un argument *ad hominem,* comme lorsqu'il a cité un poète païen pour détourner de l'idolâtrie (Act. 17, 28). Ces contacts occasionnels ne signifient pas qu'il ait réservé à la philosophie la possibilité de connaître Dieu et l'ait déniée à la masse inculte. Il ne vise pas à un discernement individuel, mais à un tableau d'ensemble.

Bientôt après avoir affirmé que les hommes ont connu Dieu, Paul déclare qu'ils sont tombés dans la déraison et les ténèbres, qu'ils ne se sont pas souciés de connaître Dieu. La mesure de connaissance admise dans Rom. 1, 21 est donc limitée. On rejoint les affirmations plus fréquentes des autres épîtres. Les païens sont ceux qui ne connaissent pas Dieu (1 Thes. 4, 5 ; 2 Thes. 1, 6), c'est-à-dire le Dieu vivant et véritable. Ils ont bien des dieux, mais qui ne sont pas réellement des dieux (Gal. 4, 8 ; 1 Cor. 8, 5). Par le moyen de la sagesse le monde n'a pas reconnu Dieu dans la sagesse de Dieu (1 Cor. 1, 22). Les païens ont une intelligence vaine, leur esprit est enténébré, ils sont étrangers à la vie de Dieu à cause de leur ignorance, leur cœur est endurci et ils se sont livrés à la débauche avec frénésie (Eph. 4, 17-19).

---

30. Voir le texte du Pseudo-Aristote, *De mundo,* cité plus haut dans le chapitre sur la Sagesse, p. 140, n. 31. Platon dans la *République* (VI, 507b) déclare : « Nous disons que certaines choses sont vues, et non pas qu'elles sont atteintes par l'intelligence, mais que les idées sont atteintes par l'intelligence et non pas qu'elles sont vues ».

Paul est donc finalement sévère quand il porte un jugement global sur le paganisme, comme donnée culturelle collective. Mais il sait y reconnaître des valeurs individuelles, des vérités partielles. Dans une situation ambiguë et partagée, on peut dire avec vérité que les païens connaissent Dieu et qu'ils sont dans l'ignorance, qu'ils sont moralement corrompus et que certains font le bien. Il n'y a pas incompatibilité radicale entre la position de Rom. 1 et celle du discours à l'Aréopage.

Pour expliquer l'enseignement de Paul sur la connaissance de Dieu par les païens, il n'y a pas lieu de recourir à une solution qui a été plusieurs fois défendue. Il s'agirait dans Rom. 1, 21 d'un lointain passé : à l'origine les hommes ont connu Dieu, qui s'est manifesté à eux par le moyen de la création. Mais ils sont tombés dans l'impiété et l'idolâtrie ; ils ont laissé perdre cette première connaissance [31].

Dans cette interprétation il est étrange que la révélation de la colère divine soit représentée comme présente, contemporaine de la révélation de la justice, alors que cette colère serait provoquée par une faute remontant aux débuts de l'humanité. Paul a-t-il suivi ici le livre des *Jubilés* (11, 4), qui raconte les débuts de l'idolâtrie après le déluge, alors que la Genèse ne sait rien de tout cela ? Il faudrait des indices plus positifs d'une telle préférence. Paul emploie le présent : ce que l'on peut connaître de Dieu est manifeste ; les attributs invisibles sont atteints par l'intelligence grâce à ses œuvres (Rom. 1, 19-20). Paul parle aussi au passé : Dieu l'a manifesté. L'aoriste exprime parfois une action divine qui a débuté à la création, mais qui persiste toujours (1 Cor. 12,

---

31. Entre autres voir R. Cornély, p. 86 ; M. Goguel, *L'apôtre Paul et Jésus-Christ*, 1904, pp. 155-156 ; P. Althaus, p. 16 ou 18 selon les éditions ; A. Feuillet, p. 75. Toutefois R. Cornély estime que Paul, en décrivant l'origine passée de l'idolâtrie, insinue en même temps que les hommes suivent continuellement une voie identique pour s'éloigner du vrai Dieu. A. Feuillet ajoute également que « les générations qui ont suivi... ont, elles aussi, fermé les yeux à la lumière ». P. Althaus, qui serait le plus net dans ses affirmations, ajoute que pour Paul l'histoire totale se répète sans cesse à chaque génération.

Après ces précisions il n'y a plus grande différence avec les interprétations qui voient des fautes présentes et répétées dans le texte de Paul, car personne ne voudrait prétendre que des fautes présentes ne soient pas plus ou moins favorisées par des fautes antérieures. M. Goguel souligne qu'il s'agit pour lui d'une hypothèse.

18.24 ; 15, 38). C'est donc actuellement que les hommes impies sont inexcusables. Ils ne peuvent rejeter la faute sur leurs ancêtres, qui leur auraient rendu impossible l'accès à la vérité. Paul pense à une impiété qui se répète au long des âges, non à la seule conséquence inéluctable d'un péché passé, si persuadé qu'il puisse être d'une solidarité entre les générations successives, selon la pensée biblique : « Nous avons péché avec nos pères » (Ps. 106, 6 ; Dan. 9, 5 ; Esd. 9, 6-7 ; cf. Lév. 26, 40).

c) L'usage doctrinal de Rom. 1, 18-32.

Le texte de Paul est exploité en deux sens contraires par la dogmatique protestante et catholique. On peut partir du bref résumé donné par une note de la traduction œcuménique de la Bible (TOB) : les traducteurs ont été amenés au cours de leur confrontation à mettre en lumière les divergences de leurs traditions respectives. « Le 1er Concile du Vatican (1870) cite ce texte à l'appui de l'affirmation que Dieu peut être connu avec certitude par la raison humaine (Denz 1785/3004). Les Réformateurs soulignent surtout ici l'universalité du phénomène religieux et l'impossibilité d'une connaissance authentique du vrai Dieu en dehors de la révélation du Christ. Le sentiment religieux naturel des hommes ne les conduit qu'à la superstition ou à l'aveuglement spirituel (cf. Calvin, *Institution,* I, 1, 2 et 4). »

Chaque confession néglige ce que l'autre partie met en valeur. Du côté catholique, sinon dans les commentaires proprement dits, du moins dans l'usage doctrinal, on passe sous silence l'idée que la connaissance de Dieu n'a pas été suivie d'actions de grâces et de louange, qu'elle s'est obscurcie et transformée en culte de la créature. En outre on sous-entend ou on suggère que cette connaissance de Dieu par le moyen des créatures consiste en un raisonnement philosophique, en une théorie abstraite, alors que Paul penserait plutôt à cette compréhension religieuse du monde qui s'exprime dans le discours de Lystres (Act. 14, 15-17). Le cours régulier de la nature qui permet la vie humaine est un témoignage que Dieu se rend à lui-même (cf. Gen. 8, 22—9, 17 ; Ps. 65 ; 67).

De plus le Concile de Vatican I, après avoir cité Rom. 1, 20, enseigne plus loin qu'il y a un double ordre de connaissance par la raison naturelle (seconde citation de Rom. 1, 20) et par la foi, et ainsi un double objet : des vérités accessibles à la raison et des mystères révélés (Denz 1795/3015). Enfin la droite raison rend à la foi le service de démontrer ses fondements (Denz 1799/3019).

Il peut donc sembler que le Concile de Vatican I fait porter par Rom. 1, 20 à lui tout seul tout le poids de son enseignement dogmatique sur le rôle de la raison dans la connaissance religieuse. Et cela paraît un poids disproportionné à l'intention de ce texte paulinien.

Pour dissiper cette impression de surcharge injustifiée deux remarques sont utiles. Premièrement, au point de vue exégétique, Paul dans la péricope en question fait différentes allusions scripturaires, d'où il résulte que son exposé prétend résumer tout un arrière-plan doctrinal et non pas le redire en détail. En particulier, on peut estimer que le verset du Ps. 94, 9 est présent à sa mémoire avec la démarche causale qu'il contient[32]. Deuxièmement, au point de vue de la preuve scripturaire, telle qu'elle est pratiquée dans les documents conciliaires, il ne faut pas s'attendre à une étude approfondie de théologie biblique. Les conciles en général n'ont pas l'intention de proposer une doctrine sans lien avec la révélation biblique. Ils le manifestent par des citations, qui ne manquent jamais, et qui sont plutôt une amorce de recherche plus complète qu'une preuve pleinement suffisante[33].

D'autre part, le Concile de Vatican I réserve le nom de foi à la foi chrétienne explicite et donne le nom de raison à la connaissance acquise en dehors de cette foi chrétienne. Ce vocabulaire tend à faire considérer les préambules de la foi (confessionnelle) comme la conclusion d'un raisonnement rationnel, d'une démonstration (Denz 1799/3019)[34]. Cela laisse dans l'ombre le rôle d'une

---

32. Voir plus haut, p. 208, n. 13.

33. C'est pourquoi Pie XII, dans l'encyclique *Humani generis* (1950), estime que c'est la tâche des théologiens de montrer comment la doctrine proposée par l'Eglise dans ses définitions solennelles est contenue dans les sources de la révélation (*Denz.* 2314/3886). La formule conciliaire ne prétend pas manifester cette correspondance de manière pleinement adéquate.

34. Il s'agit bien d'une simple tendance, mais rien de plus. En fait, le texte définitivement adopté par le Concile a omis volontairement de parler de « démonstration », et s'est borné à dire que « Dieu peut être connu avec certitude par la lumière naturelle de la raison humaine à partir des choses créées » (*Denz.* 1785/3004). Voir R. AUBERT, « Le concile du Vatican et la connaissance naturelle de Dieu », dans *Lumière et Vie*, 1954, pp. 165-196, en particulier p. 173, n. 23-25. Les responsa-

foi religieuse non chrétienne pour atteindre des vérités comme l'existence d'un Dieu provident (Héb. 11, 6), qui seront tenues plus fermement par la foi chrétienne, le rôle d'une foi inchoative, simple étape (de foi en foi : Rom. 1, 17) conduisant à la foi chrétienne.

Cette dichotomie tranchée a pu empêcher les lecteurs protestants de reconnaître dans la constitution conciliaire l'écho légitime d'un enseignement apostolique où la connaissance de Dieu est regardée comme devant conduire à une attitude religieuse, même si de fait l'homme pécheur s'y refuse.

D'autre part, la théologie protestante, en insistant fortement sur la conclusion à laquelle Paul veut parvenir, à savoir que tous ont péché et sont privés de la gloire de Dieu (Rom. 3, 23), néglige parfois la prémisse, qu'ils sont pécheurs précisément parce qu'ils ont connu Dieu. Souligner « l'impossibilité d'une connaissance authentique du vrai Dieu en dehors de la révélation du Christ » (TOB), c'est durcir la pensée de Paul d'une manière unilatérale. Il faudrait parler plutôt de connaissance « plénière » et faire une réserve pour les juifs [35].

LA LOI INSCRITE DANS LE CŒUR (ROM. 2, 14-16)

A côté du texte sur la connaissance de Dieu par ses œuvres, l'épître aux Romains présente trois versets (2, 14-16) sur la connaissance des obligations de la loi morale par les païens. On y trouve une vue complémentaire sur ce que Paul tient pour accessible aux païens, indépendamment du témoignage de l'Ecriture, dans le contenu de la révélation accordée à Israël.

------

bles de l'ultime mise au point rédactionnelle préférèrent une formule plus douce à une plus dure.

35. Calvin lui-même, cité par la note de TOB, dit seulement que « la faculté nous défaille de nature pour être amenés jusqu'à une pure et claire connaissance de Dieu » (*Institution*, I, 5, § 14). Il reconnaît que l'Ecriture condamne toute la religion païenne « et ne laisse de résidu sinon le Dieu qui était adoré en la montagne de Sion, parce que là il y avait doctrine spéciale pour tenir les hommes en pureté » (I, 5, § 12). On sait que M. Lackmann s'est attaché à démontrer par l'étude de l'exégèse patristique, médiévale et moderne, jusques et y compris l'époque de la Réforme et Contre-Réforme, que la thèse théologique et l'interprétation biblique de Karl Barth, son maître vénéré, n'est pas conforme à l'Ecriture, quand il rejette toute connaissance naturelle de Dieu.

Les Juifs n'ont pas dans la possession de la loi divine un avantage absolu sur les non-Juifs. Car tout dépend de l'observation effective du bien commandé par elle. Dieu jugera chacun selon ses œuvres (Rom. 2, 6), ce qui est un principe fréquemment affirmé dans l'Ancien Testament sous des formes diverses. Dieu jugera chacun en fonction du bien qu'il aura fait, mais compte tenu de la connaissance très variable de la volonté divine chez les différents individus (Rom. 2, 12). Paul s'inspire d'un discernement délicat opéré dans l'Evangile (Luc 12, 47-49).

« *Quand des non-Juifs qui n'ont pas la loi, font naturellement ce qui est dans la loi, eux qui n'ont pas la loi sont pour eux-mêmes une loi* » (Rom. 2, 14).

Ils n'ont pas entendu promulguer et imposer par une autorité publique la loi mosaïque, tenue par Israël pour la loi divine. Leur sentiment spontané, à la fois vue du bien et inclination à l'accomplir, bien que non éduqué par la loi, leur fait faire ce que les Juifs font par obéissance à Dieu [36]. Pour Paul ce jugement spontané est une loi divine, bien que peut-être non reconnue pour telle par les non-Juifs.

« *Ils montrent que l'œuvre voulue par la loi est inscrite dans leur cœur, tandis que leur conscience en témoigne également et que dans leurs rapports mutuels leurs pensées les accusent ou même les excusent* » (Rom. 2, 15).

Faisant écho aux paroles de l'Antigone de Sophocle (v. 454), les philosophes grecs avaient répandu l'idée d'une loi non écrite, antérieure aux législations des états, une loi qui était celle de la nature et non pas l'effet de conventions ou de choix arbitraires. Des écrivains juifs comme Philon ou l'auteur de 4 Maccabées ont repris ces idées, en les adaptant à leur foi biblique. Paul en ferait autant d'après certains de ses commentateurs [37].

Pour d'autres, au contraire, il se souvient ici d'un oracle prophétique de Jérémie. Yahweh promettait de conclure dans l'avenir

---

36. Plusieurs commentaires signalent que l'expression « être à soi-même une loi » se trouve déjà dans Aristote (*Ethique à Nic.*, IV, 1128 a, 31) et d'autres textes. Philon a repris la pensée et présente les patriarches comme des lois animées et spirituelles (*de Abraham 5*).

37. Par exemple, H. Lietzmann dans son commentaire ; G. Bornkamm, *Gesetz und Natur* ; F. Kuhr.

une nouvelle alliance meilleure avec son peuple. Les médiations humaines disparaîtraient. La loi serait écrite sur le cœur même de chacun, c'est-à-dire serait connue directement sans le secours de maîtres humains et deviendrait un principe actif de conduite (Jér. 31, 33). Les mots « loi écrite dans le cœur » montrent, selon ces exégètes, que Paul se réfère de façon précise à ce texte de Jérémie [38]. A quoi on peut objecter qu'il n'y a dans Rom. 2, 15 aucune trace de ce niveau plus élevé de vie et de connaissance religieuses dont parlait le prophète.

Il est probable que Paul a seulement trouvé dans l'Ancien Testament une formule lui servant à exprimer sa pensée. Dans Prov. 3, 3 (omis dans LXX par les mss. B et S) ; 7, 3 (TM et LXX) ; 22, 20 (LXX seul) on lit l'avis d'écrire les conseils, les règles de vie donnés par le maître de sagesse sur la tablette de son cœur (cf. Jér. 17, 1, TM seul, cette expression en un sens péjoratif). Il ne s'agit pas de loi proprement dite, mais de maximes de conduite. C'est la tablette (en grec *plakos*, devenu *platos* dans beaucoup de mss.) du cœur, qui doit recevoir cette inscription. Paul a amalgamé dans sa mémoire le texte prophétique et le texte sapientiel. Une réminiscence d'Ez. 36, 26 (pierre, chair) s'y ajoute même dans 2 Cor. 3, 3, où il oppose les tables de pierre de la loi de Moïse et les tables de chair du cœur dans la nouvelle alliance. Dans Rom. 2, 15 la loi écrite sur le cœur n'évoque pas nécessairement la nouvelle alliance de Jérémie. Dieu n'est pas désigné explicitement comme l'auteur de l'inscription. Il peut s'agir simplement d'une connaissance directe, personnelle, distincte

---

38. Dans l'antiquité, saint Augustin a souvent compris ce texte de la loi naturelle inscrite par Dieu dans le cœur de tous les hommes. Avec la controverse pélagienne il en est venu à présenter une autre explication pour échapper aux objections de ses adversaires : il s'agit des nations converties au Christ, chez lesquelles la grâce a réparé la nature dépravée par le péché. Même alors il mentionne sa première interprétation comme restant possible. *De spiritu et littera* (en 412) XXVI, 43 - XXVIII, 49 (PL 44, 226-231) ; *Contra Julianum pelagianum*, IV, 23-25 (PL 44, 749-751). Dans l'œuvre de saint Augustin on trouve un bon nombre de textes où il parle de la loi naturelle, ou d'une loi écrite dans le cœur, sans citer Rom. 2, 14 ; cette loi se résume dans la défense de faire à autrui ce que l'on ne voudrait pas subir soi-même. Voir A.M. La Bonnardière, « En marge de la "Biblia Augustiniana" : une "Retractatio" », dans *Rev. Et. August.* 10 (1964), pp. 305-307. De nos jours K. Barth ou F. Flückiger, d'autres encore ont repris l'interprétation de Rom. 2, 14-15 dans la ligne du *Contra Julianum*.

d'une proposition par une autorité extérieure et encore plus d'une contrainte par sanctions et peines. Et ce qui est inscrit sur le cœur, c'est l'œuvre de la loi, c'est-à-dire l'action commandée par elle, non pas la loi tout entière, révélation de Dieu lui-même, promulgation de sa volonté et alliance corroborée par des promesses et des menaces. Il n'est même pas dit que chaque païen porte intégralement écrit dans son cœur l'ensemble de tout le bien prescrit par la loi mosaïque.

Paul a donc repris une formule scripturaire, commune à des contextes différents. Il lui suffit de dire que les païens, tout comme les sages d'Israël, peuvent connaître spontanément ce qui est bien, ce qui est conforme à la loi de Moïse, sans se référer à cette loi. Il ne précise pas que ces païens, qui connaissent ce qui est bien, le perçoivent explicitement comme l'expression d'une volonté de Dieu.

Malgré l'opposition contradictoire des formules « loi non écrite » et « loi écrite », il y a une parenté de fond entre la loi naturelle, non écrite dont parlaient les philosophes, et la loi écrite dans le cœur dont parlaient les auteurs bibliques. Aussi pense-t-on parfois que Paul adapte ici une doctrine grecque, comme le font aussi plusieurs de ses coreligionnaires juifs. Mais la ressemblance pourrait bien être superficielle et les sources de l'enseignement paulinien être beaucoup plus authentiquement bibliques.

Jérémie invitait ses contemporains à enquêter sur le comportement des païens :

Passez donc aux îles de Kittim...
Une nation change-t-elle ses dieux ?
Et mon peuple a échangé sa Gloire
Contre ce qui ne sert de rien.
Cieux, soyez-en étonnés,
Stupéfaits, pris d'une énorme épouvante (Jér. 2, 10-12).

Paul procède à l'examen demandé par ce texte. Mais déjà le prophète avait constaté chez les peuples étrangers une fidélité à leurs institutions religieuses, contrastant avec la versatilité d'Israël.

Les païens sont indignés de la désinvolture avec laquelle Israël a abandonné le Dieu qui avait fait alliance avec ses pères, pour se

tourner vers des dieux nouveaux [39]. Ils jugent compréhensible la
catastrophe de Juda, la destruction du Temple. Plusieurs auteurs,
en termes presque semblables, ont exprimé la même pensée (1 R.
9, 9 ; Deut. 29, 24 ; Jér. 22, 8-9).

Paul se souvient de ces textes. Dans Rom. 1, 23 (« ils ont changé
la gloire du Dieu incorruptible en l'image... ») il utilise une
expression commune à Ps. 106, 20 et Jér. 2, 11. Ici il note que des
païens font droit aux exigences de la loi, alors que des Juifs les
violent. Et cette violation était ressentie par le prophète comme
lésant non seulement les relations entre les hommes et Dieu, mais
plus largement l'ordre de la création tout entière. La nature visible
a un lien profond avec l'homme. Aussi les cieux sont-ils indignés
de l'infidélité d'Israël.

Ce n'est pas simplement de la poésie naïve. Des idées analogues
reviennent ailleurs. Dans la Loi de sainteté, où Paul a lu la
condamnation rigoureuse de l'homosexualité (Lév. 18, 22 ; 20, 13),
des considérations générales expliquent que les abominations
commises par les Cananéens sont non seulement une abomination
aux yeux de Yahweh, mais qu'elles ont souillé le pays. Aussi
Yahweh a-t-il chassé ces peuples pécheurs, bien plus le pays lui-
même les a vomis (Lév. 18, 25-28 ; 20, 22). Il y a une réaction de
dégoût de la part des créatures matérielles à l'encontre des péchés
humains. A l'inverse il y a une harmonie générale entre tous les
éléments du cosmos et l'homme remis en grâce avec Dieu (Os. 2,
22-25 ; Gen. 8, 22).

Par ailleurs le livre de Job montrait un fils de l'Orient, étranger
à Israël, un homme droit et craignant Dieu, qui se gardait du mal.
Ce juste exemplaire avait été pour lui-même une loi, en imposant
un pacte [40] à ses yeux, pour ne pas songer à une vierge (31, 1 ;
omis par LXX). Il pouvait proclamer : « dans mon sein j'ai
caché ses paroles » (les paroles de Dieu ; 23, 12 LXX), bien plus :
« mon cœur ne me reproche aucun de mes jours », ce que les

---

39. Dans Ez. 16, 27 les Philistins sont honteux de la conduite infâme
d'Israël (LXX : se détournent - ou te détournent - de ta conduite impie).
Leur conscience morale est plus éveillée que celle d'Israël.

40. Quand il s'agit d'accord entre hommes et non pas de l'alliance
divine, la construction *karat beryt le,* que l'on trouve ici, est employée
dans les cas où la situation (réelle ou supposée idéalement) est celle
d'un suzerain vis-à-vis de ses vassaux. Les conditions du pacte sont dic-
tées et non pas débattues librement.

Septante ont traduit : « car je n'ai pas conscience en moi-même d'avoir fait le mal » ; avec le verbe *sunoida,* d'où dérive le substantif *suneidèsis,* « conscience » (Job 27, 6). Paul reprendra l'expression en l'abrégeant (1 Cor. 4, 4). Job discute longuement de son innocence avec ses anciens amis qui l'accusent et finalement Dieu le justifie contre ses adversaires.

Si l'on prend en considération ce rapprochement, on peut y trouver une certaine lumière sur des points discutés de ces versets pauliniens. Les pensées qui accusent ou excusent sont non pas les réflexions purement intérieures de la conscience, pesant le pour et le contre d'un jugement moral, mais les discours par lesquels les hommes entre eux débattent d'une conduite donnée [41]. Paul veut montrer que les païens connaissent l'obligation de faire le bien que la loi de Moïse ordonne aux Juifs. Ils manifestent déjà par leur conduite parfois conforme à cette loi qu'ils ont une connaissance spontanée de son contenu. Dans la direction générale de cet argument, il est beaucoup plus normal d'invoquer des faits extérieurs comme les appréciations diverses portées mutuellement sur leurs actions par des hommes en discussion que de mentionner seulement les alternatives de la conscience.

« *Au jour où, selon mon évangile, Dieu jugera par Jésus Christ les secrets des hommes* » (Rom. 2, 16).

La suite des idées entre le v. 15 et le v. 16 est difficile à saisir et la plupart des commentateurs l'ont ressenti. On a supposé l'addition postérieure soit des vv. 14-15, soit du v. 16, ou encore une longue parenthèse non indiquée par un signe de l'écriture, ou bien la disparition accidentelle de quelques mots : « ils seront justifiés ».

Mais si Paul s'inspire ici du livre de Job, où une âpre discussion est finalement dirigée par Dieu, la pensée elliptique devient plus cohérente. Les procès, les débats publics sont des choses manifestes. Mais on ne sait que trop qu'ils ne font pas toujours la

---

41. Admettent qu'il s'agit de discussions entre individus différents B. Weiss, R. Baulès, Heidland, art. *logismos* dans TWNT, IV, p. 289, par exemple. Le *logismos* étymologiquement est d'abord un calcul, une pensée, un projet. Mais il peut s'exprimer au dehors, d'après l'usage des Septante. Mardochée entend les *logismous* des eunuques projetant d'assassiner le roi (Est. 1, 1n). C'est le *logismos* qui permet de faire l'épreuve d'un homme (Sir. 27, 4-7).

lumière. Il faut donc souhaiter une sentence plus haute qui prononcera sur les choses secrètes, actions et surtout intentions. C'est justement ce qui s'était produit au terme du long dialogue entre Job et ses amis. Il serait paradoxal que Paul, pour prouver ce qu'il veut prouver, se soit borné à annoncer un événement lointain, accessible seulement à la foi, mais non à l'expérience immédiate [42]. Il est compréhensible, au contraire, qu'il ait attiré l'attention sur des faits déjà présents, où il voit commencer une procédure destinée à s'achever dans le jugement final, mentionné plus loin (Rom. 2, 27 ; cf. Luc 11, 31-32).

Ce passage de l'épître généralise donc l'enseignement contenu dans le cas particulier de Job et le redit dans un langage plus grec que spécifiquement biblique. Il utilise sans difficulté des expressions popularisées par des conceptions philosophiques ayant quelque ressemblance avec sa propre foi juive, nourrie des livres inspirés. L'idée d'un ordre cosmique englobant l'homme et donnant naissance à une loi naturelle n'avait rien qui pût le choquer, s'il était sous-entendu que cet ordre cosmique provenait de la création par Dieu [43]. Qu'il ait parlé de « nature », de « conscience », qu'il ait admis une loi intérieure, ne doit donc pas être regardé comme une assimilation pure et simple de la philosophie stoïcienne [44]. Les mots ont chez lui une portée plus indéterminée. Ce qui lui importe, c'est de montrer que les païens ont un certain équivalent plus ou moins complet de la loi mosaïque, qu'ils

---

42. Ainsi, d'après J. Sickenberger, Paul à la manière d'un prophète qui avertit ses auditeurs, annonce comme un événement eschatologique la manifestation des pensées des païens.

43. Sur les origines bibliques d'un passage cosmologique chez Paul voir A.M. Dubarle, « Le gémissement des créatures dans l'ordre divin du cosmos (Rom. 8, 19-22) », dans RSPT 38 (1954), pp. 445-465.

44. Plusieurs exégètes notent que Paul, tout en empruntant un vocabulaire et des idées stoïciennes, reste original et ne devient pas un philosophe stoïcien : W.D. Davies, p. 116 ; M. Pohlenz, pp. 80-82 ; W.D. Stacey, *The Pauline view of Man in relation to its Judaic and Hellenistic Background*, 1959, pp. 36, 209-210, 233. — D'autres soulignent plutôt que l'emprunt aux Grecs porte sur tout un ensemble de conceptions bien liées entre elles, mais que Paul lui a donné une orientation vers le jugement de Dieu, qui est chose nouvelle : G. Bornkamm, *Gesetz und Natur*, pp. 101, 110, 117. — D'autres évaluent semblablement l'emprunt fait aux Grecs, mais n'y voient qu'un moyen dont Paul se sert pour affirmer en passant la responsabilité des païens et qu'il abandonne aussitôt : F. Kuhr, pp. 260-261.

connaissent le bien voulu par Dieu pour l'homme, qu'ils sont parfois plus fidèles que les Juifs à leur conscience, que les débats moraux sont une certaine anticipation du jugement dernier.

CONCLUSION

Paul a donc reconnu dans l'épître aux Romains que les païens possèdent en dehors d'une révélation particulière, consignée dans les Ecritures, une voie naturelle pour connaître Dieu par ses œuvres, qu'ils portent sa volonté inscrite dans leur cœur et peuvent ainsi faire naturellement le bien. Ils sont donc responsables devant le Souverain Juge et pourront recevoir de Lui au dernier jour la gloire et la vie éternelle (Rom. 2, 7). Il va sans dire (et Paul ne le dit pas expressément) que leur condition religieuse présente, même dans le meilleur des cas, ne peut être comparée avec celle des chrétiens déjà justifiés par la foi.

Il faut se rappeler que Job lui-même, l'homme irréprochable, n'est justifié par Dieu qu'après un acte d'humilité et de foi, quand il a appris à ne plus faire de son innocence un titre de revendication, pour comprendre que le livre de Job n'est nullement contraire à la thèse principale de Romains : le salut par la foi, donné dès maintenant aux croyants.

Mais Paul insiste ordinairement sur l'ignorance des païens, leurs erreurs, leur aveuglement, leurs vices, beaucoup plus que sur leur connaissance de Dieu et leur droiture morale, dont il n'a parlé que dans Rom. 1-2.

Paul s'inspire de l'Ancien Testament, dont il reproduit parfois les expressions. Il le traduit en formules plus générales et pour cela puise sans préventions au vocabulaire de la philosophie grecque populaire, mais il ne s'affilie pas à une école déterminée.

Surtout il n'oriente nullement vers une tentative d'approfondir et de systématiser cette connaissance naturelle possédée par les païens. Il ne songe pas à en faire une source d'enseignements qui seraient une préparation nécessaire, encore moins un complément de la révélation biblique. Il a abordé les païens à partir de ce qu'ils savaient déjà de Dieu et du bien moral. Ceci relève de la psychologie et non pas d'une conception hiérarchisée du savoir sur Dieu, distinguant un plan naturel et un plan surnaturel.

Quelques exégètes ont noté que cet enseignement sur la loi naturelle, si clairement formulé qu'il soit, n'appartient pas au centre de la théologie paulinienne et qu'il n'en est pas question ailleurs [45].

Assurément c'est bien le seul passage où Paul en ait parlé : mais il a rattaché fortement cette doctrine à un principe qui joue un grand rôle dans ses épîtres, celui d'un jugement final selon les œuvres, prononcé en toute équité impartiale par Dieu [46].

L'Apôtre annonce le salut par le Christ. A ses yeux c'est une grâce imméritée que d'avoir été appelé à la foi chrétienne. Les œuvres antérieures n'y sont pour rien (Rom. 11, 5-6 ; Eph. 2, 5.8-10). Mais, une fois reçue cette grâce de la foi, le principe du jugement final selon les œuvres n'est pas suspendu. Il continue à jouer et avec des exigences nouvelles. Les chrétiens doivent avoir une conduite digne de leur vocation (1 Thes. 2, 12 ; 2 Thes. 1, 11 ; Phil. 1, 27 ; Col. 1, 10 ; Eph. 4, 1) : humilité, douceur, charité (Eph. 4, 2) ; ils ne peuvent plus se conduire comme les païens (Eph. 4, 17 ; 1 Thes. 4, 5), rester dans le péché où la grâce est venue les prendre et les combler (Rom. 6, 1). Paul sous-entend qu'on demande plus à qui a reçu davantage (Luc 12, 48).

S'il exhorte les chrétiens, s'il leur rappelle la vie qu'ils doivent mener, Paul n'énonce pas de règles analogues précises pour les païens : cela ne le regarde pas ; ceux du dehors, c'est Dieu qui les juge (1 Cor. 5, 12-13). L'apôtre du Christ définit ce qui est tolérable ou ce qui ne l'est pas dans la communauté. Il n'a pas à exposer en détail la situation de ceux qui n'ont pas reçu encore la bonne nouvelle. Il lui suffit d'énoncer le principe général du juste jugement divin et de rappeler que bien des choses sont présentement cachées dans les actions des hommes et les pensées des cœurs.

---

45. Ainsi M. Pohlenz, p. 80 et le citant, O. Kuss, *Die Heiden*, p. 96. Le rapport à la pensée paulinienne serait encore plus lâche d'après F. Kuhr, pp. 260-261 ; voir plus haut, note 44.

46. En dehors du contexte proche (Rom. 2, 6 et 2, 25-29) des versets examinés ici, on peut voir Rom. 14, 10-12 ; 1 Cor. 3, 8 ; 4, 5 ; 2 Cor. 5, 10 ; 11, 15 ; Gal. 5, 10 ; 6, 5 ; et dans les écrits d'une authenticité plus ou moins contestée : Eph. 6, 8 ; 2 Tim. 4, 14.

BIBLIOGRAPHIE

I. Commentaires consultés

P. Althaus. *Der Brief an die Römer* (NTD 6), 1933 ².

K. Barth. *Der Römerbrief*, 1919 ; 2ᵉ éd. entièrement changée, 1922. Trad. fr. de la 2ᵉ éd., *L'épître aux Romains*, par P. Jundt, 1972.

R. Baulès. *L'Evangile puissance de Dieu*. Commentaire de l'Epître aux Romains (Lectio divina, 53), 1968.

J. Calvin. *In omnes Novi Testamenti Epistolas Commentarii* (Corpus Reformatorum, t. 77), 1546.

R. Cornély. *Epistola ad Romanos* (Cursus Scripturae Sacrae), 1896.

C.H. Dodd. *The Epistle of Paul to the Romans*, 1932.

C. Gore. *Saint Paul's Epistle to the Romans*. A Practical Exposition, 1899.

J. Huby. *Saint Paul. Epître aux Romains,* traduction et commentaire (Verbum salutis, 10), 1940, 1957².

E. Kaesemann. *An die Römer* (HNT 8a), 1973.

O. Kuss. *Der Römerbrief,* 1957.

M.J. Lagrange. *Saint Paul. Epître aux Romains* (Etudes Bibliques), 1916.

F.J. Leenhardt. *L'épître de saint Paul aux Romains* (Comm. du N. T., 6), 1957.

H. Lietzmann. *An die Römer* (HNT 8), 1906, 1933⁴.

M. Luther. *Vorlesung über den Römerbrief 1515-1516 ;* éd. J. Ficker, 1925.

S. Lyonnet. *Exegesis Epistulae ad Romanos, cap. I ad IV ;* ed. altera retractata et aucta, 1960 (ad usum privatum auditorum ; en fait, cité dans des publications accessibles à tous).

O. Michel. *Der Brief an die Römer* (Kritisch-exegetischer Komm. über das N.T.), 1955.

A. Nygren. *Romarbrevet,* 1944 ; cité d'après la trad. anglaise : *Commentary on Romans,* 1952 ; trad. allem. : *Der Römerbrief,* 1954.

K. Prümm. *Die Botschaft des Römerbriefes. Ihr Aufbau und Gegenwartswert,* 1960.

W. Sanday & A.C. Headlam. *The Epistle to the Romans* (I.C.C.), 1895.

J. Sickenberger. *Die Briefe des Heiligen Paulus an die Körinther und Römer* (Die Heiligen Schriften des N.T.), 1919, 1932².

B. Weiss. *Der Brief an die Römer* (Kritisch exegetischer Komm. über das N.T., 4), 1891.

II. Etudes particulières

H. Bietenhard. « Natürliche Gotteserkenntnis der Heiden ? Eine Erwägung zu Röm. 1 », dans *TZ* 12 (1956), pp. 275-288.

G. Bornkamm. « Die Offenbarung des Zornes Gottes », dans *ZNW* 36 (1935), pp. 239-262 ; reproduit dans *Das Ende des Gesetzes,* Gesammelte Aufsätze, I, 1952, 1966³, pp. 9-34. — Id., « Gesetz und Natur. Röm. 2, 14-16 », dans *Studien zu Antike und Christentum.* Gesammelte Aufsätze, II, 1959, pp. 93-118. — Id., « Faith and Reason in Paul's Epistles », dans *NTST* 4 (1957-1959), pp. 93-100.

C. Bussmann. *Themen der paulinischen Missionspredigt auf dem Hintergrund der spätjüdischen-hellenistischen Missionsliteratur,* 1971.

L. Cerfaux. « Le monde païen vu par saint Paul », dans *Studia hellenistica* 5 (1948), pp. 155-163, repris dans *Recueil L. Cerfaux,* II, 1954, pp. 415-423.

G.R. Castellino. « Il paganesimo di Romani I, Sapienza 13-14 e la storia delle religioni », dans *Studiorum paulinorum Congressus... 1961,* t. II, 1963, pp. 255-264 (Analecta Biblica, 17-18).

W.D. Davies. *Paul and Rabbinic Judaism. Some rabbinic elements in Pauline Theology,* 1948.

J. Dupont. *Gnosis. La connaissance religieuse dans les épîtres de saint Paul,* 1949.

A. Feuillet. « La connaissance naturelle de Dieu par les hommes d'après Rom. 1, 18-23 », dans *Lumière et Vie* 14 (1954), pp. 207-224.

F. Flueckiger. « Die Werke des Gesetzes bei den Heiden (nach Röm. 2, 14 ff.) », dans *TZ* 8 (1952), pp. 17-42.

A. Fridrischen. « Zur Auslegung von Röm. 1, 19 f. », dans *ZNW* 17 (1916), pp. 159-168.

J. Jeremias. « Zu Rm 1, 22-32 », dans *ZNW* 45 (1954), pp. 119-121.

E. Klostermann. «Die adäquate Vergeltung », dans *ZNW* 32 (1933), pp. 1-6.

F. Kuhr. « Römer 2, 14 f. und die Verheissung bei Jeremias 31, 31 ff. », dans *ZNW* 55 (1964), pp. 243-261.

O. Kuss. « Die Heiden und die Werke des Gesetzes (nach Röm. 2, 14-16) », dans *Münchener Theologische Zeitschrift* 5 (1954), pp. 77-98.

M. Lackmann. *Vom Geheimnis der Schöpfung. Geschichte der Exegese von Römer I, 18-23 ; II, 14-16 und Acta XIV, 15-17 ; XVII, 22-29...,* 1952.

D. Luehrmann. *Das Offenbarungsverständnis bei Paulus und in pauli nischen Gemeinden (WMANT, 16),* 1965.

H. Ott, « Röm. 1, 19 ff. als dogmatisches Problem », dans *TZ* 15 (1959), pp. 40-50.

M. POHLENZ. « Paulus und die Stoa », dans *ZNW* 42 (1949), pp. 69-104.

H. RIDDERBOS. *Paulus. Ontwerp van zijn theologie,* 1966 ; utilisé dans la traduction allemande : *Paulus. Ein Entwurf seiner Theologie,* 1970.

H. RIEDL. « Die Auslegung von Rm 2, 14-16 in Vergangenheit und Gegenwart », dans *Studiorum paulinorum Congressus... 1961 ;* t. I, pp. 271-281 (Analecta Biblica), 1963.

H. SCHLIER. « Die Erkenntnis Gottes nach den Briefen des Apostels Paulus », dans *Festschrift für K. Rahner,* 1964 et dans *Besinnung auf das N. T.,* 1964, pp. 319-339 ; trad. fr. : « La connaissance de Dieu d'après les épîtres de saint Paul », dans *Le message de Jésus et l'interprétation moderne,* pp. 207-231, 1969.

S. SCHULZ. « Die Anklage in Röm. 1, 18-32 », dans *TZ* 14 (1958), pp. 161-173.

CONCLUSION

L'étude qui se termine a cherché à évaluer un aspect, marginal à coup sûr, du témoignage biblique. Comment Dieu se manifeste-t-il dans la nature visible, en dehors de sa révélation à travers une histoire nationale et une alliance de grâce ? Quelle connaissance de lui-même accorde-t-il, en marge de cette alliance de grâce, soit à Israël, soit aux Etrangers ? Et que vaut la religion des païens aux yeux des auteurs bibliques ? Qu'a emprunté aux religions païennes le peuple de l'alliance, l'emprunt étant une autre manière, implicite celle-là, d'exprimer un jugement sur la valeur du paganisme ? Quel rôle joue dans le développement de la religion d'Israël la réflexion, le raisonnement, c'est-à-dire un autre moyen de connaissance que la révélation communiquée par l'expérience de l'histoire nationale ou l'intermédiaire des prophètes ?

Ces diverses questions reçoivent de manière occasionnelle des réponses à travers l'Ancien Testament et ces données éparses se concentrent dans trois textes d'allure plus systématique : Sag. 13, 1-9 ; Act. 17, 22-31 ; Rom. 1, 18-32 ; 2, 14-16.

Dieu manifeste sa providence à toute l'humanité. Les hommes, chaque peuple connaissent Dieu comme l'auteur d'un ordre à la fois cosmique et social, qui rend possible la vie humaine. La puissance, la sagesse, la sollicitude de Dieu se manifestent dans le monde visible, mais aussi sa transcendance mystérieuse, sa disproportion avec l'esprit et les forces de l'homme. Le spectacle de l'univers matériel permet donc à Israël d'exprimer et surtout d'affirmer, d'amplifier ce qu'il savait par une autre source de connaissance, l'alliance tutélaire que son Dieu avait nouée avec lui et les révélations que lui avaient communiquées les prophètes.

La religion du paganisme n'est pas tout entière ténèbres, erreur ou orgueil blasphématoire. Assurément les déviations y sont

nombreuses, mais non pas fatales et universelles. La religion de
Noé est virtuellement celle de toute l'humanité. Les païens étrangers à Israël ont pu connaître et sont parvenus effectivement à
connaître Dieu, à tel point que la Genèse, loin de dénoncer leurs
erreurs, présente la religion des patriarches comme en continuité
avec celle de leur milieu, sans différence de niveau appréciable.
Elle ne montre pas Abraham se détournant d'un milieu qu'il
condamne comme idolâtre et se convertissant au Dieu unique ;
elle le loue de croire avec fermeté en des promesses qui lui appli-
quent la bénédiction accordée au premier père, puis à Noé.

Israël n'a pas vécu par la suite en vase clos. Il est resté en
contact avec ses voisins ou même des centres culturels plus éloignés. Babylone ou l'Egypte, et il leur a emprunté diverses institutions, représentations ou pratiques cultuelles, non sans hésitation préalable en bien des cas, et toujours en refondant le
caractère de l'élément qu'il assimilait, pour l'adapter au caractère de sa propre foi. Il a été stimulé par ces influences exté-
rieures à contempler, dans la nature visible, le Dieu qui en est le
maître et, dans le cours de sa propre histoire, une providence
particulière. Israël a, en effet, reçu une manifestation de Dieu
plus complète que les autres peuples à travers les événements de
sa destinée. La méditation renouvelée de cette histoire lui permet
de mieux connaître son Dieu. Les étrangers, témoins plus ou
moins proches de ces faits de salut, ont pu occasionnellement en
tirer une certaine connaissance de Yahweh, sans avoir à s'agréger
au peuple de l'alliance.

Considérée globalement et au terme de son développement, la
religion biblique est parvenue à un capital de croyances qui dépasse
nettement, à son propre jugement, ce que les autres peuples ont
connu de Dieu et du bien moral. Pour le Deutéronome (4, 6-8)
la loi mosaïque est bien supérieure à la loi religieuse des étrangers, qui reconnaissent eux-mêmes cette supériorité. Pour le Psalmiste Yahweh n'a pas traité les autres nations comme il a fait
pour Israël et il ne leur a pas révélé ses jugements (Ps. 147, 20 ;
cf. Bar. 4, 3-4 ; Sir. 24, 8.23). Paul formule une pensée analogue
de manière encore plus précise : la Sagesse de Dieu, communiquée
aux chrétiens parfaits et demeurée cachée aux princes de ce
monde, manifeste « ce que l'œil n'a pas vu, ni l'oreille entendu,
ce qui n'est pas monté au cœur de l'homme, tout ce que Dieu a

préparé pour ceux qui l'aiment [1] ». Dieu le révèle par son Esprit, qui scrute même les profondeurs de Dieu (1 Cor. 2, 9-10).

Le donné biblique autorise donc dans une certaine mesure l'usage de la catégorie double « naturel-surnaturel » pour qualifier ce qui est accessible aux hommes en dehors du peuple de Dieu, d'une part, et ce qui est réservé à Israël et aux chrétiens, d'autre part, et leur est communiqué par une révélation particulière. Mais il n'y a pas dans l'Ecriture d'essai systématique pour ranger en deux classes nettement distinctes ce qui est connu par l'intelligence commune à tous et ce qui est connu grâce à une révélation divine réservée aux bénéficiaires d'une élection, ou encore ce qui dans la foi d'Israël est accessible ou non à l'intelligence commune.

Le Concile de Vatican I (1870) a fait un usage de cette catégorie double « naturel-surnaturel » conforme à ce donné biblique. Il a parlé d'une connaissance de Dieu par la lumière naturelle de la raison en citant Rom. 1, 20, puis d'une autre voie, surnaturelle celle-là, par laquelle Dieu a révélé au genre humain et ce qu'il est lui-même et ses décrets éternels. Il distingue ce qui n'est pas inaccessible à la raison humaine dans les choses divines et, d'autre part, les biens divins, auxquels l'homme est appelé à participer en vertu d'une ordination surnaturelle voulue par Dieu, et qui dépassent absolument l'intelligence de l'esprit humain.

---

1. Cette formule est très probablement antérieure à Paul, qui a dû l'emprunter à une tradition rabbinique. Ce n'est pas une citation littérale d'un seul texte biblique, mais une mixture de citations et de réminiscences de plusieurs textes. Voir P. PRIGENT, « Ce que l'œil n'a pas vu (1 Cor. 2, 9) », dans TZ 14 (1958), pp. 416-429 ; M. PHILONENKO, « Quod oculus non vidit, 1 Cor. 2, 9 », dans TZ 15 (1959), pp. 51-52 ; A. FEUILLET, « L'énigme de 1 Cor. II, 9 », dans RB 70 (1963), pp. 52-74 ; O. HOFIUS, « Das Zitat 1 Cor. 2, 9 und das koptische Testament des Jacob », dans ZNW 66 (1975), pp. 140-142. Le début (l'œil, l'oreille) rappelle surtout Is. 64, 3, accessoirement Is. 48, 7-8 ; 52, 15. Pour la suite (n'est pas monté au cœur) les renvois faits jusqu'à maintenant à Is. 65, 17 ou Jér. 3, 16 ne sont pas en situation : il s'agit, en effet, dans ces textes prophétiques de malheurs passés et qui ne se reproduiront pas, ou d'une institution désuète, ayant perdu sa valeur. Au contraire, l'expression envisagée se trouve dans Sir. 11, 5 (hébr.) : sans concerner des biens religieux transcendants, elle s'applique à une intervention providentielle admirable et imprévue. Pour la fin du verset (préparé à ceux qui l'aiment), on peut avec A. Feuillet noter la parenté du vocabulaire avec Job 28, 28 ; Bar. 3, 37 ; Sir. 1, 10. On pourrait, en outre, songer à Ex. 15, 17 ; 20, 6 ; 23, 20.

A l'appui de cet enseignement 'le texte conciliaire cite le verset paulinien (1 Cor. 2, 9). Mais il n'est pas allé au-delà d'une distinction de principe et n'a pas entrepris de ranger les différents articles du Credo, par exemple, dans l'une ou l'autre des deux catégories énoncées [2].

Il y a dans l'Ecriture, spécialement dans l'Ancien Testament, ce que l'on a appelé plus tard des préambules de la foi, donc non pas exclusivement la présentation de vérités révélées, mais tout un cheminement, qui part de convictions religieuses communément acceptées des hommes et qui conduit par de nombreuses étapes à une foi au contenu extrêmement riche. Ce serait une simplification indue de réduire ce cheminement à un point de départ et un point d'arrivée, que l'on désignerait par le couple raison-foi. On peut bien plutôt montrer comment les croyants progressent de foi en foi : de la foi de Noé à la foi d'Abraham ; de la foi des patriarches à la foi de Moïse (Ex. 3, 6) ; de la foi de Moïse à celle de David (2 Sam. 7, 23) ou des prophètes (Mic. 6, 4-5, par exemple) ; de la foi des prophètes à celle des écrivains tardifs (Ps. 89 ; Sir. 44-49) ; enfin de la foi des Ecritures tout entières à celle de l'Evangile (Luc 24, 44).

La connaissance de Dieu est progressive et le raisonnement peut y jouer un certain rôle. Mais il ne faut pas se méprendre sur ce point. Il y a dans la collection biblique une catégorie de livres, les sapientiaux, qui s'adressent spécialement à la réflexion, font état de l'expérience et s'inspirent d'écrits de sagesse composés dans les peuples étrangers à Israël. Mais ces livres supposent tous une certaine attitude religieuse, même le plus détaché, celui de Qohéleth. Ils ne se proposent pas de démontrer l'existence de Dieu, mais de méditer sur les données générales de la condition humaine, ce qui leur permet une approche meilleure de certains problèmes religieux, notamment celui de la rétribution providentielle. Parallèlement d'autres livres cherchent la réponse à des questions religieuses dans des raisonnements ébauchés ou déve-

---

2. CONCILE DU VATICAN I, *Constitution dogmatique « Dei Filius »
sur la foi catholique*, ch. 2 ; *Denz* 1785-1786/3004-3005. A. Feuillet
(*art. cit.*, pp. 54-57) note que ce verset paulinien ne vise pas la béatitude
future de la vie éternelle, mais concerne d'abord la sagesse chrétienne,
connaissance approfondie des mystères, inaccessible aux spéculations
humaines (et qui, bien sûr, conduit ultérieurement à la gloire céleste).

loppés, et non pas dans une révélation instantanée, reçue dans
une vision par exemple : c'est le cas de la polémique des prophètes contre l'idolâtrie.

C'est surtout dans les livres sapientiaux qu'est reconnue l'incapacité de l'esprit humain à saisir le secret dernier du monde et la
règle qui doit diriger l'action humaine [3], et c'est dans un contexte
de sagesse qu'est reconnu le privilège d'Israël d'avoir reçu une
révélation [4].

Cette révélation suppose une préparation. Elle ne peut être
reçue par l'homme sans aucun préalable religieux. De fait l'Ancien
Testament montre comment la foi d'Israël est partie du présupposé que constituait la religion commune de l'humanité : la
conviction spontanée qu'il y a un protecteur invisible des hommes
et de tel peuple. De là, par des voies diverses, elle s'est élevée
peu à peu jusqu'à la foi de l'Evangile. La variété foisonnante des
Ecritures d'Israël ne recommande pas l'idée qu'il n'y aurait qu'un
seul itinéraire linéaire dans ce progrès des croyances religieuses.
Le discours à l'Aréopage suggère bien plutôt qu'il peut y avoir
plusieurs préparations possibles au message évangélique, puisque
l'orateur utilise des éléments de la religion et de la pensée grecques
pour s'adresser à ses auditeurs et trouver audience de leur part.
On pourrait extrapoler cette indication discrète et se demander
si les multiples religions et cultures de l'humanité n'offrent pas
des éléments disposant à la réception de l'Evangile, sans pour
autant mettre au même niveau de valeur ces lueurs de vérité
dispersées un peu partout. Une réponse affirmative serait dans la
ligne du témoignage scripturaire, mais on sortirait du cadre de
la théologie biblique à la poursuivre ici de manière détaillée.

Une mise en garde finale est opportune. Ce n'est pas dans les
données recueillies par l'étude qui s'achève, qu'il faut chercher
la source de la doctrine théologique plus tardive, distinguant deux
fins de l'homme : l'une naturelle, proportionnée aux capacités de
sa nature essentielle, l'autre surnaturelle, supposant une élévation

---

3. Prov. 30, 4 ; Job 28, 12.20 ; Qoh. 3, 11 ; 7, 24 ; 8, 17 ; Sir. 1, 6 ;
Sag. 9, 13-17 ; Bar. 3, 29-31.
    4. Deut. 4, 6 ; 30, 12-13 ; Ps. 147, 19-20 ; Sir. 24, 23 ; Sag. 18, 4 ;
Bar. 4, 3-4.

gratuite et radicale de sa nature essentielle et de ses facultés de connaissance et de volonté. Il faut marquer nettement la distinction entre deux emplois de la catégorie double naturel-surnaturel, celui signalé plus haut et celui qui vient maintenant d'être défini. On ne peut passer sans précautions de l'un à l'autre [5].

---

5. Ceci nécessiterait une autre recherche. Sur ce point on peut trouver quelques aperçus sommaires et provisoires dans A.M. DUBARLE, « Bulletin de théologie : le péché originel. La problématique augustinienne du péché originel », dans RSPT 53 (1969), pp. 103-113, surtout p. 110.

TABLE DES SUJETS PRINCIPAUX

TABLE DES AUTEURS CITÉS

TABLE DES TEXTES BIBLIQUES

Pour ne pas alourdir inutilement cette table, on n'a pas relevé exhaustivement toutes les références. Des textes n'ayant qu'un rapport très indirect avec le thème du livre sont omis, par exemple ceux relatifs à la course, p. 29, n. 20. Le renvoi à une péricope biblique commentée dans une ou plusieurs pages englobe les versets cités individuellement. Des renvois ont été simplifiés : 5, 1-2 renvoie également aux pages où 5, 1 seulement est cité. Des italiques signalent les pages contenant un commentaire proprement dit du texte biblique. L'ordre des livres est celui de la TOB : Ancien Testament d'après l'hébreu, deutérocanoniques, Nouveau Testament.

JOB

TABLE DES MATIÈRES

Deuxième partie

LES TEXTES CLASSIQUES

Tirée sur les presses
de l'Imprimerie Saint-Paul
55001 Bar-le-Duc
cette première édition de

*La manifestation naturelle
de Dieu
d'après l'Ecriture*

a été achevée d'imprimer
le 15 septembre 1976
Dép. lég. : 3e trim. 1976
No éd. 6660 - No 3-76-212
Imprimé en France